国家"十一五"重点规划图书——当代生态经济译库(二)

# 景 观 模 拟 模 型

## ——空间显式的动态方法

Robert Costanza
Alexey Voinov　编著

徐中民　　焦文献
谢永成　　王新华　译校

U0235241

黄河水利出版社

**图书在版编目(CIP)数据**

景观模拟模型——空间显式的动态方法/(美)科斯坦萨(Costanza,R.)等编著;徐中民等译校.—郑州:黄河水利出版社,2006.12

(当代生态经济译库(二))

国家"十一五"重点规划图书

书名原文:Landscape Simulation Modeling—A Spatially Explicit Dynamic Approach

ISBN 7-80734-162-9

Ⅰ.景…　Ⅱ.①科…②徐…　Ⅲ.景观-模型-研究　Ⅳ.TU-856

中国版本图书馆 CIP 数据核字(2006)第 148839 号

出　版　社:黄河水利出版社
　　　　　地址:河南省郑州市金水路 11 号　　　　邮政编码:450003
发行单位:黄河水利出版社
　　　　　发行部电话:0371-66026940　　　　传真:0371-66022620
　　　　　E-mail:hhslcbs@126.com
承印单位:河南省瑞光印务股份有限公司
开本:787mm×1 092mm　1/16
印张:17.75　　　　　　　　　　插页:1
字数:410 千字　　　　　　　　　印数:1—2 000
版次:2006 年 12 月第 1 版　　　　印次:2006 年 12 月第 1 次印刷
书号:ISBN 7-80734-162-9/TU·76　　　　定价:39.00 元

**著作权合同登记号:图字 16-2006-29**

# 出 版 前 言

当人类跨入 21 世纪的时候,科学研究的方式发生了很大的变化,已经进入了多学科交叉和团队协作研究来解决全球性重大问题(如全球变暖、生物多样性损失、环境污染、水土流失等)的新时代。生态经济学作为一门倡导从最广泛的角度来理解生态系统与经济系统之间复杂关系的新兴交叉学科,最近十多年来得到了迅速的发展,其在可持续发展的定量衡量、环境政策和管理、生态系统服务评价、生态系统健康与人类健康、资源的可持续利用、集成评价和模拟、生活质量及财富和资源的分配等方面的研究取得了突破性进展,对理解和解决环境问题做出了巨大的贡献。

个人能否成才通常取决于智商、情商、健商和机遇等许多因素,其中健商最为重要,"一个人做对的事情比做对事情更重要"指的就是一个人要有健商。一门学科的发展与此有许多相似之处。我国西北地区经济发展落后,生态与环境脆弱,从生态经济的角度来理解环境问题的病因、探询生态系统与经济系统和谐发展的机制、找寻积极而有效的行动对策措施,无疑是正确的方向。在知识创新和文化创新的背景下,中国科学院寒区旱区环境与工程研究所与兰州大学、西北师范大学等高等院校的一批对生态经济问题有浓厚兴趣的青年科研人员自发组织成立了一个学习型生态经济研究小组。该团队以五项修炼(自我超越、改善心智模式、建立共同愿景、团体学习和系统思考)为加强自身个人修养的要旨,目标是为解决西北地区突出的生态经济问题做出自己的贡献。这说明生态经济学科在西北的发展已经具备"智商"、"情商"和"健商"的基础,所缺的只是"机遇"。在西部做事比东部难、机遇少是当前不争的事实,但要认识到机遇只垂青于有准备的头脑,我们需要创造条件,等待机会。切莫在机遇到来时,因自身条件限制而不能抓住,空悲叹。

如何创造条件?科研有它自己的规律,讲求厚积而薄发,"十年铸一剑"。任何学科的进步,都是靠一代又一代人的积累。没有旧知识的积累,就不会有新知识的拓展。对我国生态经济的发展而言,现阶段的任务主要是学习国际上的"开山斧法"。由于我国目前生态经济学科发展与国际前沿存在较大差距,要想顺利通过面前的"文献山",跟上国际前沿,找到国际上生态经济研究的"开山斧"著作,并将它翻译介绍进国内,是一种很好的厚积斧头的方式。

当然我们不能仅满足于掌握国际上的"开山斧法",我们的最终目的是拥有自己的"开山斧法",也就是要做出自己的创新成果。从现阶段的实际情况来看,要开创自己的"开山斧法"困难重重,但只要大家能静下心来,好好演练国际上生态经济研究的"开山斧法",并以"十年铸一剑"的毅力和勇气,持之以恒,在不久的将来定能拥有自己的"开山斧法"。

　　为了全面、系统地总结当代生态经济研究的全貌和进展,带动国内生态经济领域的研究,提升我国生态经济学科的研究能力,我们与黄河水利出版社协商决定出版"当代生态经济系列丛书",主要包括两个子系列:①当代生态经济译库,主要翻译国际上生态经济研究方面的"开山斧"著作;②当代生态经济文库,主要反映自己的研究成果。希望通过大家坚持不懈的努力,近期内能在研究范围、研究内容、研究方法和手段等方面跟上世界生态经济研究的前沿,甚至能在一些方面结出自己的思想之果,引领风骚。

　　春风拂柳,抚昔追远,迎着朝晖,充满希望。

　　我和大家一起瞻望中国生态经济研究的未来!

2006.10.16

# 译　序

当人类进入新世纪的时候，几乎所有的人都已经意识到社会面临的主要全球环境问题，例如温室气体排放、全球变暖、生物多样性的损失、酸雨、主要营养物质在全球循环中的扰动等。由于这些问题与人类活动交织在一起，因而复杂难解。要科学地解决以上问题，必须从生态经济集成的角度考虑人类活动与环境问题之间的交互作用。

美国 Vermont 大学 Gund 生态经济研究所的 Robert Costanza 和 Alexey Voinov 编著了《景观模拟模型——空间显式的动态方法》一书。该书为开展生态经济的集成研究，以及对于理解人类活动与环境问题之间的复杂交互作用提供了新思路和新方法。书中介绍的空间建模环境(SME)是一个高性能的空间模型集成环境，它可以把在 STELLA 软件中建立的单元模型连接起来，实现单元模型向空间模型的转换，从而建立空间显式的模拟模型。SME 支持模块化的建模工作，科研人员可以有选择地应用归档在水文生态模块库(LHEM)中的模块，并可以根据自己的需求开发新的模块或新的空间算法，从而减轻了"重新做轮子"的问题并降低了建立复杂模型所面临的困难。

Patuxent 景观模型(PLM)是本书介绍的一个典型生态经济集成模型，借鉴该模型的经验和方法，通过建立黑河流域的生态经济集成模型，来了解黑河流域生态经济系统之间的复杂相互作用以及水资源短缺对于该流域生态环境建设和经济发展的限制作用，是中国科学院寒区旱区环境与工程研究所生态经济研究小组能力建设的主要方向。因此，理解并灵活运用复杂生态经济集成模型建立的过程和技术是我们能力建设的核心基础性工作，这是我们选择翻译生态经济集成模型方面文献的原因。

本书第 1～3 章由徐中民翻译初稿，第 4 章由徐中民和焦文献翻译初稿，第 5、6、8 章由焦文献翻译初稿，第 7、9、10 章由谢永成翻译初稿，第 11、12 章由王新华翻译初稿。徐中民校订了第 1～4 章和第 6、8 章的二稿和三稿，焦文献校订了第 5、7 章和第 9～12 章的二稿和三稿。三稿完成后，马静和黄茹莉分别阅读了书稿并修订了其中的一些错误。全书最后由徐中民、焦文献、马静和黄茹莉讨论定稿。值得一提的是，本书三稿的校订是在中国生态系统研究网络临泽内陆河流域综合研究站完成的，得到了赵文智站长、张智慧副站长及站上所有工作人员的大力支持，在此表示感谢。需要特别感谢的是本书作者 Alexey Voinov，他于 2005 年 7 月应邀访问了寒区旱区环境与工程研究所并对黑河流域进行了考察，为寒旱所生态经济小组的能力建设提供了极大的帮助。另外，在本书翻译过程中，Alexey Voinov 在百忙之中耐心地帮助我们解决了许多疑难问题。本书的出版得到了国家自然科学重点基金项目"环境变化条件下干旱区内陆河流域水资源可持续利用研究"(No.40235053)、黑河流域交叉集成研究的模型开发和模拟环境建设以及甘肃省重点学科生态经济学的资助,在此一并致谢。

　　虽然本书译者确有精益求精的精神,但因学识水平有限,错误难免,敬请读者指正。

　　衷心希望对生态经济集成模型有兴趣的读者阅读本书后能有所收获!

译　者

2006 年 10 月

# 序

Some 15 years ago it was estimated that per capita, Americans, compared to Chinese, produced 10 times as much $CO_2$, used 600 times as many cars, and consumed 13 times as much energy. Today these numbers are history. Over the past decade the World has been holding its breath while watching in awe how China was becoming a leading industrial power and a major geopolitical player. Almost one third of the World population is making quick progress towards the American lifestyle and levels of consumption. More families are moving into huge mansions, driving SUVs, mowing their lawns, and looking forward to a luxury lifestyle well known from Hollywood movies. Car sales in China are nearly doubling every year. The economy is booming. The majority of the society appreciates the changes and is eager for higher consumption rates. The Chinese dream is not any different than the American one.

However China is making its leap to economic prosperity in quite different conditions than the ones that the Western countries were enjoying at their time. The World has changed quite dramatically. After a century of shameless exploitation by the developed countries, the biosphere is no longer the same. We are seeing results of the vast damage that we have done to the natural resources. Oil extraction that has been driving the economic boom in the West is about to peak (if not already), and will then steadily decline, leaving a larger part of the growing demand unmatched. The climate has been altered by vast quantities of greenhouse gases produced by humans burning the fossil fuels. We are seeing more extreme conditions, more storms, more floods, more hurricanes, more draughts. The biosphere is reaching its capacity to absorb pollution. We are already paying for the waste and toxics carelessly disposed of by previous generations. We are running out of clean water.

To become a new economic superpower under such conditions is a great challenge. China is already the second largest energy consumer in the world. In less than two decades it will leave USA behind in the amount of pollution produced. The environmental problems in the country are vast and growing: erosion, lack of clean water, sand storms, to name a few. The Chinese environmental problems expand well beyond the borders of the country. In a way, one of the worst nightmares of environmentalists is now coming true. China's footprint is expanding much faster than its population is declining. We do not have another $2 \sim 3$ planets Earth to provide the 1.3 billion of Chinese people with the American lifestyle they strive for.

Fortunately there is a growing understanding in China that the conventional, business-as-usual path to economic prosperity leads to a dead end on our sick planet. There are groups and organizations, like the CAREERI research center in the Chinese Academy of Science, and there are the talented and motivated scientists like Dr. Xu Zhongmin, Dr. Long Aihua, Dr. Wang Xinhua, Dr. Xie YongCheng and Academician Cheng, who are promoting new visions of the future, new alternatives for a rich and prosperous life based on careful accounting for natural resources, based on the priority of knowledge consumption over consumption of material goods. These scientists are working hard to bring the best – known methods and theories to China and further develop them carefully incorporating the Chinese specifics, its unique culture and history.

I am very proud that this book is translated to Chinese and hope that it will help our Chinese colleagues fix their environmental problems. We have not been very successful in the West taking care of our environment. The best thing we learned is how to export our problems to other countries or pass them on to future generations, never being able to really fix them, to move away from the devastating consumerism, to find different priorities that would keep us in harmony with nature. Hopefully the Chinese people will succeed and will build their economic superpower based on different principles, becoming the first ecological economic superpower, and leading the rest of the world to a different, sustainable world order.

Alexey Voinov
Gund Institute for Ecological Economics
& Computer Science Department
University of Vermont.

# 前　言

　　模型是对现实世界的一种抽象和简化。在日常生活中，当建立心理、图形、文本或者其他的现实模型时，都有意或无意使用它作为一种分析工具。计算机出现后，人们学会了利用它来提高模拟周围世界的能力。随着计算机越来越精巧，功能越来越强大，开发的软件越来越精妙，在模型中可以考虑的复杂性也越来越多。

　　最近十多年才出现分析大尺度现实生态系统的空间动态模型。伴随着空间数据库（即地理信息系统）的广泛使用，构造生态系统动态空间模型的需要越来越明显。即使不是大部分，也有很多涉及环境的管理决策影响景观及其时空演替，而且这些管理决策也受景观及其时空演替的影响。本书的读者将体会到空间动态模拟模型科学的巨大进步。空间建模环境（SME）是一个公开源代码的软件包，使用它和其他一些软件一起可以建立、运行、分析和呈现生态系统、流域、人口及景观的空间模型。本书将介绍空间建模的整个过程，从概念设计入手，然后是正式的执行和分析，最后是解释和呈现结果。大量的应用案例将有助于辨明建模者应该意识到并应该尽量避免的一些含糊不清的地方和问题。

　　本书对建模者尤其是空间建模的学生和研究人员将非常有用。它提供的思想和软件工具将对系统局部动态的理解转化到空间上。今天空间模型能做什么，不能做什么，在空间动态预测中如何处理不确定性和不足，对想了解这些情况的管理者和决策者而言，本书也将非常有用。

　　第一部分阐述了空间显式的建模方法和理论。介绍了空间建模环境，演示了如何用它构建简单的模型。同时提供了一个基本模块集合，可以用它直接构建某些景观模型。最后探讨了模型校准和分析的问题。

　　第二部分是关于模型框架的实际应用，回答的问题都是紧迫的环境和社会经济问题。密西西比三角洲 Barataria 和 Terrebonne 盆地不同的气候与管理计划有什么影响？海平面上升有怎样的影响？伊利诺斯州狐狸狂犬病的动态传播模式是什么？可能的疾病控制策略是什么？营养物质荷载增加与土地利用变化如何影响 Patuxent 河和 Chesapeake 海湾的水质？最好的恢复和缓解措施是什么？德克萨斯州中部 Fort Hood 军事训练场里的两种濒危雀形目动物——莺和绿鹃的灭绝概率是多少？在流域内种植什么作物才能在农业利润最大的同时对河道水质的损害最小？改变的水文条件和水质状况组合使 Everglades 的植物生态环境和其他生态特征退化到什么程度？重建 Everglades 需要做些什么？新罕布什尔州大海湾曾经茂盛的鳗草草地的未来会是怎样？Mojave 沙漠里的军事训练对濒危的沙漠龟和它的栖息地有何时空影响？

　　这些问题说明了包含在这些章节里的问题范围和地理区域。该书附带了一个光盘*,提供了在计算机上安装 SME 所需要的软件(SME 目前可在 UNIX、Linux 和 Windows 下运行;也可以在 Mac OS－X 的 Darwin 下安装)。其中以 Java 为基础的交互界面是个独立平台。此外,还收集了大部分章节的网页。这些网页详细描述了相应的项目,提供了彩图、动画和资料,可以方便读者更好地探究和想象模型在决策与管理中的可能应用。

Robert Costanza

Alexey Voinov

---

　　* 对光盘内容感兴趣的读者可直接与译者联系。

# 目　录

出版前言　　　　　　　　　　　　　　　　　　　　　　　程国栋
译序
序(英)
前言

## 第一部分　理论和方法

## 第二部分 案例研究

# 第一部分

# 理论和方法

# 第 1 章　引言:空间显式的景观模拟模型 *

## 1.1　为什么需要空间显式的景观模拟模型

即使不是大多数,也有很多涉及环境的管理决策影响景观并受景观的影响。城市和农村规划当局做出的土地利用和基础设施方面的决策,农民做出的种什么和怎样种的决策,个体房主和商人的行为决策,这些都直接影响景观并受景观的影响。

因此,在不同的尺度上理解和模拟景观过程的空间模式及其随时间的变化,对于有效的环境管理来说是非常重要的。正是认清了这一点,美国环境保护署(EPA)已经抛弃传统的"基于媒体的"(media-based)环境管理方法,而转向更多地"基于位置的"(place-based)方法。为了能实施"基于位置的"方法,需要更深刻地理解景观上生态和经济系统之间复杂的时空关系,并在此基础上制定出有效的和适应性的政策措施。这需要广泛的、适应的、综合的、多尺度的和跨学科的新方法,方法的多样性本身就说明这里存在巨大的不确定性。局地、区域和全球尺度的景观模拟研究集成了自然科学和社会科学,并建立了理解耦合的生态经济系统的一个普遍框架。

## 1.2　空间显式的景观模拟模型的基本概念

各种景观模型在复杂性和性能上存在很大的差异。通常,正是这种差异使得一个模型在某种应用上比其他模型更适合。根据定义,景观模型是空间显式的。它们可以涵盖其他许多特征,包括从经验到过程的、从静态到动态的、从简单到复杂的以及从低到高的时空分辨率。

凭经验,越复杂、分辨率越高的模型越能详细地解决问题,但校准也越难,运行模型耗费的时间也越长,而且超过临界值时,模型实际的可预测性也会降低(Costanza 和 Maxwell,1994)。本书讨论的一般是基于过程的,具有从中到高的时空分辨率,相对复杂的、动态的和非线性的空间显式景观模拟模型(SELSMs)。这些模型涉及一系列生态和社会经济变量,包括碳、水、氮、磷、植物、消费者(包括人类)和不同气候、经济与政策情景下各种各样的生态系统服务。它们能够展示特定地点上系统结构和功能"灾难性的"、不可逆的变化(Costanza 等,1990;Voinov 等,1999),因此可以用于检验各种尺度上关于系统可持续性的假设。

图 1-1 描述了这些模型的一般结构。景观上任一点的描述用一个栅格(单元格基础的)来代表。在每个"单元格"中,用一个动态的模拟模型来描述局地动态。单元格之间通

---

＊　作者:Robert Costanza and Alexey Voinov。

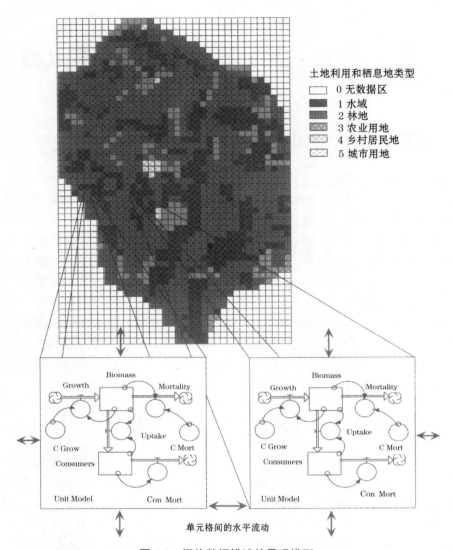

土地利用和栖息地类型

0　无数据区
1　水域
2　林地
3　农业用地
4　乡村居民地
5　城市用地

**图 1-1　栅格数据描述的景观模型**

在每个单元格(栅格或者多边形)中,使用一个动态的模拟模型来描述局部的动态变化过程

单元格之间可以通过物质和信息的水平流动相连接

过物质和信息的水平流动相连接。模型在空间和时间上通常也都是"多尺度的"。在一个空间尺度上,景观中的每个单元格具有它自己的内部动态,同时在更大的尺度上景观整体也具有自己的动态。在单元格内部,单个模块可以代表第三种尺度。同时还有系统内物质和能量循环的短期尺度动态与土地利用变化等长期尺度动态的结合。图 1-2 描述了多尺度动态与政策决策和外部作用力函数之间的全面关系。

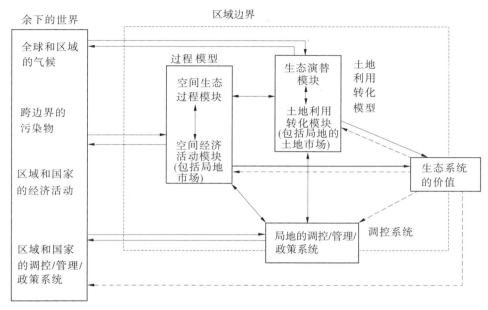

图 1-2　多尺度动态及与政策决策和外部作用力函数之间的全面的关系

## 1.3　水平通量

　　有些景观模型考虑水平通量和单元格之间的交换,有些模型不考虑。水是一个反映模型中生态成分的普遍水平通量,通常由一个水文模型控制。除了水,其他可能的水平通量包括空气、动物、能量(比如火、水波和燃料)、经济物品和服务的流动。水平和垂直通量之间复杂性最小的是单向相互作用,这时水平通量为垂直通量的计算提供条件。更复杂的方法是考虑水平和垂直通量之间信息的双向交换。

　　一个不考虑单元格间水平通量的景观模型是利用 TEM 单元模型(Vorosmarty 等,1989)和一个基于停留时间的水运输模型来排出单元格中多余的水。Creed 等(1996)用RHESSys(Band 等,1991)来考虑水文交换,用 BIOMEBGC 来考虑垂直通量,建立了一个单向信息交换的景观模型。Patuxent 景观模型(PLM)和 CENTURY 采用多向交换来考虑景观单元之间水和物质的交换(Parton 等,1994;Voinov 等,1999)。

　　计算性能、研究目标和数据的可获得性,决定了需要考虑的最佳复杂性以及水平和垂直通量之间信息交换的方式。通常,大的时空范围上的模拟(比如,全球尺度上时间框架为几个世纪、以月或年为时间步长的情景)在较低的复杂性和不考虑水平通量的情况下运行效果最好。较小的时间尺度和较高的空间分辨率(如区域尺度上时间框架为几十年,以天或小时为时间步长的情景)下的模拟通常具有考虑更复杂的结构和多向交换的潜力。

　　比如,通用生态系统模型(GEM)(Fitz 等,1996)的目标是中等水平的复杂性,因此它非常灵活,能应用于许多生态系统。虽然我们考虑了最重要的生态过程,但是将这些过程定形的时候仍然还有许多经验主义的东西需要考虑。在描述单个过程时,任何基于过程的模型都反映了基于过程的规范和经验关系之间的一种平衡(Voinov 等,1998),这限制了模型的通用性。当把模型运用于其他尺度和地区时,将需要额外的测试和校准。但是它允许我们在合理的复杂性范围内操作整个模型。另外,通过开发 LHEM 中模块化的结构(见第 3 章),我们采用只和模拟目标有关的模块组织了模型并减小了整体复杂性。

## 1.4　尺度转换

生态经济系统是复杂的、适应性系统(Gell-Mann,1995)。它们具有非线性、自催化、复杂、时滞反馈循环、突发现象和无序行为等特征(Kauffman,1993;Patten 和 Jorgensen,1995)。这意味着整体和部分的简单加总之间存在显著的差异。反过来,这使得尺度转换(空间、时间和复杂性尺度的转换)不仅是一个难题而且可能是理解系统复杂性的核心问题(Ehleringer 和 Field,1993;O'Neill 等,1989)。

这种背景下,术语"尺度"指分析的分辨率(空间格网的大小、时间步长或者模型的复杂程度)和范围(时间、空间和模拟成分的数目)。"尺度转换"的过程是指把一个尺度上的信息和模型开发应用到其他尺度上。在各种生态研究中,人们逐渐认识到了预测的尺度依赖性,如在景观生态学(Meentemeyer,1989)、生理生态学(Jarvis 和 McNaughton,1986)、种群相互作用(Addicott 等,1987)、古生态学(Delcourt 等,1983)、淡水生态学(Carpenter 和 Kitchell,1993)、河口生态学(Livingston,1987)、气象和气候学(Steyn 等,1981)以及全球变化研究中(Rosswall 等,1988)。然而,目前还没有建立可应用于复杂系统的"尺度转换规则",而且还很难辨别外推的限制条件(Turner 等,1989)。上面这些学科中大部分的基本信息和度量通常都是在相对较小的尺度上搜集的(如生态中的小块土地和经济中的个体或单个公司),这些信息经常被用于建造模型,并且在根本不同的尺度上(即区域、国家或全球)做出推论。尺度转换的过程直接和加总问题连在一起,这在复杂的、非线性和不连续的系统(像生态和经济系统)中是一个非常重要的问题。

## 1.5　加总误差

试图用少于 $n$ 个的状态变量来描述 $n$ 维系统时,加总误差是不可避免的,这与对变化的种群抽样碰到的统计困难一样(Bartel 等,1988;Gardner 等,1982;Ijiri,1971)。Cale 等(1983)认为变量之间如果不存在线性和定常比例关系——变量之间呈线性和定常比例关系在生态和经济系统中很罕见——加总误差就是不可避免的。Rastetter 等(1992)给出了一个详细的例子,他们将单叶片的光合作用描述成辐射和叶面效率的函数,并用它估计了整个森林冠层的生产力。由于每片叶吸收的光能呈非线性变化,在不引入显著的加总误差的情况下,并不能简单地使用光合作用与辐射和效率之间的精确关系与整个森林的平均值一起来描绘总的森林生产力。因此,我们需要能够更好地理解加总误差的方法。

Rastetter 等(1992)描述并比较了四种可用于复杂系统尺度转换的基本方法:

(1)使用统计期望算子将精确标度的关系转变为粗糙标度的关系;

(2)矩展开(moment expansions)作为方法 1 的近似;

（3）将系统分割为更小的、更同质的子系统（见 1.7 节）；

（4）从精确标度关系到粗糙标度数据的校准。

他们建议把这四种方法的组合作为复杂系统最有效、最全面的尺度转换方法（Rastetter 等，1992）。

## 1.6　等级

等级理论为建立多尺度复杂系统的一致模型提供了基本的概念基础（Allen 和 Starr，1982；Gibson 等，2000；O'Neill 等，1986；Salthe，1985）。等级是一种组织原则，它把自然模型分割为具有相似的时空尺度的嵌套状态。在一个基本的等级系统中，任意水平上的实体是更高水平上实体的一部分，并且包含更低水平的实体。在一个排它性的等级中，实体之间没有包含关系，需要通过其他标准（比如营养级）来区分各自的水平。在一定程度上，一个实体和其他水平上的实体是隔离的，通常它们之间没有直接的相互作用，而是相互约束。比如，单个有机体把它栖息的生态系统看做缓慢变化的外部（环境的）约束，把组成细胞的复杂动态看做一组内部（行为的）约束。

从尺度转换的角度来看，等级理论是划分复杂系统时为了最小化加总误差而采用的一种工具（Hirata 和 Ulanowicz，1985；Thiel，1967）。等级理论最重要的方面是生态系统的行为同时受到两方面的约束，即其组成成分的潜在行为（生物潜能）和更高水平上强加的环境约束（O'Neill 等，1989）。一群鸟的飞行速度取决于它们中飞行最慢的成员；如果没有专门的细菌，森林景观就不能固定大气中的氮，这是生物潜能约束的例子。动物种群受可获得食物的限制，植物群落受限于营养物的重新矿化，这是环境约束施加限制的例子。基于系统运转所必需的物理、化学和生物条件，O'Neill 等（1989）使用等级理论定义了一个"约束包络面"（constraint envelope）。他们认为等级理论和据此定义的"约束包络面"提高了预测能力。尽管他们不能准确地预测在约束包络面内系统占据的位置，但是他们可以有信心地声明一个系统将在约束包络面内运转。

通过等级理论这个镜头来观察景观能够帮助阐明在等级的每个水平上生命系统的一般原则。尽管每个水平都具有独一无二的特征，但是定义跨越水平的同构形式和过程（就像许多自然法则一样）是有可能的。Troncale（1985）在一般系统理论的背景下探究了这些类质同像。在尺度转换理论的背景下，我们可以寻求支持尺度垂直综合的类质同像。这些问题可以引出尺度转换问题以及怎样进一步发展 1.4 节提到的应用于复杂系统的四种尺度转换的基本方法。

## 1.7　分形和混沌

一个众所周知的类质同像是分形结构展示的尺度间的"自相似性"（Mandelbrot，1977；West 等，1997），它提供了解决尺度转换问题的另外一种方法。这种自相似性暗示了测量的尺度（这里指测量的分辨率）和测量的现象之间存在一种有规律的和可预报的关系。比如，测量的海岸线长度和分辨率之间的规律关系是基本的、实证上可观察到的。可以总结为下面的方程式：

$$L = ks^{(1-D)}, \tag{1-1}$$

式中：$L$ 为海岸线长度或者其他"分形"边界线；$s$ 为测量的基本单元的大小或者分辨率；$k$ 为尺度转换常数；$D$ 为分形维。

对模拟生态经济系统这类实际问题来说，基本问题仍然关系到分形和混沌系统动力学的应用范围。目前人们对于尺度、分辨率和等级对系统混合行为的影响还缺乏了解，这仍然是建立复杂生态经济系统一致模型的一个关键问题。

# 1.8　分辨率和可预测性

非线性的显著影响引出了如分辨率（包括空间、时间和成分）对模型表现的影响这类有趣的问题，特别是其中对可预测性的影响这类问题。Costanza 和 Maxwell（1994）分析了分辨率和可预测性之间的关系，发现增加分辨率尽管增加了数据模式的描述信息，但也增加了精确模拟这些模式的难度。特定的分辨率对于自然现象的可预测性可能有限制，"分形一样"的规则决定了"数据"和"模型"的可预测性是怎样随分辨率的不同而变化的。

以不同的空间分辨率重采样土地利用图数据集，并测量每种分辨率下模型的可预测性，研究者对分辨率与可预测性之间的关系作了有限的检验。在给定其他变量的情况下，Colwell（1974）使用分类数据，将一个变量不确定性（在 0～1 的尺度上衡量）的减小定义为可预测性。给定一景中邻接像元的信息，可以定义空间的自可预测性（$P_a$）为该景中像元状态不确定性的减小，同样在给定其他景中相应像元状态的情况下，定义研究景中像元状态不确定性的减小为空间交叉可预测性（$P_c$）。$P_a$ 测量数据的内部模式，而 $P_c$ 测量采用其他模式（如模拟）代表研究模式的能力。

人们发现了 $P_a$ 的对数形式与分辨率（用每平方千米内像元的数目来衡量）的对数形式之间存在密切的线性关系。随着分辨率的降低，"自相似性"这类分形特征暗示着可预测性，就像海岸线长度，可以用一个无量纲的维度来很好的描述，并总结它是怎样随分辨率发生变化的。人们可以用类似于标准分形维的方式定义"分形可预测维"（DP）（Mandelbrot，1977，1983）。利用测量的 DP，可以方便地在不同分辨率下转换可预测性测量的结果。

交叉可预测性（$P_c$）能够用于模式匹配并检验情景之间的拟合情况。这样，它将 $P_a$ 揭示的数据内部可预测性和模型的可预测性联系起来。然而 $P_a$ 通常随着分辨率的增加而增加（因为包含了更多的信息），$P_c$ 通常下降或保持稳定（因为模拟加总结果比模拟细分结果更容易）。因此，对于一个特定的模拟问题我们可以通过权衡分辨率增加时的收益（增加的数据可预测性（$P_a$））和成本（降低的模型可预测性（$P_c$））来定义一个最佳分辨率。图 1-1 以一般化的形式展示了这种关系。

一个基本的问题是，这些结果是否对整个景观模型都适用（像 PLM，见第 8 章），是否对于所有形式的分辨率（空间、时间和复杂性）都具有普遍性。

## 1.9　复杂性

复杂的系统也具有复杂的因果关系,这使得传统的假说检验并不合适。比如,如果 A 引起了 B 然后又引起了 A,用实验来检验是否 A 引起 B,结果通常是令人困惑的。另外,很显然不能在景观尺度上直接进行巨大的生态系统和人类系统的控制实验。

一种解决方案是:构建复杂的、动态的系统模型(本书所追求的)来包含上面提到的复杂性的基本特征。这些模型本身能够更多地表现“复杂性假定”,这与研究中系统的复杂属性是一致的。然而,检验这些复杂性假定不是简单的瘾君子似的弄虚作假。在一定程度上,用复杂模型来拟合现实,尽管不是完全没有希望,但结果也绝不会是完美的。对于简单的假定可以说它是错误的,但对于一个复杂的模型我们从来不能说它是“错误的”。我们只能估计一个特定的模型拟合一个特定现实的程度——拟合的越好,模型就越好。因此“复杂性假定检验”意味着设计方法来量化复杂模型拟合现实的程度。归类于模型性能指数(MPI)的,检验和最优化复杂模型拟合程度的方法在第 4 章描述。

## 1.10　本书概况

开始的几章描述了使用景观模拟方法建立一个空间显式的系统模拟模型所需要的基本工具和步骤。

在第 2 章,Maxwell 等描述了空间建模环境(SME),这个软件包能够将局地过程的描述和模型集成到一个空间框架内。这是一个具有相当技术性的章节,作者用一个有详细解释过程的、简单的空间模型示例引导读者读完本章。SME 的开发经历了一系列的版本,从早期在苹果机(Macintosh computers)上执行,发展到最近包含一个基于 Java 的用户接口,并可在多种操作系统(UNIX、Linux 和 Windows)上运行的 SME3。不同版本总的设想仍然一致:SME 提供了将用户友好的软件(比如 STELLA)开发的模型转换成可编译的程序语言(C、C + +)的功能,并将局地描述与空间数据和算法连接起来。同时描述了协同模拟(如收集协同模拟技术和开发过程基础的空间模拟模型的软硬件,以及访问高性能计算设备的工具)。SME 建立的初衷是希望更多的参与者能熟悉模型模拟,并促进计算机模拟技术在自然系统研究和管理中的应用。

在第 3 章,Voinov 及其合作者描述了怎样构建单元模型——空间模型在空间上一致的建筑块。Fitz 等(1996)在以前开发了通用生态系统模型(GEM)。这种方法在这里被进一步扩展和一般化。建立了更加灵活的模块化结构,能够根据需要修改,并可以以最小的冗余度适用于特定案例的研究和应用。模块化的方法利用空间建模环境(第 2 章有描述),在其中可以利用 C + + 代码集成几个单元模型(可以在用户友好的建模环境中建立,比如 STELLA)。模块存储在水文－生态模块库(Library of Hydro－Ecological Modules;LHEM)中,LHEM 可以从站点上获得,它包含了局地和空间上模拟水文过程、营养循环、植被生长和分解作用等的模块。利用 LHEM 建立的 Patuxent 景观模型(PLM)(见第 8 章),可在流域尺度上模拟时间(营养荷载、气候条件)和空间(土地利用模式)作用力驱动的基本生态过程。将局地生态系统动态过程复制到栅格单元上,这些单元格一起组成栅格景观。不同的栖息地和土地利用类型转化成不同的模块和参数集,并通过空间水文模块将单元格相互联系起来。LHEM 中有专门的部分定义物质和信息的水平交换。

在第 4 章,Villa 等讨论了校准问题。在已知数据和假设的情况下,解决空间显式的大生态模型的校准问题对最快的工作站的运算能力和最好的优化算法的复杂性提出了挑战。作者介绍了一种校准单元模型的方法,在一个多阶段的过程中,针对不同位置的数据,使用不同的模型性能指数(MPI)公式,来鉴别参数空间中可行性渐增的区域。这个方法使用进化算法最优化 MPI。程序的结果是在多维参数空间上产生等级嵌套的区域(如一些同心圆),随参数空间的缩小,模型的行为满足越来越严格的校准约束。

从空间一致的单元模型校准转向空间模型的校准是另一个挑战。MPI 和其他的最优化技术变得不适用是因为在空间显式模型的全部单元格中运行这类优化算法计算量太大。因此在空间上实现的多数校准仍然是采用反复尝试(trial－and－error)的方法,这时建模者的技能和经验就成为一个内在影响校准效果的因素。通过应用这些技能和“根据事实和经验推测的”方法,能够限制参数空间的范围,减少针对可获得的数据拟合模型所需的模型运转次数。然而这种拟合未必是最好的,它可能只是一种近似,而且总是需要额外的改进。

本书第二部分收集了几个不同的案例,它们都通过建立空间显式的动态模型来解决非常重要的环境问题。所有的模型都利用了 SME。

第 5 章研究了路易斯安那海岸密西西比河和 Atchafalaya 河三角洲栖息地的转换。利用空间模型,Reyes 等研究了土地损失和湿地栖息地的年际转换情况。该景观模型还可以作为分析不同海平面上升速率下一系列气候情景的工具。它在不同的尺度上集成了几种单个模块。物理模块是一个垂直集成的水力学模型,该模块迁移、疏散盐分和沉积物。物理模块与一个基于过程的描述地上、地下的生产力以及土壤形成的生物模型耦合。由于模型庞大,空间和时间尺度上的耦合是一个突出的问题。作为结果的土地高程和栖息地特征每年都被更新并反馈到水力学模型中。对照栖息地的历史地图,可以发现对土地损失/产生和湿地类型空间变化的模拟是有效的。利用该模型,评价了从 1988 年开始未来 30 年的气候变化和海平面上升的影响。结果表明天气变化具有很大的影响。模型的优点在于预测区域管理计划的效应,如河流改道和结构性的景观水平变化。

在第 6 章,Fitz 等把类似的方法用于另一个以湿地为主的地区——佛罗里达的 Everglades。水管理的基础设施及运转将大的 Everglades 分割成分散的蓄水盆地,改变了这个国际知名的湿地径流和水文模式。水文条件和水质状态的变化一起与 Everglades 植被栖息地的退化和其他生态特征相互作用。作为“恢复”Everglades 宏伟计划的一部分,模拟模型正被用来更好地理解系统的水文和生态动态,帮助评价恢复选项。Everglades 景观模型(ELM)就是这样的一个工具,是在一个覆盖 10 000 km² 的异质区域内基于过程的、空间显式的生态系统动态模拟模型。

ELM 模型能够很好地再现历史上的水文时空动态、地表水和地下水的含磷量、水生附着生物的生物量和群落类型、大型植物生物量、栖息地类型以及泥炭积聚情况。估计遍及 Everglades 系统的磷荷载考虑了两种基本情形。1995 的基本情形假定采用的是当前的管理方法，入境水流的磷浓度固定为历史上的平均值。2050 基本情形假定未来水管理的调整减少了 Everglades 入境水流的磷浓度（归因于湿地的过滤作用）。ELM 为 Everglades 管理提供了所需要的重要信息，已成为一种可接受的评价自然系统潜在恢复情景的工具。

　　第 7 章是 SME 的应用，Behm 等把它应用于水生系统。他们研究了美国新罕布什尔州大海湾河口（Great Bay Estuary）过程在改变鳗草（Zostera marina L.）的空间分布和丰度中所起的作用，开发了一个单元模型来模拟鳗草与环境变量和其他有机体的相互作用，采用的变量包括附生植物海藻、浮游植物、大型海藻、残余物、消费者和营养物，并开发了一个空间模拟模型来模拟鳗草的年度和空间生产力。美国新罕布什尔州海洋工程大学开发的一个水文模型被连接到空间模型上来驱动邻近单元间的物质迁移。利用河流输入的营养物数据能够模拟鳗草产量的季节和空间差异。模型结果表明，光衰减和营养物供应对于鳗草的分布有重要影响。该空间模型被用于测试营养荷载对鳗草与其他变量相互作用的影响。

　　本书接着从湿地和水生系统转向了陆地景观。在第 8 章，Voinov 等描述了 Patuxent 景观模型（PLM），该模型模拟了流域尺度上的基本生态过程，同时它还与一个产生土地利用变化情景的经济模型相耦合。PLM 是基于 LHEM 中的模块组装而成的。不同的栖息地和土地利用类型都转换成不同的参数集。模型描述了马里兰面积为 2 352 km$^2$ 的 Patuxent 河流域，集成了几种空间、时间和复杂性尺度上的数据和知识。PLM 能够作为区域管理的一种辅助工具。与众不同的是，模型阐述了人类定居地和农业实践对景观上的水文、植物生产力与营养循环影响的大小和空间模式。模型的空间分辨率是可变的，在几个子流域上测试的最大分辨率是 30 m × 30 m。高的分辨率能充分描述景观上生态系统和人类定居地的模式。模型不同组分的时间分辨率是不同的，变化范围是从水文模块以小时为时间步长到经济土地利用转换模块以年为时间步长。

　　模型的校准和测试采用了模块化的、多尺度的方法。模型结果表明在几种尺度上模型的几个组分吻合较好。校准模型的一系列情景显示了过去和未来可选择的土地利用模式和政策的含义。分析的 18 种情景包括：①1650、1850、1950、1972、1990 年和 1997 年历史上的土地利用情况；②全面开发现有开发区域内所有土地的一个"外生"（buildout）情景；③基于经济土地利用转换模型的四种未来开发模式；④减少肥料使用的农业"最佳管理实践"；⑤分析农业和城市用地相对贡献的四种土地利用变化"替代"情景；⑥比现在的模式具有更多或更少的聚居地开发的两种"聚类"情景。结果表明了景观响应的复杂性本质以及对空间显式模拟模型的需要。

　　在第 9 章和第 10 章，SME 与地理资源分析支持系统（GRASS）紧密地结合在一起——GRASS 也是一个开源的、免费的软件包。GRASS 是一个地理信息系统，在空间数据分析和处理方面具有很强的功能。SME 给 GRASS 添加了动态特征。两个软件系统的紧密结合增加了建立复杂空间模型的能力，并预示了美好的前景。

　　在第 9 章，Trame - Shapiro 等利用 SME 的建模方法描述了绿鹃（Vireo）和莺（Warbler）这两种濒危鸟类的种群动态。研究是在 Fort Hood 完成的，它是德克萨斯州中央的一个永久性军事训练基地。Fort Hood 鸟类模拟模型（FHASM）是一个生态系统过程和种群动态的模型。模型模拟了该基地($88\,000\ hm^2$)跨越 100 年(尽管更短和更长时间范围的模拟运行更容易调控)的植被和鸟类种群的变化。用户可以指定每种模拟运行的管理政策。

Fort Hood 鸟类模拟模型(FHASM)使用种群生存能力分析程序(PVA)提供的各种情景来分析 Fort Hood 绿鹃和莺种群的灭绝概率。为了达到这个目的,删掉了 FHASM 部分内容,简化的模型称为 FHASM－V。这里描述了该简化模型的两个应用。第一,对 FHASM－V 和 1996 年的模型进行了比较,1996 模型的设计是为了分析绿鹃和莺的种群生存能力。在分析时尽量匹配了两个模型的种群统计变量。第二,仅使用 FHASM－V,对比两个物种在三种不同的栖息地保护政策下生存下来的可能性。该结果为 Fort Hood 的濒危物种政策提供了额外的信息,同时与 1996 年模型计算的结果作了有趣的对比。

第 10 章 Aycrigg 等利用空间景观模拟模型来评价对另一濒危物种——加利福尼亚州 Mojave 沙漠中沙龟(Gopherus agassizii)的影响。这个模型也由位于伊利诺斯州 Champaign 市的美国陆军建筑工程研究实验室开发,评价了跨越时空的军事训练的影响。Mojave 沙漠的沙龟在 1990 年被指定为联邦级受威胁的物种。沙龟在很大的区域上呈斑块状分布,从而很难估计其种群密度。同时沙龟是一种长寿命动物,大约 15 岁后才开始繁殖,这使它很容易受环境干扰的影响。

空间动态的栖息地模型和沙龟模型的开发是为了评价沙龟密度和栖息地的适宜性对变化的军事训练强度、位置和时间的响应。模型包括了数学、逻辑和随机过程。初始条件利用了实际的或模拟起始时间上系统的瞬态图来设定。模型使用了各种类型的输入数据,包括栅格图像、矢量数据、点信息、对象状态和区位。输出结果和源数据的差异揭示了景观上的各种土地管理计划之间模拟的变化。

在第 11 章,Deal 等开发了一个空间显式的模型检验了伊利诺斯州狐狸狂犬病的蔓延动态,并评价了可能的疾病控制策略。最终得到的结果让人焦虑不安,这种疾病可以通过宠物传染给人类。模型中考虑的能显著影响疾病扩散的变量包括种群密度、狐狸生物学(fox biology)、动物的活动范围、分散率、接触率和孵化期。空间模拟技术利用的是一种基于栅格的方法,组合了伊利诺斯州景观上相关的地理条件(在地理参考数据库中描述)和一个针对每个单元格中令人感兴趣的现象的非线性动态模型,其中每个单元格都交互式地与其他适当的单元格相连接(通常是邻近单元)。

得到的空间模型利用各种等级尺度把从早期模型(狐狸生物学、狂犬病信息和景观参数)中获得的数据清晰地连接起来。这使自然发生的模式成为可能,并且促进了实验数据搜集技术的发展。模型结果显示疾病可能会在本来健康的狐狸种群中从东部扩散到西部,并且可能会出现从传入点辐射开来的流行病波,大约 15 年后可能成为遍及全州的地方病。研究还发现尽管现在的打猎压力会潜在地消灭伊利诺斯州的狐狸,但是某种水平的打猎压力可以用来有效地帮助控制疾病。

最后,在第 12 章 Seppelt 和 Voinov 探究了空间模型怎样实现最优化。在其他章节里,模型的使用几乎都是运行情景(即用户首先定义的一系列作用力函数或者初始条件),这些情景通过模型转化为系统的行为。利用最优化程序,可以用公式表达希望系统达到的目标,然后利用模型将目标转化为达到这些目标的控制变量和参数。本章研究了一个以农业为主的区域,目标或者性能标准采用的是经济和生态要素的组合,结合了经济因素(如农民从收获中获得的收入)和生态因素(如从流域到河口的营养流)。研究任务是寻找最适宜的土地利用模式和施肥率来最大化性能标准。

　　由于计算复杂,空间模拟中通常很难实施最优化。作者开发了一个空间显式的动态生态系统模拟模型的最优化程序框架,解决了一些困难。使用蒙特卡罗模拟(利用随机生成器为独立控制变量产生随机数)测试了结果。使用一些不是基于梯度搜索的(Gradient-free)最优化程序(遗传算法)检验了简化的假设。框架中提供了最优化工具,可使计算时间独立于研究区域的大小。结果,识别了具有高保持能力的重要区域,并依靠土壤属性建立了施肥图。这表明即使是复杂的模型模拟,最优化方法也能成为系统分析生态系统管理策略的实用工具。

## 1.11　未来的前景和挑战

　　未来发展的关键领域包括以下几个方面:

　　(1)利用模拟过程在利益团体间达成广泛的一致;

　　(2)开发一个足够大的历史景观变化数据库,允许更好地校准和测试景观变化算法;

　　(3)将几个不同学科的过程和代理人基础的模型与不同时空尺度上的地理数据连接起来;

　　(4)更好地理解景观模拟中的分辨率和可预测性之间的关系,对于具体的模拟问题允许选择"最佳的"分辨率。

　　空间模拟的经验表明,复杂性是主要挑战之一。当空间分辨率增加时,模型的建立变得更加困难,需要更强的数据处理能力,也需要更加复杂的数据集,模型的解释和分析也变得更加困难。一个空间模型的一些标准输出看起来像是一系列的空间层(比如在 1 000 km$^2$ 的区域上以 1 年为时间期限)。假定我们的模拟采用了 10 个变量,时间步长为 1 天,空间分辨率为 1 km$^2$,结果将是一次模型运行产生 3 650 000 个数值。掌握和处理产生的所有信息非常困难,而且目前还没有太多的方法可以用有意义的指标整理它们以维持所需要的时空信息。

　　为了实现模拟的目标,确定复杂性(空间、时间或者结构)的程度是非常重要的。多数模型中采取的栅格基础的方法可以认为是对模型根本的空间描述。由于视最小的空间单元为空间同质的实体,因此最小空间单元的确定就非常重要。比较所谓的集总空间模型和基于栅格的模型(见图 1-3),可以发现从大的空间单元,如子流域[HSPF 模型(Donigian 等,1984)]、山坡[TOPMODEL(Beven 和 Kirkby,1979)]、水文单元[SWIM(Krysanova 等,1999)]、斑块[RHESSys(Band 等,1991)]等,转向小的统一大小的单元时需要考虑的空间实体数目增加非常显著。当空间实体数目增加时,模型总的复杂性,建立、维护和分析模型所需要付出的努力也增加。因此增加实体数目应该有一个好的理由。

　　多数情况下,空间描述的灵活性证明了栅格基础的方法是恰当的。使用这种方法,模型要保持的空间单元没有固定的几何特征;在模拟的任何时间内,人们都可以修改要建立模型的景观模版。如果景观模式发生了变化(就像第 8 章 PLM 模型中描述的),在任

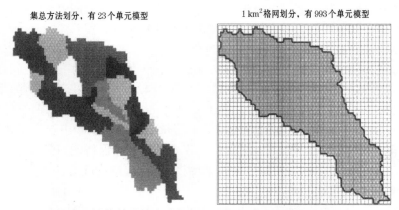

集总方法划分，有23个单元模型　　　　　1 km² 格网划分，有993个单元模型

**图 1-3　栅格基础的方法与集总的斑块或多边形基础的方法**
单元格基础方法增加了复杂性，也增加了模拟的灵活性和多功能性

何时间内都可以将新图反馈到模拟中，而不需要重新计算新的模型形状、新的水文单元或者新的斑块。比如，Everglades 地区的 ELM 模型（第 6 章）可以把栖息地演替模拟为水质、土壤积水期和气候的函数，模型中的空间模式实际上是变化的。另外，由于描述是空间显式的，因此能够精确地得到景观或栖息地空间特征的变化情况以及所期望的未来变化情况。

在特定的案例中可能并不需要如此多的空间细节，一个空间上加总的模型也可能工作的同样好。然而，随着遥感技术的迅速发展，可以获得更多的高分辨率的空间数据集。管理者和决策者都热衷于使用这些数据并且在实践中融入最近可以得到的空间知识。另外，由于人类对环境的影响变得更加剧烈，人们对于集成社会经济和生态动态，理解复杂的空间模式兴趣渐增。人们想要准确地知道哪里的影响是最严重的，是在哪里引起的。因此对于与遥感基础的栅格数据集联系紧密的栅格基础的模型的需要将明显增加。那时，挑战就变成了学习怎样捕获模型输出的大量信息，并转换成有意义的指标呈现给利益团体，以便他们能够理解并用于决策中。

不久，我们可能会看到模型的等级化，这样的模型可以操作几种不同的空间形式，还可以集成栅格层（栅格基础的模型）和矢量层（斑块基础的模型）的信息。空间建模环境（SME）最近的版本——本书中我们使用的模型框架——已经提供了对于建立这类多级模型非常重要的功能。有些程序和模块能够在更大的斑块上运行，特别是那些由更聚合的数据集定义特征的斑块——对社会经济过程的描述通常以人口普查分块、县、镇等为基础。这些模块能够动态地连接到栅格基础的模块上，通过遥感描述栅格格式的信息。栅格－矢量相互作用的原理已经能够在本书的模型中发现（比如，第 6 章中 ELM 的渠道）。

总之，空间景观模拟（就像本书中案例研究描述的那样）对于景观怎样起作用提供了新的洞察。随着数据的增加和计算能力的增强，对广大的利益团体而言，应用这里所描述的技术将变得越来越普遍和越来越有意义。

# 参 考 文 献

［1］ Allen T F H,Starr.T B 1982. Hierarchy. University of Chicago Press, Chicago. IL.

［2］ Addicott J F, Aho J M, Antolin M F,et al.1987. Ecological neighborhoods: scaling environmental patterns. Oikos 49: 340~346

［3］ Band L E, Peterson D L,Running S W,et al.1991, Ecosystem processes at the watershed level: Basis for distributed simulation. Ecological Modeling, v.56, p.171~196

［4］ Bartel S M, Cale W G, O'Neill R V, et al.1988. Aggregation error: research objectives and relevant model structure. Ecological Modelling 41: 157~168

［5］ Beven K 1993. Prophecy, reality and uncertainty in distributed hydrological modelling. Advances in Water Resources 16: 41~51

［6］ Beven K J,Kirkby M J.1979. A physically－based, variable contributing area model of basin hydrology. Hydrological Sciences Bulletin 24(1): 43~69

［7］ Cale W G, O'Neill R V, Gardner. 1983. Aggregation error in nonlinear ecological models. Journal of Theoretical Biology 100: 539~550

［8］ Carpenter S R,Kitchell J F (eds). 1993. The trophic cascade in lakes. Cambridge University Press, New York

［9］ Colwell R K.1974. Predictability, constancy, and contingency of periodic phenomena. Ecology 55: 1148~1153

［10］ Costanza R, Maxwell T.1994. Resolution and predictability: An approach to the scaling problem. Landscape Ecology, 9:47~57

［11］ Costanza R, Sklar F H, White M L. 1990. Modeling Coastal Landscape Dynamics. BioScience 40: 91~107

［12］ Creed I F, Band L E, Forster N W, et al.1996. Regulation of Nitrate－N release from temperate forests: A test of the N flushing hypothesis. Water Resources Research 32: 3337~3354

［13］ Delcourt H R, Delcourt P A,Webb T. 1983. Dynamic plant ecology: The spectrum of vegetation change in space and time. Quaternary Science Review 1:153~175

［14］ Donigian A S, Imhoff J C, Bicknell B R,et al.1984. Application Guide for Hydrological Simulation Program － FORTRAN (HSPF). U.S. EPA, Environmental Research Laboratory, Athens, GA

［15］ Ehleringer J R,Field C B (eds). 1993. Scaling physiological processes: leaf to globe. Academic Press, New York

［16］ Fitz H C, DeBellevue E, Costanza R,et al.1996.Development of a general ecosystem model for a range of scales and ecosystems. Ecological Modelling 88(1/3): 263~295

［17］ Gardner R H, Cale W G,O'Neill R V,1982. Robust analysis of aggregation error. Ecology 63(6): 1771~1779

［18］ Gell－Mann M. 1995. The quark and the jaguar: Adventures in the simple and the complex. W. H. Freeman, San Francisco, CA

［19］ Gibson C, Ostrom E,Ahn T, 2000. The concept of scale and the human dimensions of global change: a survey. Ecological Economics 32: 217~239

［20］ Hirata H, Ulanowicz R E,1985. Informational theoretical analysis of the aggregation and hierarichal structure of ecological networks. Journal of Theoretical Biology 116: 321~341

[21] Ijiri Y. 1971. Fundamental Queries in Aggregation Theory. Journal of The Astronomical Society of America 66: 766~782

[22] Jarvis P G, McNaughton K G, 1986. Stomatal control of transpiration: Scaling up from leaf to region. Advances in. Ecological Research 15: 1~49

[23] Kauffman S, 1993. The Origins of Order: Self－Organization and Selection in Evolution. Oxford University Press, New York

[24] Krysanova V, Meiner A, Roosaare J, et al. 1989. Simulationmodelling of the coastal waters pollution from agricultural watershed. Ecological Modelling 49: 7~29

[25] Livingston R J. 1987. Field sampling in estuaries: The relationship of scale to variability. Estuaries 10: 194~207

[26] Mandelbrot B B. 1977. Fractals. Form, Chance and Dimension. W.H. Freeman and Co, CA

[27] Mandelbrot B B. 1983. The Fractal Geometry of Nature. W.H. Freeman, San Francisco, CA

[28] Meentemeyer V, Box E O. 1987. Scale effects in landscape studies. Landscape heterogeneity and disturbance. pp. 15~34

[29] O'Neill R V, DeAngelis D L, Waide J B, et al. 1986. A Hierarchical Concept of Ecosystems. Princeton University Press, Princeton, NJ

[30] O'Neill R V, Johnson A R, King A W, 1989. A hierarchical framework for the analysis of scale. Landscape Ecology 3(3): 193~205

[31] Parton, W J, Ojima D S, Schimel D.S, et al 1992. Development of simplified ecosystem models for applications in earth system studies: The CENTURY experience. In D.S. Ojima, ed: Earth System Modeling. Proceedings from the 1990 Global Change Institute on Earth System Modeling, Snowmass, Colorado, pp. 281~302

[32] Patten B C, Jorgensen S. 1995. Complex Ecology: The Part－Whole Relationship in Ecosystems. Prentice－Hall, Englewood Cliffs, NJ

[33] Rastetter E B, King A W, Cosby B J, et al. 1992. Aggregating fine－scale ecological knowledge to model coarser－scale attributes of ecosystems. Ecological Applications 2: 55~70

[34] Rosswall R, Woodmansee R G, , Risser P G, 1998. Scales and global change: spatial and temporal variability in biospheric and geospheric processes. Wiley, New York

[35] Salthe S. N. 1985. Evolving Hierarchical Systems: Their Structure and Representation. Columbia University Press, New York

[36] Steyn D G, Oke T R, Hay J E, et al. 1981. On scales in meteorology and climatology. Climate Bulletin 39: 1~8

[37] Thiel H. 1967. Economics and Information Theory. North－Holland, Amsterdam

[38] Troncale, L.R., 1985. On the possibility of empirical refinement of general systems isomorphies. Proceedings of the Society for General Systems Research 1: 7~13

[39] Turner M G, Costanza R, Sklar F H. 1989. Methods to Compare Spatial Patterns for Landscape Modeling and Analysis. Ecological Modelling 48: 1~18

[40] Voinov A, Fitz C, Costanza R. 1998. Surface water flow in landscape models: 1. Everglades case study. Ecological Modelling 108(1~3): 131~144

[41] Voinov A, Costanza R, Wainger L, et al. 1999. Patuxent landscape model: integrated ecological economic modeling of a watershed. Ecological Modelling and Software 14: 473~491

[42] Vorosmarty C J, Moore III B, Grace A L, et al. 1989. Continental scale model of water balance and fluvial transport: An application to south America. Global Biogeochemical Cycles 3: 241~265

[43] West G B , Brown J H, Enquist B J. 1997. A general model for the origin of allometric scaling laws in biology. Science 276: 122~126

# 第 2 章　使用 SME 进行空间模拟 *

## 2.1　引言

本章描述了一种称为空间建模环境(SME)的高性能空间模型集成环境(Maxwell 和 Costanza,1994,1995,1997b),该集成环境将图形基础的模型环境与高级计算机资源明晰地连接起来。容许不具备很多计算机和程序基础的科学家在图形界面友好的环境中开发模型。自动代码生成器构造空间模拟,能利用并行和串行的计算机网络进行分布式处理,容许用户在不知道其存在的情况下,访问最先进的计算设备。

该模型环境要求程序设计以模块化的形式进行并需要满足等级性,并可对那些可重复利用的模块以 xml 基础的模拟模型标识语言(SMML)(为传递有关文件的信息而加入到文件数据中的一些正文)进行归档(Maxwell,1999;Maxwell 等,1997a)。一个相连的"模块包装"库可以将做好的模块合并到模型环境中。这种范式鼓励开发模块库。模块库中是全球的研究者都可以利用的模型组分,这使科研人员可在其他研究人员的工作基础上进行开发工作,而不需要每个新模型都从头开始。

SME 的设计是为了在创建全球尺度的生态/经济模型过程中,支持大量的、分布式网络连接的科学家之间协作开发模型。为对图形基础的单元模型开发、模块化模型开发和高性能计算以及可视化提供全面的支持,科学家们所付出的努力最终形成了构造器—模型库—驱动器这三部分组成的体系结构(见图 2-1)。SME 的体系结构由四个基本的应用组成:模块的输入、代码的生成、SME 的驱动和 Java 接口。用户可以通过命令行的形式或 SME 的图形界面调用这些功能。本章下面的内容将详细介绍这些功能。

构造器:SME 的构造器成分用于创立图形、校准和测试动态的过程模块。这些模块定义发生在空间模型单元上的过程(生物、生态、社会经济等)。构造器的成分是指那些现成的图标模型工具,如 Stella、Extend 和 PowerSim。

模型库:模块输入器将构造器的生态系统成分模块转为 SMML(以 xml 为基础)定义的通用规范模块。SMML 模块可以在底层模型库中归档,可以为其他的研究者访问,或者与指定的单元模型连接来描述空间模型中的单元动态。

代码生成器:代码生成器利用 SMML 中指定的单元模型来产生描述空间模型的 C++代码。在这一阶段,单元模型被复制到覆盖研究区域范围的空间格网上。模拟代码合并到 SME 驱动器(一种分布式的模拟应用)中。用户可以通过配置来定制产生的模型。

驱动器:SME 驱动器是一种分布式的面向对象的模拟环境,融合了那些在目标平台

---

＊　作者:Thomas Maxwell, Alexey Voinov, Robert Costanza。

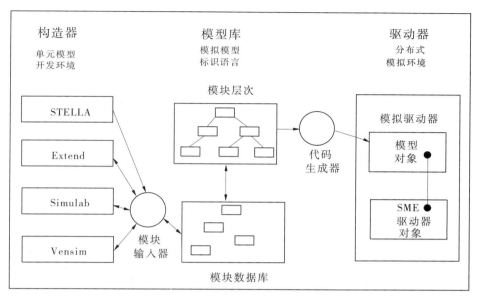

**图 2-1  构造器—模型库—驱动器结构概览**

上实际完成空间模拟的代码集合。能利用并行和串行的计算机网络进行分布式处理,容许用户在不知道其存在的情况下,访问最先进的计算设备。这是通过一些与信息传输相连接的分布式 C＋＋对象实现的。

SME 环境包括一个 Java 界面(或者是一个接口),为用户提供了一个简单熟悉的环境,在其中可以构造、配置、交互式运行、可视化任何一台并行计算机上的模块。SME 便于通过网络远程访问运行在模拟服务器上的空间模型。

## 2.2  在 SME 中开发模型

这部分详细描述了如何在 SME 中开发空间模型,而且详细勾勒了 SME 中可以利用的功能。这些功能可以通过命令界面执行,也可以在 SME 的 Java 界面上利用工作空间管理器的应用程序来执行。

### 2.2.1  工作空间配置

任何一个 SME 的模型都需要有一定的工作空间,它们具有下面的层次结构:

工作空间:工作空间是指当地或远程计算机上用来存放工程的特定区域。

工程:工程是包括与一个模型工作相关的所有源代码、可执行程序、数据和模拟结果的目录树。典型的工程包括模拟单一研究区域各个方面的模型集合。

模型:过程基础的模型用一组一阶常微分方程定义。SME 专门适用于 Forester 类型(存量—流量)的模型。每个模型都有很多配置形式,每一种配置形式都由一种情景来定义。

情景:一个情景是模型的一种配置,定义数据的输入和输出、空间格网和时间步长等。在 2.2.5 节中用配置文件来描述情景。

工作空间可以用 SME 的脚本或者工作空间管理器的菜单创建。如下面的命令可在当地计算机的工作空间 /usr/local/sme/ 上创建一个名为 myproject 的新工程。

　　　　Unix - shell＞SME project myproject /usr/local/sme

如果在指定的工作空间上不存在工程 myproject,则上面的命令将创建新的目录结构。相似的命令可用于定义当前的模型和情景。

工作空间管理器由命令"startup-wsm"启动,也可以通过菜单来启动。

## 2.2.2　单元模型的开发

空间模型的开发由单元模型的开发开始,单元模型定义空间格网中单元上实体的集合动态(生物的、生态的、社会经济的等)。单元模型利用在这里称为构造器的图标模型工具开发。当前 SME 支持两种模块构造器:①STELLA 的模型工具;②SME 接口的模型开发平台。其他的如 PowerSim 等工具,在不久的将来也应该可以增加进来。下面的部分描述了使用上述两种工具开发模型的过程。

### 2.2.2.1　用 STELLA 开发单元模型

STELLA(HPS,1999)是一个图标模型开发工具,它的应用反映了一个模块的图表式结构,用户一看就能知道其中主要的交互作用关系。缺乏编程经验的科学家也可以很快地开始创建和运行模型。与生俱来的一些行动思想使科学家很容易利用它创建无漏洞的模型,内置的显示和分析工具可以促进理解、调试、校准及分析模块的动态。模型的图表化呈现可以作为研究者集体讨论的一块黑板,可以容许学生、教育家、决策者、科学家及利益团体一起融入模型的开发过程中。由于其应用的简单性,该图表化程序工具成为了解复杂系统运转方式的一种有力工具(Hannon 和 Ruth,1994)。

用 STELLA 创建的单元模型将由模块输入器转化为 SMML。下面的部分将详细解释用具体的句法来定义空间动态和依赖于图像的一些参数。

### 2.2.2.2　定义空间动态

STELLA 的建模者可以按照下面的约定通过写方程来访问邻近单元格的值。符号 Stock@(x,y) 用来访问邻近单元格(当前单元格北边第 x 单元和东边第 y 单元指定的单元格)中变量的存量值,缩写的符号 Stock@N(或@E 等)用来代表北边单元格的存量值(或东边的等)。在三维模拟中,可以使用三维坐标体系。如符号@U 和@D 可用来代表当前单元格的上、下单元格。也可以用同样的符号定义边界条件,这些规则对 STELLA 来说是非常基本的,但只有当模型在 SME 中运行的时候它们才能被激活。

### 2.2.2.3　STELLA 的数组支持

STELLA 容许用户针对每一个变量定义数组方程,容许变量的动态依赖于栖息地类型这样的参数。当前 SME 对 STELLA 数组功能的支持完全是一种非空间模式上的支持,对空间模式的 STELLA 数组的利用仅限于图形依赖参数(也就是如孔隙率这样完全依赖于空间变化的指标(如土壤类型))。因此,数组必须是一个参数(对每一个指标值取一个定常值),数组的索引必须是一个输入图。

## 2.2.3　模块的输入

必须将 STELLA 方程导入到 SME 环境中来定义单元模型,完成的 STELLA 模型(是一个文本基础的导出文件)被模块输入器在导入过程中转为 SMML。STELLA 模型中的每一个模块转化成 SMML 中一个独立的模块。很多 STELLA 模型能同时导入 SME 并在导入过程中连接成一个单元模型。产生的 SMML 文件描述了定义 SME 模型的方程,储存在 Project/Model 目录结构中的适当位置。通过 SME 脚本执行“SME import”可从 STELLA 方程文件导入一系列模块到当前的模型中。一个额外的问题是如果 STELLA 方程文件没有在默认的位置,需要指定它的位置。如果列出了多个文件,所有的这些文件将被读取并按下面的描述连接。2.2.5 节描述的是导入配置文件选项,可用于从每次产生的 SMML 文件中自动添加/删除 SMML 代码(也就是忽略一些变量或添加用户定义的函数)。

## 2.2.4　模拟模型标识语言

本节描述了 SME 模块的声明形式——模拟模型标识语言(SMML,1999),该语言设计成支持对于声明的模块规范的归档和连接。表 2-1 显示的是一个简单的例子,SMML 模块的声明由一系列嵌套对象声明组成。当 SMML 模块声明通过代码生成器时,每一个 SMML 的对象声明都转化为从 SME 模拟对象的基本类继承的一个 C++ 的类定义,包括模块、变量、行动、事件和框架类。典型的 SMML 模块规范仅包括模块、变量、行动声明,在运行的时候自动产生事件和框架类(尽管在 SMML 中存在事件类,并允许指定习惯性的事件对象)。本部分描述在 SMML 产生模拟中利用的基本对象类。

表 2-1　配置类型

| 类符号 | 对象类 | 配置命令集合 |
| --- | --- | --- |
| * | 变量 | 变量命令 |
| $ | 模块 | 模块命令 |
| ♯ | 模型 | 模型命令 |
| ~ | 外部的 | 外部的命令 |

### 2.2.4.1　模块类

模块对象是封装模型动态的单元(也就是说一个模型的规范由许多模块规范构成),

模块设计成自我包容的可归档子模型,通过定义的输入和输出接口可以与其他模块发生交互作用。模块声明的程序可以按主观深度相应嵌套,也可以从其他模块继承。

### 2.2.4.2　变量类

变量的对象代表模块的原子成分,也就是每一个变量对应于一个标识的数字数量,可以由计算而来,也可以作为边界条件定义,它的值被用于计算模型的动态。变量可以是空间的也可以是非空间的。空间变量的值由浮点值表示,并与相应的空间区位(也就是由框架定义的空间模块中的单元格)相对应。非空间变量的值由模拟时间步长的简单浮点值组成。

### 2.2.4.3　行动类

行动对象完成更新变量值的计算过程或数据的输入/输出操作。每一个行动对象都与一个简单的变量对象相连,称为其目标。完成计算的行动对象有一个方程的属性(由函数的指针来实施),用于更新目标的一系列依赖变量的值(也就是方程中参考的变量的值)。目标是非空间的代码对象,在模拟的每个时间步长上执行它们的方程函数一次。目标是空间的代码对象,在模拟的每个时间步长上将在模拟模型的每个单元格中执行它们的方程函数一次。利用管道功能,数据在模型间转来转去,管道对象将外部数据的源/汇/显示对象与变量对象连接起来。在从地理信息系统或数据库中输入数据,归档数据到地理信息系统或数据库中,以及利用各种格式实时显示数据的时候需要用到管道对象。

### 2.2.4.4　事件类

模拟是由一系列的事件对象驱动的,事件对象包含一个时间图章和需要执行的行动对象列表,这些执行对象都根据相互依赖性分开分类(对列表中的某一行动对象发"执行"命令,它的行动对象将接着执行)。事件对象需要进行全局登记,按照时间图章进行分类。列表中对象的相继执行产生了模型的动态。当事件对象执行的时候,全局的模拟时间设为事件的时间图章,然后对象按时间顺序执行。在每一个事件执行之后,事件对象使用定时服务对象将自己反映在模型的事件登记单中。

定时服务的对象控制事件对象执行的进程。进程是按层次结构安排的,事件从模块中继承进程,下层模块从上层模块继承进程。在层次中的任何一个状态,可以放弃继承的进程而进行重新定义。

### 2.2.4.5　框架类

每个模块对象都有一个框架对象来定义模块的空间表现。按这种形式,空间表现由一系列的单元格(代表空间面积的单元)和连接(代表空间接近性)组成,模拟面积覆盖整个空间区域并可以在许多处理器间分配工作任务。模拟环境提供了很多可配置的框架类型,如格网、网络和树。在模拟配置信息中,用户为每个模块指定框架配置类型和框架配置图(在运行时从 GIS 中读取)。每个框架对象都包括在可得到的处理器间分配格网、与其他框架间相互调用数据和绘制数据图的方法。

　　所有属于一个模块的变量对象都继承了该模块的框架。空间变量的值由浮点值数组表征。空间相互作用利用相对坐标的形式来定义。由于在多重空间表征中空间参照的复杂性,包含复杂空间相互作用的行动对象在使用模型环境程序界面的源代码阶段就已经构建。

## 2.2.5   模型配置

　　模块输入器、代码生成器和模拟驱动器都利用简单的配置命令从文本文件中读取配置信息。SME 产生配置文件的默认版本,用户可以直接编辑这些文件或者利用 SME 的菜单基础的 Java 接口界面直接输入配置信息。配置命令提供了将 STELLA 单元模型转化为动态空间模拟所需要的附加信息。通常,模拟驱动器的配置最重要,但有时候也需要配置模块输入器和代码生成器。模块输入器的配置可用于在 SMML 文件中自动添加/删除(忽略一些变量或定义一些用户定义的函数)SMML 代码。每一个模型都可以在默认配置的基础上通过情景指定的配置信息进行扩展。

　　配置文件由一系列的记录组成,通常一行一个记录。每个记录都由一个专门的称为"类字符"的字符开始[这些类字符属于集合($\sharp$,$\$$,$*$,$\sim$)],一直继续直到遇到下一个类字符为止。类字符代表正在配置的对象类。每个对象类接受自己独一无二的配置命令。表 2-1 列出了当前的类字符、相应的对象类和配置命令集合。各种各样的配置命令在SME 的指导手册中有详细的描述。

　　在类字符后,记录中的下一个字段是对象的名称。这里总是有一个模型对象称为全局对象。其他的对象类(模块、变量、外部的)可能有许多对象在 SMML(或 View)方程文件中定义。类字符和对象名称由 SME 源代码生成器产生,不需要用户自己编辑。

　　在记录中,对象名称后面是一些可选的配置命令空间划分。一些配置命令可以由SME 缺省产生。用户可以编辑缺省的配置命令,也可以直接输入新的配置命令。配置命令的形式是 x(Arglist),x 是配置命令的名称(一个字符或字符串,通常是一两个字符),Arglist 是一系列的配置参数(变元),当使用一个以上的参数时,它们之间用逗号分隔。变元之间的空间可忽略。变元的数量和类型依赖于输入的配置命令。变元可以是文本串(变量的名称),也可以是整数和浮点值。变元有时候需要,有时也可以选择。配置文件命令的顺序通常不影响配置文件的执行(OS( )配置命令是一个例外),但是变元必须按照下面文本中的顺序呈现。

　　下面是配置文件中一个典型的记录:

　　　　*  elevation _ MSL _ map d(G,Elevation _ map,1.0,0.0)

　　在这个记录中,类字符 * 表示配置的是一个变量对象。变量对象的名称是 elevation _MSL _ map。一个命令用来配置这个变量。d(G,Elevation _ map,1.0,0.0)设置配置的图为从 Grass(G 变元)读入的 Elevation _ map,并初始化变量 elevation _ MSL _ map。后面的变元标度 elevation _ MSL _ map 的范围为(1.0,0.0)。

　　下面的一个例子是模块配置文件中的一个典型记录:

　　　　$  VEGETATION _ SECTOR g(G,StudyArea)

$字符表示配置的是一个模块对象,模块的名称是 VEGETATION _ SECTOR,模块配置命令中的 g( )命令将模块同一个二维格网框架相连,并初始化图 StudyArea(从 GRASS 读入)。

## 2.2.6  建造模型

本小节勾勒了从 SMML 规范中自动产生模拟动态的过程。正如可从表 2-1 中看到的,最简单的 SMML 模块声明纯粹是一种声明性的;也就是说它们仅仅描述一个模块的结构和方程,并不涉及方程在时空上的执行问题。在运行的时候,基于读到的 SMML 规范和运行信息,由模型环境产生模型的时空动态。很少需要超过配置选择的模拟控制,如果需要的话,可以包括一个定制的 SMML 声明来描述进程,或者使用模型环境应用程序接口(API)来开发一个定制的空间声明。

可以通过执行"SME build"命令或者菜单驱动的 SME 接口界面来开始构造过程。通常构造过程包括下面的几个步骤:

(1)读取并解析 SMML 模型规范。

(2)读取并解析相关的配置文件。

(3)处理所有可以得到的信息来产生模型的对象树。

(4)写模型对象树的 C++ 声明。

(5)编辑 C++ 代码,与用户产生的代码和 SME 的驱动代码相连来产生可执行的模型。

用户可以选择构造一个串行版本(单处理器)或一个并行版本(多处理器)。这些版本都同信息传输接口(MPI)库相连。

## 2.2.7  运行模型

本子节说明了怎样使用 SME 的模拟驱动器来运行 SME 模拟。SME 是一个分布式的面向对象的模拟环境,融入了一系列的代码模块,这些模块实际上在目标平台上完成空间模拟。能利用并行和串行的计算机网络进行分布式处理,容许用户在不知道其存在的情况下,利用 Globus(GLOBUS,1997)工具箱访问最先进的计算设备。它是作为一系列的、与置入格网库顶层的通过信息相连的分布式 C++ 对象来实施的,并同 Java 界面相连,我们在下面的子节中介绍这些。

可以通过命令行界面或 SME 接口的菜单驱动界面来激活或控制 SME 驱动器。由命令"SME run"激活的命令行界面,对模拟命令和控制命令提供了两个命令行解释器:标准的命令行解释器和 tcl 命令行解释器。标准的命令行解释器,主要是为交互式利用设计的,以浏览中止模拟的模块和变量,观察与每个对象相连的数据为特征。tcl 命令行解释器,主要是为批处理设计的,以利用 tcl 的脚本语言来程序化 SME 的模拟进程为特征。SME 接口为通过图形控制平台或者一个丰富的面向对象的程序和脚本语言来模拟配置、控制、可视化的方法。这些交互式模式可以配置模拟中的任何对象,交互式控制模拟的动态及模拟数据的输入输出和可视化。

　　在每一次模拟运行开始时,SME 读取那些定义模拟执行的配置数据,包括空间格网的结构、数据的输入/输出、时间动态和集成方法等。在空间格网配置时,每一个模块都赋予了一个定义空间拓扑关系的框架对象,模块中的所有空间变量都继承了模块的框架。如果不同框架下的模块需要交换数据,SME 可以轻松处理框架之间的数据交换。下面的子节更详细地描述这些空间呈现。

## 2.2.7.1　SME 中的空间呈现

　　在 SME 中,空间区域的呈现首先是将空间区域分解成一些子区域(也就是空间关联的子区域)。在 SME 的空间呈现中,每个子区域由单元格对象表示(类似于 GIS 中的单元格)。然后定义单元格之间的相互联系,反映相互之间的空间接近性。典型的是共享同一边界的单元格对象之间的连接,其他的连接关系也存在。如在不规则三角网中,每个单元格对其相邻的单元格将有三种可能的连接(在二维的长方形格网中,每种单元格将有四种可能的连接),而在河流网络中,每个单元格对其下游的单元格仅存在一种连接关系。

　　一组单元格及它们之间的联系(也指格网),代表了相同分辨率情况下的空间区域。SME 的空间呈现可以通过堆叠格网来以不同的分辨率表示同一区域。在这种格网层次中,每个单元格都与其上层(父单元格)和其下层(一系列相互联系的子单元格,可能是不规则的)单元格有联系。SME 使用一种格网模板目录,可以用 GIS 图来配置并用来建立空间呈现。模板的例子包括两维格网(也就是景观)、图表和网络(河流、渠道或道路网)及一些相互之间不连接的单元集合(也就是通过变化边界条件来运行单元模型,而不是在异质空间上运行)。

　　为了支持多尺度的空间模拟,我们定义空间呈现中单元格的子集作为活动层,也可在格网层次上定义一系列的活动单元格,这些单元格可能来自不同的格网。“层”是定义的一张图,该图将活动层的单元格用一系列的浮点数表示。也就是说对于活动层中的任何单元格,层对象将返回同单元格相关的浮点数。这种同空间变量相关的空间数据由层对象表示。由于是采用这类数据结构,SME 也可以明晰地在层和相连的不同活动层之间转换图形数据,因此可以透明地执行多重时空尺度的模拟。

　　以分布式的模式运行模拟时,格网层次在处理器之间分解。每个处理器负责该格网层次中垂直的一部分,为了支持处理器之间的信息交换,每个处理器还负责该部分边缘的重叠单元格(其他处理器负责)。每一个水平格网也利用“递归 n 部分算法”(recursive n-section algorithm)在不同的处理器间进行了任务划分,这包括了下面的操作:

　　(1)计算处理器间的二维最优分解(也就是 3×2 格网采用 6 个处理器)。

　　(2)把较长的格网维分配给较大的处理器维(比如 3),以使每个部分都包含数量相当的活动单元格。

　　(3)以同样的方式分配较短的格网维,以使每个部分都包含数量相当的活动单元格。

　　SME 可透明地处理这些单元格的分解及动态的复制。

### 2.2.7.2　构造定制的空间相互作用：SME 程序接口

正如第 3 章描述的，在 STELLA 中可以通过使用 STELLA 语言的扩展来模拟简单的空间动态。对中等复杂性的空间模拟，该方法将迅速变得不实际。为了支持这些更复杂的空间模拟，SME 提供了一种程序接口允许用户访问 SME 模拟驱动器的内部数据结构，及用 C＋＋写的空间相互作用程序。利用一系列的对象类，可以访问并修改 SME 模拟中变量的数据结构。SME 的配置命令控制用户定义的代码与 SME 模拟驱动器的自动编译和连接。配置信息声明模拟中的哪些变量根据用户代码中定义的函数进行格网更新，及哪些模拟变量将给函数输送自变量。Vermont 大学的研究组组装了应用于各种水力通量的代码集合。

## 2.2.8　SME 的 Java 接口

SME 的接口给用户提供了一个非常熟悉的环境，该环境允许用户在任何一台并行和串行计算机上构造、配置、交互式运行、可视化模块。这种接口利用 Java servlet、WebStart 框架及 CoG/globus 工具箱，提供了通过 Web 访问远程高性能模拟的功能。在用户的桌面计算机上该接口作为 Java 的应用程序运行（利用 Java WebStart 技术可以通过网络连接访问），SME 的核心部分既可以在当地用户的桌面计算机上运行，也可以在远程的模拟服务器上运行。工作空间管理器容许用户定制仅包含与它们工程相关的模型和数据的工作空间。用工作空间管理器，用户可以管理项目、模型、情景，构造、配置、运行模拟并可视化归档的模拟结果。广泛的模拟特征可以通过接口控制平台配置，包括数据的输入/输出、模拟动态的控制、算法和分析工具。

从工作空间管理器中运行模拟需要启动 SME 的模拟界面。在驱动器界面上出现的第一个平台是配置平台，该平台展示了从 SME 配置文件读入的配置信息，并且容许用户重新配置模型。当用户准备运行模型的时候，需要选择控制平台，在控制平台上，用户可以创建并执行模拟运行，将输出数据通过管道输出到显示平台，可以通过变量依赖树来浏览方程和变量，提供模型中任何一个变量的模拟瞬态图。显示平台容许用户浏览中止模拟中的变量，并以习惯的格式查看每个变量的内部结构。提供的数据浏览调色板支持很多种数据格式的浏览，包括二维、三维、一维时间序列、数据和影像表格及三维等高线浏览等。

## 2.3　一个应用案例

本部分展示了利用 SME 来实现一个简单易行的小模型的过程，这个小模型是为比较各种各样的模型框架而开发的。该模型可以通过访问网站"www.giee.uvm.edu/AV/Frameworks"得到，是马里兰大学环境科学中心下的生态经济中心的一些研究人员开发的（参与者：Argent、Voinov、Maxwell、Vertessy、Cuddy、Braddock、Rahman 和 Seaton）。这个以假想的水文径流侵蚀系统为例开发的简单演示模拟模型，对潜在的用户熟悉空间建模环境非常适宜。

## 2.3.1　系统

在这个小的流域径流模型中,径流造成侵蚀,并挟带运送沉积物到低海拔的排水点。在该排水点,修了一个贮存水的大坝。当水位高于大坝时,水从流域外泄。当沉积物堆满该池时,排水点的高度增加,大坝的高度逐渐减小。设计该模型的目的是追踪径流的水文图、估计侵蚀率并确定沉积层的残余率。

### 2.3.1.1　数据

下面的数据可以从网上下载:

图:高程图、土壤图和连接图。

时间序列数据:用来表示总径流和蒸发蒸腾的日均净降水数据。

### 2.3.1.2　模型

流域中任何点的水位用下面的方程描述:

$$Water(t + dt) = Water(t) + Runoff_{in} - Runoff_{out} - Infiltration + NetRainfall$$

式中:$NetRainfall$ 为总降水减去蒸发和蒸腾的水资源;$Runoff_{in}$ 为从上游流到该控制点的水量;$Runoff_{out}$ 为从该控制点流到下游的水量。

假设了一个分段线性函数来描述径流:

$$Runoff = \begin{cases} 0 & Water < A \\ \dfrac{B \cdot Water}{B - A} - \dfrac{B \cdot A}{B - A} & A \leqslant Water \leqslant B \\ Water & Water > B \end{cases}$$

式中:$A$ 为低水位阈值(2mm);$B$ 为高水位阈值(10mm)。

渗透率假设为常数,取决于土壤图层提供的土壤类型(见表 2-2)。

表 2-2　渗透率与土壤类型的关系

| 土壤类型 | 渗透率(mm/d) | 图分类 |
| --- | --- | --- |
| 水 | 0 | 1 |
| 沙 | 100 | 29 |
| 沙黏土 | 20 | 11 |
| 黏土 | 1 | 31 |

沉积物运输方程与径流方程类似:

$$Sediment = \begin{cases} 0 & Runoff < D \\ \dfrac{C \cdot Runoff}{E - D} - \dfrac{D \cdot C}{E - D} & D \leqslant Runoff \leqslant E \\ C & Runoff > E \end{cases}$$

式中：$C$ 为最大的沉积物浓度（$100\ \mathrm{g/m^3}$）；$D$ 为低水位阈值（$2\ \mathrm{mm/d}$）；$E$ 为高水位阈值（$10\ \mathrm{mm/d}$）。

坝的方程为：

$$Runoff = \begin{cases} 0 & Water < H \\ Water - H & Water \geqslant H \end{cases}$$

这里 $H$ 为大坝的高度（$4\,000\mathrm{mm}$）。

对于沉积层的储存：假设 Deposied $= K \cdot$ Sediment，其中 $K$ 为储存率（$K = 0.2$）。

## 2.3.2 模型的应用

应用该空间模型的第一步是开发一个反映局部相互作用的单元模型。上面的动态方程显示在图 2-2 中。在 STELLA 中完成局地模型基本的动态分析后，方程存到了一个文本文件中（见图 2-3）。SME 然后读取和转换模型定义到 MML 模块规范中。

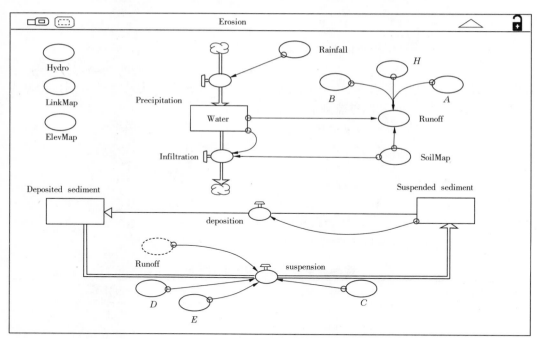

**图 2-2　侵蚀模型中的局部（垂直）相互作用的 STELLA 模型**

演示的下一步展示了如何使用 SME 的命令行将单元模型嵌入到空间背景中。运行 SME 命令：

　　SME project Erosion

建立项目的目录，如图 2-4 所示。

开发者将 STELLA 方程文件存在模型子目录中，名为 Erosion.eqns。该输入图（可以从前面给出的网站上得到）可以拷贝到 Data/Maps 目录。

SME 的命令：SME model Erosion，将模型命名为 Erosion。

Erosion

☐ Deposited_sediment(t)=Deposited_sediment(t−dt)+(deposition−suspension)*dt
INIT Deposited_sediment=500
INFLOWS:
⇨ deposition=K*Suspended_sediment
OUTFLOWS:
⇨ suspension=if Runoff < D then 0
else if Runoff < E then < C*Runoff/(E−D)−C*D/(E−D)
else C

☐ Suspended_sediment(t)=Suspended_ sediment(t−dt)+(suspension−deposition)*dt
INIT Suspended_sediment=0
INFLOWS:
⇨ suspension=if Runoff < D then 0
else if Runoff < E then C*Runoff/(E−D)−C*D/(E−D)
else C
OUTFLOWS:
⇨ deposition=K*Suspended_sediment

☐ Water(t)=Water(t−dt)+(Precipitaion−Infiltration)*dt
INIT Water=if SoilMap=1 then 3000 else 1
INFLOWS:
⇨ Precipitation=Rainfall
OUTFLOWS:
⇨ Infiltration=if SoilMap=1 then 0 else if SoilMap=31 then min(Water/DT,1)
else if SoilMap=11 then min (Water/DT,20)
else min (Water/DT,100)

○ A=2

○ B=10

○ C=1

○ D=2

○ E=20

○ ElevMap=1

○ H=4000

○ Hydro=1

○ K=0.2

○ LinkMap=1

○ Runoff=if SoilMap=1 then max(0,Water−H)
else(if Water < A then < 0
else if Water < B then B*(Water−A)/(B−A)
else Water )/DT

○ SoilMap=31

⊘ Rainfall=GRAPH(TIME)

**图 2-3 描述局部过程的侵蚀模型的 STELLA 方程**

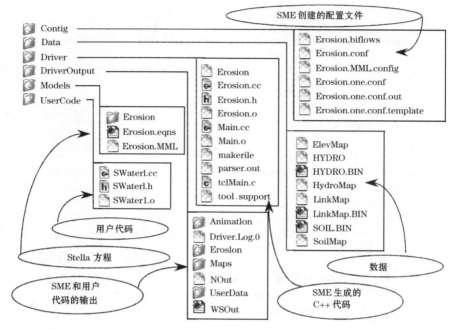

图 2-4　SME 的目录

采用下面的 SME 命令 SME import Erosion.eqns 导入 STELLA 方程文件,Erosion.eqns 是 STELLA 的方程文件名。执行该命令产生用两种规范语言描述的 STELLA 方程:一种是模块化建模语言,储存在文件 Models/Erosion.MML 中;另一种是模拟模型标识语言(SMML),储存在文件 Models/Erosion/Erosion _ module.xml 中。同时缺省的配置文件 Erosion.MML.config 在 Config 子目录中创建。该配置文件和其他配置文件一起用于连接 STELLA 基础的局地过程模型和在模型空间应用中的空间数据及函数。

在侵蚀模型中描述空间运移需要考虑格网间水和悬浮沉积物的运动。开发者可以利用在水文生态模块库(LHEM)中的常规水文动态,也可以使用 SME 的程序接口来自己开发水文动态。由于在 LHEM 中存在的常规水文动态可以适合于当前的侵蚀模型,所需要的 C++代码可以下载并储存在 SME 工程的 UserCode 目录中。

为了将 C++代码与该模型余下的部分连接起来,在 Erosion.MML.config 文件中需添加如下的配置命令:

　　* WATER UF(Swater, END-SWTransport1,HYDRO,RUNOFF, SUSPENDED _ SEDIMENT)

在该命令行中,WATER 是正在配置的变量名称, SWTransport1 是定义水文流量的函数。SWTransport1 函数是由工程用户目录中 Swater1.cc 文件中的 C++代码定义的,前缀 END 表示在每一时间步长终了期,当所有局地的垂直流量已经计算后,才执行水平流量。余下的参数是模型中变量的名称,而且 SWTransport1 函数将需要使用这些变量。HYDRO 变量是一张河流网络图,RUNOFF 代表水平流量流动的速率,SUSPENDED _ SEDIMENT 是与 WATER 变量一起计算的沉积物变量。另外的层(SOILMAP,即土壤类型图)可用于定义渗透率。ELEVMAP 用于初始化沉积物高度,可随沉积和悬浮沉积物的变化而变化。

开发者接着需要使用 SME 命令创建情景:

SME scenario one

情景可以概括成一种独特的模型配置。可执行的空间模型可以用下面的命令构造:

SME build

对整个空间模型,SME 生成和编译 C++ 代码,从而产生可执行的模拟。Build 命令同时产生了两个默认的配置文件。初始的配置文件称为 Erosion.conf,包含从 STELLA 模型衍生的一系列模型变量及一些默认配置。因此,一个典型的状态变量如下:

＊WATER s(1) sC(C)

参数值是从 STELLA 导入的,默认的配置命令是由 SME 创建的:

＊A pm(2)

＊B pm(10)

＊C pm(1)

＊D pm(2)

在这一阶段,开发者必须进入命令行来配置模型的输入。下面的命令指示该空间模型用 Map2 的格式去读取四张图,并使用输入数据来初始化四个变量:

＊ELEVMAP d(M2, ElevMap) S(1.000e+00, 0.000000)

＊HYDRO d(M2, HYDRO) S(1.000e+00, 0.000000)

＊LINKMAP d(M2, LinkMap) S(1.000e+00, 0.000000)

＊SOILMAP d(M2, SoilMap) S(1.000e+00, 0.000000)

另外,需要描述这些格网单元是怎样连接的。可以通过参考作为数据库一部分的连接图来完成该工作。这需要确保下面的命令出现在配置文件中:

$ Erosion _ module g(M2, LinkMap, default) AL(0,0)

＊TIME

$ Erosion _ module T(M2, LinkMap, default) AL(0,0)

~ FrameLink m2(M2, LinkMap) lm(1) i(1,2) p(1)

第一行配置整个模型,这里模型名为 Erosion。模型可以由几个模块构成,但在当前的例子中仅包含一个模块。因此第二个配置命令看起来像第一个。命令 g(...)配置模型成为一个二维的格网框架,主要是基于一幅图完成的(这个例子中是 LinkMap,也可以是图形集合中的其他图)。命令 T(...)与 Frame 与 FrameLink 的定义一起配置树状网络。树状网络是单元格的网络,其中每个单元格与周围的单元格相互之间都存在联系。这种连接关系由 LinkMap 图定义,在活动单元中具有一个大于 0 且小于 9 的值。单元格中的实际值用来确定邻接的 8 个单元格中哪个是要连接的,依据的格式是｛NE＝2, EE＝3, SE＝4, SS＝5, SW＝6, WW＝7, NW＝8, NN＝9｝。FrameLink 由 m 命令定义:m0 读取水文地质河流图,并利用海拔高程图(用 m1 命令读入, m2 命令读入一个已经存在的连接图)来创建一个连接图。当前的例子中,河流图是不需要的,我们使用第二个选择。命令 1m(1)指对角元素相连, 0 指非对角元素相连, i(1,2)说明怎样标记河流图:本例中河流的单元格赋值为 1,河流的出口赋值为 2。

在另外一个称为 Erosion.one.conf 的配置文件中可以输入特定情景的配置命令。该文件在模型配置文件之后读取,可以扩展或者覆盖模型的配置数据。

## 2.3.3　模型的运行

空间模拟模型的运行可执行下面的命令:

SME run

SME 的脚本运行可执行的模拟程序(也就是在 build 阶段产生的 SME 驱动器,从配置文件读入初始化的驱动数据)。驱动器运行模型并产生储存在 DriverOutput 目录的输出。用户代码也给该目录下用户定义的数据文件输出值。举例来说,用于水和沉积层水平流动的 SWTransport1 函数产生通过流域排泄点的时间序列水流,这些数据可以输入一个图形浏览器来分析模型的径流模式(见图 2-5)。

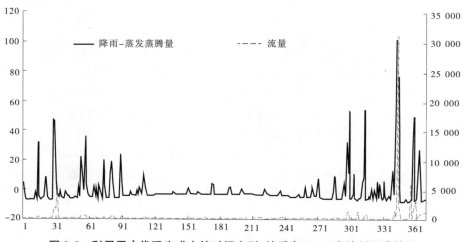

图 2-5　利用用户代码生成水的时间序列,然后在 Excel 中绘制而成的图

另外,SME 的 Java 界面可以用于可视化模型的输出。DD( )配置命令决定哪一个变量将输出数据给 SME 的可视化工具(ViewServer)。如:

＊ WATER DD( ) s(1) sC(C)

将把变量 WATER 在每一时间步长产生的值输送给浏览服务器(见图 2-6),当模型运行的时候,驱动器提醒用户正在等待浏览服务器接收数据:

Attempting to connect to ViewServer (you may need to start up viewserver with startup_viewserver script) on host localhost.

当浏览服务器启动后,它接收驱动器的输出并产生一个数据集菜单和一个可视化工具调色板。输出数据同时也被归档,以利于进一步使用和分析。

对上面描述的"小"系统,用 STELLA 构造出局地模型,将它输入 SME,然后补充合适的空间流动和运输算法(见表 2-3),这不需要耗费太长的时间。对更复杂的模型,将需要花费较长的时间来把它们组装到一起,并调试 STELLA 模型,但是最难的部分将是组

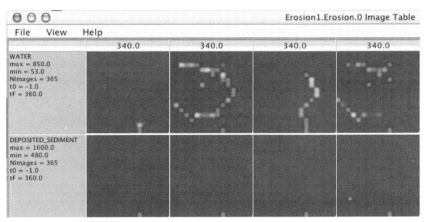

图 2-6　**Java 使用者界面中由电子数据表格选项展示的空间模型的输出**

装数据文件及在配置文件中对它们进行恰当的描述。同时如果在 LHEM 中没有恰当的算法的话,也可能需要花费很长的时间来开发并组装合适的空间算法。然而用户代码的方法为算法的开发提供了很好的灵活性,同时允许用户基于存在的 SME 空间环境和可视化能力来进行开发。

表 2-3　**应用模型的十个步骤**

| 步骤 | 命令和行动 | 结果 | 评论 |
|---|---|---|---|
| 1 | *SME project "project name"* | 建立工程名称的文件夹,该文件夹包含许多子文件夹:配置,数据,驱动,驱动输出,模型,用户代码 | 有些文件夹包含自动产生的文件 |
| 2 | *SME model "Erosion"* | 设定 SME 模型的名称为"Erosion" | 如果模型名称和方程文件不一致,方程将不会正常的进口,模型也不能正常地构建 |
| 3 | *SME import "Erosion.eqns"* | 创建"Erosion.MML.config", "Erosion.MML","Erosion_module.xml" | "Erosion.MML.config"需要更改 |
| 4 | Modify "Erosion.MML.conf" | 参考用户代码函数"＊Water UF( )"来判断自己想使用哪种空间运移方式 | 在本章中有详细描述 |
| 5 | *SME import "Erosion.eqns"* | 产生了考虑水平运移的与用户代码相联系的连接 | 这里不是排字错误,方程必须输入两次 |
| 6 | *SME scen "scenario name"* | 给指定的情景和条件一个名称 | |
| 7 | *SME build* | 创建"Erosion.conf","Erosion.one.conf"这些是通常的配置文件及情景配置文件 | 配置文件需要更改以便与空间数据相连接 |

续表 2-3

| 步骤 | 命令和行动 | 结果 | 评论 |
|---|---|---|---|
| 8 | Modify the "Erosion.conf" | 描述单元格是怎样空间连接起来的, $Erosion\_module\ g(M2, LinkMap, default)$ $Erosion\_module\ T(M2, LinkMap, default)$ ~Framelink m2(M2, LinkMap) | 具体见本章中的解释 |
| 9 | Specify the map | * ELEVMAP d(m2, ElevMap, cln.grd) s(1.000e + 00, 0.000000) | 具体见本章中的解释 |
| 10 | SME run | … | |

注：命令是斜体，行动是正体。

## 2.4　结论

SME 已经日益成为空间模型和数据分析的一个有力工具。它已经在许多重要的项目研究中发挥了重要的作用，如佛罗里达的 Everglades(ELM)(第 6 章)、Patuxent 流域(PLM)(第 8 章)和大海湾(Great Bay)(第 7 章)等。它是一个复杂的软件包，并不能在现阶段就和 STELLA 软件一样简单和友好，正如一个空间模型将不可能变成和一个局地盒式模型一样简单。空间模型包括许多复杂的数据集和过程，这需要仔细管理和理解。偏微分方程是许多空间模型的基石，它比应用在 STELLA 中的常微分方程要复杂许多。同理，SME 将总是比 STELLA 软件复杂很多。

用户面临的主要问题是，当用 SME 软件开始开发一个项目的时候受限于或缺少一些文档，这是所有开放的公开源代码软件的一个普遍特征。但是 SME 用户之间增加的交流及邮件列表上的人会非常友好地支持并能解决发生的绝大多数问题。同时应该注意的是 SME 是一个正在逐渐完善的工作，每几个月就出现一个新的版本。这是开发者负责任的一种表现，也能满足用户的需要。在很多情况下，你会发现你独特的需要已经在新的版本中解决(请联系 Thomas Maxwell 并解释你的需要)。

当前，这里有许多后续项目扩展了 SME 的功能。如 Ralf Sepplet 正在负责开发空间最优化和图形比较的代码(Seppelt 和 Voinov,2002)，这些插件和库作为颁布的标准 SME 的一部分在将来是可以得到的。

致谢：我们感谢澳大利亚盆地水文合作研究中心的 Robert Argent、Rob Vertessy、Susan Cuddy、Roger Braddock、Joel Rahman 和 Shane Seaton,他们帮助开发了本章的演示文件。同时感谢 John Reap 对表 2-3 提出的有价值的评论和修改建议。许多发现是由 NSF 资助的高级计算基础设施项目(耦合的、多尺度的环境水文科学模型)的队友提供的，另外，本项目的完成还通过美国 EPA 研究和开发办公室获得了美国 EPA /NSF 水和流域项目的资助(资助号：R82－4766－010)。

# 参 考 文 献

［1］ Hannon B,Ruth M, 1994, Dynamic Modeling. Springer－Verlag New York

［2］ GLOBUS. 1997. Available from http://www.globus.org/

［3］ HPS. 1999. STELLA: High Performance Systems. Available from http://www.hps－inc.com/

［4］ Maxwell T. 1999. A Parsi－Model Approach to Modular Simulation. Environmental Modeling and Software 14, pp. 511～517

［5］ Maxwell T, Costanza R. 1994. Spatial Ecosystem Modeling in a Distributed Computational Environment. In Toward Sustainable Development: Concepts, Methods, and Policy. (van den Bergh and J. van der Straaten eds.). Island Press, Washington, DC

［6］ Maxwell T, Costanza R. 1995. Distributed Modular Spatial Ecosystem Modelling. International Journal of Computer Simulation 5(3):247～262.: Special Issue on Advanced Simulation Methodologies

［7］ Maxwell T, Costanza R. 1997a. A Language For Modular Spatio－Temporal Simulation. Ecological Modelling 103(2～3): 105～113

［8］ Maxwell T, Costanza R. 1997b. An Open Geographic Modelling Environment. Simulation Journal 6(3): 175～185

［9］ Seppelt R, Voinov A. 2002. Optimization Methodology for Land Use Patterns Using Spatial Explicit Landscape Models. Ecological Modeling, 151(2～3): 125～145

［10］ SME. Spatial Modeling Environment. Available from www.uvm.edu/giee/SME3/

［11］ SMML. 1999. Simulation Module Markup Language. Available from www.uvm.edu/giee/smml/

# 第 3 章　模块化生态系统建模 *

## 3.1　引言

通用生态系统模型(GEM)(Fitz 等,1996)被设计成利用一个固定的模型结构来模拟各种各样的生态系统,希望这种带有普遍性的模型结构能够减轻模型开发中老是"重新做轮子"的问题。在理论上,通用生态系统模型应该减少反复为不同的系统或地点做模型,而且能作为形成空间显式的生态过程模型的基础。这些特征导致了生态系统研究中一个最广泛的目标:开发一个具有标准结构的系统模型来促进系统间的比较。开发的模型适合从湿地到林地等各种生态系统。在综合生态系统属性的广泛理解时,它至少提供了两个有用的功能:一是使用该标准模型作为定量比较不同生态系统控制措施的一个模版,包括那些系统最敏感的过程控制参数;二是开发一个在过程及其相关趋势和结构上具有普适特征的模拟模型,可以提供一个工具来分析尺度对实际的和察觉到的生态系统结构的影响。

尽管 GEM 对生态系统间的比较和跨尺度的比较特别重要,在进行不同生态系统之间的比较研究时,弄清过程和属性的变化非常重要,但是单靠一个标准模型框架覆盖生态过程和属性的所有变化显然并不充分。生态变化太多,以至于很难在一个通用框架下呈现。通常模型中可能忽视一些重要的成分,或者在复杂的空间生态模型中,因模型太过庞大而损失了效率。同样,当变换分析尺度和分辨率时,不同的变量和过程开始起作用。在一周的时间尺度上有些过程可以认为处于均衡状态,但在小时的时间尺度上需要分解并考虑成动态过程。如在高时间分辨率的情况下,雨后地表水的汇集是一个非常重要的过程,但当时间步长变大时,地表水要么渗透,要么随径流流走,考虑地表水的汇集就可能变得冗余。每天净初级生产能力的波动在作物的生长模型中是非常重要的,但在森林模型中可能一点也不重要,因为森林已经经历了好几代的变化,而且也仅能得到年度平均气候数据。总之,普遍性可能导致无效率,也可能导致冗余性。

模块化方法是通用方法的逻辑扩展。这里并不是开发一个能应对各种环境条件、能反映不同的生态系统功能的普适模型,而是开发了一个模块库,在各种假设和分辨率条件下,模拟各种生态系统组分或整个生态系统。这里的挑战主要是模型的组装,即如何使用一致的、合适的反映过程复杂性的尺度,使各子模块能在整个模型框架下正常运转。模块化的方法借鉴了当前软件开发中面向对象的思路(Sequeira 等,1997;Silvert,1993)。

Reynolds 和 Acock(1997)全面讨论了植物模型开发中模块化设计的准则。分解能力和组装能力是模块化设计中需要考虑的最重要特征。分解准则要求模块应该是能够独立

---

　*　作者:Thomas Maxwell,Alexey Voinov,Robert Costanza。

分析的子模型。另一方面,组装准则要求所有模块能组装起来反映更复杂的系统。在描述系统的各种过程和变量中辨明模块后,在概念状态下很容易讨论模型的可分解性。通常模块的选择有些随意。当某些变量或过程与其他过程或变量相互独立时,模型分解的选择通常由关于系统怎样运转的纯逻辑、物理或生态方面的考虑来驱动,或者由对整个系统的定量分析驱动。

模块的组装通常被认为是一个软件方面的问题。通常使用一种公共的高级交互式语言包装,使各子模块能交流它们各自的功能和服务(CORBA,1996;Villa 和 Costanza,2000),以此来解决模块的组装问题。另一种替代方式是设计专门的模型形式,从面向对象的方法中借鉴思路,将模块嵌在专门的模型环境中,而这种专门的模型环境提供了模拟开发和执行所需要的基本软件工具(Maxwell,1999)。上述两种情况下模型都能在软件开发领域中找到自己的位置,从工程和研究角度评价模型及其表现的差距也开始增加。从软件工程的角度来看,计算机性能的指数增长为模型开发提供了无限的资源。随着 Internet 的出现,可以通过 Web 和分布式的计算机网络来组装模型(Fishwick 等,1998),新语言和开发工具出现的速度甚至要快于用户开发模型的速度。

另一方面,从研究的角度来看,如果模型是对现实的一个有用简化的话,应该能让我们更好地理解我们感兴趣的系统。通常将模型作为一个工具来理解系统的过程比简单地模拟系统更重要。在这种背景下,对非常复杂的模型系统只会有有限的需求。如果拥有的软件不能真正帮助理解系统,可能要束之高阁。这点在生物学和生态学模型中体现得尤其突出,与物理和工程模型不同的是,由于难以参数化和模拟所有机理,生物学和生态学模型通常是松散的和黑箱模型。这些生物学和生态学模型在实际使用前需要许多分析、校准和更改。问题的焦点是模型的透明性和公开性。对研究目的而言,要恰当地应用开发的模型,了解一个模块的具体细节非常重要。软件开发者倡导的即插即用特征,在这里只有很低的优先性。即插即用方式可能有误导作用,容易导致研究人员产生这样的幻觉,即从预制的成分中进行选择可以简化模型的结构,但这样做并不能真正理解过程、尺度和交互作用。

一些经过恰当注释的图标基础系统如 STELLA(HPS,1995)在模型转化方面提供了很多的透明性。STELLA 软件用于开发 GEM,而 GEM 对 STELLA 软件的公众普及也有一定的贡献。STELLA 有许多很好的性能,但在支持模块化方面的作用有限。当前并不存在正式的基础理论将单个的 STELLA 模型汇总集成到一起。STELLA 允许子模块或部门形式的模块存在于大的背景中(如 GEM 中),而且允许每个部门或子模块单独运行,或者以组合的方式一起运行,但是取代部门或者将部门模块从一个模型迁移到另一个模型并不容易。空间建模环境(SME,见第 2 章,Maxwell 和 Costanza,1997)的一个重要特征就是它能把单个的 STELLA 模型转换为支持模块化的格式。除了 STELLA 模块,SME 还融合了对描述流域或景观上各种空间流动而言非常基本的用户代码模块。

为代替一个全面反映生态系统变化的通用模型,我们利用 SME 开发了一个通用的模型结构(见图 3-1),在这个基本的模型结构中,定义了模块之间一些基本的变量和连接关系。这里模块的移植性很强,并假设在模块库中很容易获得各种各样的成分。这些模块是作为独立的 STELLA 模型开发的,能独立运行和测试。利用模块库指定表格中定义

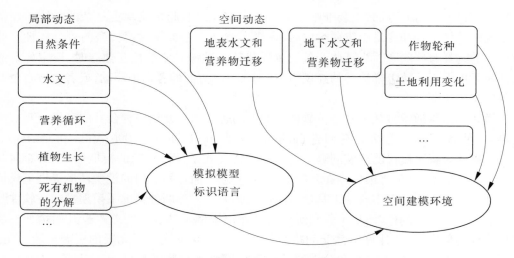

**图 3-1　主要的模块及它们之间的相互作用**

局部的模块是用 STELLA 模型构造的,空间模块是用 C++ 代码编写的,并使用 SME 类来访问空间显式的变量和参数

和支持的规范,不同模块中的某些变量可以共享一些特征。当模块开发好并能独立运行后,通过用户定义的常数、图表或时间序列来定义这些共享变量。在 SME 的背景下,可以在其他的模块中更新这些变量从而实现真正的动态交互。

模块的空间动态可以用 C++ 代码来实现。可以利用 SME 的一些类来访问空间数据、融入 SME 驱动器并更新 STELLA 模块描述的局地变量。但这里很难提供与 STEL-LA 模块一样的透明性,只能在文本注释方面下更大的工夫。我们希望在网上的 LHEM中能够提供对各种模块及其功能的细节描述,增加其重新利用和进一步改进的效用。

目前 LHEM 仅处于开发的初始阶段,它提供了一个归档独立运行模块的基本框架,这些模块可以用于描述某种过程或生态系统组分,也可以使用 SME 组合形成新的模块结构。本章将描述包含在 LHEM 中的几个主要模块,在简短地描述模块的结构之后,将指导读者参考 web 站点,在那里可以进一步探究和下载模块。将把 PLM 模型作为例子来说明上述概念,PLM 是一个复杂的空间流域水文模型,而且已经完全用 LHEM 中的模块组合在一起,在经过校准后,可以针对不同的情景进行模拟运行。

# 3.2　通常的协定

当前有许多软件能帮助构建和运行模型。在定性的概念模型和计算机代码之间,有许多软件工具可以将概念、想法转化成可运行的模型。通常在普遍性和用户友好性之间有一个损益比较问题(Voinov 和 Akhremenkov,1990)。一方面可以看到计算机语言能将概念和知识转化成计算机代码,另一方面却发现一些已经实现的模型仅适合于单个系统或它们的设计条件。有许多工具可用来协调这两方面的矛盾。

这些工具包括一些为模型开发专门设计的语言和一些可扩展的模型系统,其中可扩展的模型系统允许用户自己添加代码来开发新的适合自己研究区域的模型软件包。相反还有一些模型系统,由于已经预先封装好,并不允许用户对提供的方法进行任何增加。包装好的和可扩展的模型对用户的友好程度存在很大的差别。用户更改系统的能力越小,学习该系统就越容易。从模型系统到可扩展的模型,实际上是针对不同情况对单个模型进行调整的。这里模型结构移植性很差,用户仅能在有限的选择集中做出自己的选择,通常只能改变一些参数和时空特征。

同 SME 这样的模型环境相似,要求用户友好通常会损失一些普遍性。为了能够将单元模型和空间模型连接起来,SME 针对怎样描述模块和怎样使用数据格式有一些协定。

在 SME 中,局部模块可以在 STELLA 中用部门描述,每一个模块是一个不同的 STELLA 模型。部门的名字以符号 $ 开始,后面紧跟的是状态变量、作用力函数、参数及简单变量(如果二者不需要区分的话)。通常一个部门变量仅为该模块所有,而定义在部门边界外的变量可以为其他模块使用。在一个模块内部,为了可以独立操作,通常定义这些外部变量为常数或者时间序列(也就是 STELLA 中的图),这些外部变量是随时间变化的或者是一些其他独立变量的函数。

模块之间共享的变量应该同名。SME 的转换器将 STELLA 方程存为文本文件,并将它们转化为一种中间形式(Maxwell 和 Costanza,1997),称为模块标识语言(MML)。运行中 SME 的转换器能发现共享变量并将它们连接起来。同时提供一个包含所有模块的所有变量的配置文件。配置文件可以进一步编辑并改变驱动器中变量的值,但这些变化并不影响在模块中以 STELLA 公式形式设置的变量值。由于 STELLA 软件的局限性,当前还没有办法从 MML 或 STELLA 方程中返回变量到图标性的 STELLA 模型工具中。因此,在输出和处理新的 STELLA 方程时将丢失 MML 形式或者驱动器中 C++ 代码形式的变化。

用 STELLA 可以有效描述很多局部的动态行为,但是用这种方式却很难描述空间过程。如果提供合适的代码,SME 可以将单个的局地模型连接到空间网络。SME 可以连接 C++ 程序(用户代码)和由 STELLA 模型产生的常微分方程。为了提供对空间和非空间数据结构的可访问性,SME 提供了许多可以使用的类,这为写用户代码提供了便利。

另外,由于 SME 是在空间背景下处理局地的动态,因此可以得到与空间分布参数(如土壤、栖息地类型)相关联的空间变异性。在移植模型的时候,只是求解不同参数集下由 STELLA 模型产生的同样的常微分方程系统,参数集的替换由 SME 完成。当前 SME 并不能融入任何扩展的数据库特征来描述和归档在模型与模块中遇到的各种参数问题。但是,当前有几种输入办法允许从各种文件格式中读取区位依赖的数据。如依赖栖息地的参数积累在一个文件中,这个文件中不同的列反映不同的模型参数,行反映不同的栖息地类型。在 config.file 中描述栖息地依赖关系的参数可以从上述文件中输入。该文件利用了土地利用图上指定的栖息地信息。

其他集成单元模块并运行的替代方式是采用 MADONNA 软件(Macey 和 Oster,1993),MADONNA 软件能编译运行 STELLA 方程,而且速度比 STELLA 更快。使用 MADONNA 软件,可非常容易地将几个不同的 STELLA 模块组合成一个方程文件,从而建立一个新的集成模型,但是不能浏览集成模型的流程图,集成模型也只能以方程格式进行维护,从而丧失了原始模型具有的一些透明性和可视化功能。当前对于运行空间模拟模型来说,SME 还是唯一可行的软件包。

## 3.3　自然模块

### 3.3.1　变量和主要的模型假设

在这个模块中没有状态变量。这里定义的变量主要是描述自然环境的作用力函数及参数。

气候因素:降雨、温度、湿度、风速、太阳辐射。

表面地形:高程、水深、土壤等。

其他模块分享的辅助变量:日长、儒略历(Julian)天数和栖息地类型等。

设计该模块主要是为了简化数据的预处理。当原始数据输入模型时,该模块处理各种各样的转化关系。对一些专门的应用,如果数据格式不同,这个模块就提供了一个很好的修改机会。在有些情况下可能需要增加新的子模块。如光合太阳辐射(PAR)在标准的气候数据集中很难得到,在实际研究中大多依靠基于纬度数据的经验公式计算得到。

### 3.3.2　太阳辐射

在 LHEM 中当前有两个模块用来计算 PAR。第一个与 GEM 的计算方法类似(Fitz 等,1996)。基于 Nikolov 和 Zeller(1992)的算法,使用儒略历、纬度、太阳偏差角和其他因素来计算顶层大气每天的太阳辐射量。平均每月云层值是基于每天的降水、湿度和气温推导的一个回归关系式计算的。每月云层值用来削减到达地面的辐射。在北半球一定的纬度、高程和时间条件下,每天到达地面的辐射(PAR,cal/(cm$^2$·d))值是考虑了比尔定律(Beer law)关系解释的大气削弱作用后计算得到的。

第二种算法是使用简化的 Nikolov 和 Zeller 模型,该模型的 PAR 计算值在中纬度($20° < Lat < 64°$)非常精确($r^2 = 0.96$)。地球表层接受的太阳辐射使用下面的经验公式计算:

$$PAR = (A + B\cos(T\_rad) + C\sin^2(T\_rad))(1 - 0.05D)$$

式中:$A = 720.52 - 6.68Lat$;$B = 105.94(Lat - 17.48)^{0.27}$;$C = 175 - 3.6Lat$;$D$ 为混浊度;$T\_rad = 2/365\pi(DayJul - 173)$是从天往弧度的转换。

## 3.4　水文模块

### 3.4.1　变量和主要的假设

传统的水垂直运动方案(Novotny 和 Olem,1994)也应用在 GEM 中(Fitz 等,1996),

假设水沿下面的路径迁移:降水—地表水—不饱和层的水—饱和层的水。在模拟由于气候条件变化引起的延迟反应时,雪是另外一种重要的水储存形式。在每一阶段,由于自然的(蒸发和径流)和生物的(蒸腾)过程,一部分水的迁移路径发生变化,但在垂直方向上,迁移的变化是由下面 4 项之间的交换控制的:①地表水(S);②雪/冰(SI);③不饱和层的水(UW);④饱和层的水(SW)。

我们主要是围绕这四个状态变量来构造水文模块。这些变量及相关的流量在水文模块内部计算,而且计算结果可以作为其他模块的输入。在水文模块的输入方面使用下面的变量:降水、空气温度、湿度、风速、栖息地类型、土壤类型、坡度、根深、叶面积指数和弯曲流。

除了非常适合于湿地条件的 GEM 水文模块,我们自己开发了非常适合于陆地生态系统的水文模块,并已经在 PLM 中应用,考虑到时间分辨率(1 天)和空间分辨率(200 m,1km)及数据的可获得性,我们简化了 GEM 模块。

在天的时间步长下,开发的模型并不能模拟一些短期的事件行为,当降水渗入到土壤并很快通过不饱和层转向饱和层的地下水时,迅速的湿面动态就很难模拟。在非常迅速的降水事件中,地表水可能在地表的小坑和小池中积累下来,但是在盆地尺度上,在一天的时间范围内,这样的水可能蒸发、渗透,也可能形成水平径流。在 Patuxent 流域,渗透率是基于土壤类型在 0.15～6.2 m/d 的范围内变化的(Maryland Department of State Planning,1973),可以调节植被地区除最强降雨外的所有降雨事件。尽管降雨事件的强度强烈影响径流的产生,但很难得到时间尺度为 1 天以内的气候数据。而且如果模型是针对很大的面积而且运行很多年,一昼夜的降水数据对情景的设置和模型运行并不合适。因此开发地区模型可能会损失一些细节。

考虑到这些限制因素,实际开发中我们遵循了下面的概念框架:

(1)假设降水立即渗透到不饱和层,只有当不饱和层变得饱和时,或者超过每天的渗透率时才有地表水的积累,雪和冰可以一直积累。

(2)模型中的地表水是指河流、小溪和小池塘中的水。在不饱和层的顶端没有停滞的地表水。水平径流和蒸发引起地表水的迁移。

(3)在每天的时间步长内,地表水流同时引起了浅层地表水流,浅层地表水流能迅速地将水分布在景观上,并通过微渠道最终进入河流。因此地表水的迁移考虑了降水发生时可能的浅层亚地表水流,从而该模型具有解释浅层和深层亚地表水营养物迁移能力方面的差异。

概念上这与径流经验模型中缓慢流和快速流的区分相类似(Jakeman 和 Hornberger,1993;Post 和 Jakeman,1996)。在当前的情况下,地表水变量解释快速流,饱和储积层解释缓慢流,它定义了降水事件间的基流。

下面的过程是在水文模块中分析的,其他的模块也可以应用。

## 3.4.2　截流

有部分降水附着在植被或其他景观结构上,由于进一步蒸发而没有到达地面。这种典型净截留完全取决于覆盖层的储存能力和降水模式,净截留损失通常为降水的 $10\%\sim30\%$(Shuttleworth,1993),并且大概有一半的截留蒸发发生在暴风雨发生时。因此,我们假设植被能够截留的水量与其总生物量成正比:

$$H_I = \max(\varepsilon_1 R, \varepsilon_2 L_r) \qquad (m)$$

式中:$L_r$ 为叶面积指数(LAI);$\varepsilon_1$ 为依赖栖息地的景观截留参数;$\varepsilon_2$ 为植被截留参数;$R$ 为降水的数量,m。

按这种方式,对于任何降水事件,其中一部分水被截留,余下的部分到达地面。

### 3.4.3 蒸发和蒸腾

与 GEM 中一样,蒸发是根据 Christiansen 模型(Saxton 和 McGuinness,1982)计算的地表水皿蒸发(pan evaporation)(m/d)。该模型使用温度、太阳辐射、风速和湿度作为解释变量。

蒸发蒸腾是指将水从地表迁移到大气中的过程。蒸发过程解释空气-水的相互作用,这里还解释了蒸发水的输送过程。如果地表覆盖植被,就变成一个蒸腾的生物学过程,由植物根吸收水,输送到叶,然后通过叶面气孔排出,从而得到蒸发用水。如果没有植物,池塘水和土壤水就会蒸发掉。

土地覆被植物的比例用 LAI($L_r$)表示,蒸腾蒸发的总数量可用下式表示:

$$H_T = (L_r)TR + [1 - \min(1, L_r)]E$$

式中:$E$ 为地表蒸发量,$E = C_e H_E U_r$,其中 $C_e$ 为地表蒸发率,$H_E$ 为开阔水域蒸发率,$U_r$ 为相对潮湿比例($U_r = U/P$,$U$ 为潮湿比例,$P$ 为孔隙率);$TR$ 为总蒸腾量。

当 LAI 大于 1 时,不存在空旷的表面,因而不存在地面的蒸发过程,$TR$ 占主导作用。$TR$ 可以进一步分为不饱和层($TR_u$)和饱和层($TR_s$)蒸腾量:

$$TR = TR_u + TR_s = (\theta_v)TR + (1 - \theta_v)TR$$

上式中,$\theta_v$ 为不饱和层蒸腾的比例:

$$\theta_v = \begin{cases} \dfrac{W_A \cdot UW_d}{(R + R_{\exp})} & R + R_0 > UW_d \\ 1 & R + R_0 < UW_d \\ 0 & UW_d = 0 \end{cases}$$

式中:$UW_d$ 为不饱和层深度;$R$ 为根深;$R_0$ 为毛细作用显著点与饱和层的距离;$R_{\exp}$ 为根深没有达到饱和层的前提下($UW_d > R$),毛细根从饱和层吸水的指数:

$$R_{\exp} = \exp[-10(UW_d - R)]$$

$W_A$ 为可获取水参数:

$$W_A = \min\left\{1, R_{\exp} + \begin{cases} 0 & U < U_w \\ 1 & U > U_d \\ \dfrac{U - U_w}{U_d - U_w} & \text{其他情况} \end{cases}\right.$$

当不饱和层的潮湿比例 $U$ 大于 $U_d$ 时,不饱和层的水完全可以为植物利用, $U_d$ 通常是田间持水能力( $U_f$ )的 $50\% \sim 60\%$ ,当 $U$ 低于枯萎点 $U_w$ (假设为田间持水能力的 $10\%$ )时,不饱和层的水完全不能为植物所利用,在其他情况下返回一个中间的值。但是这可以根据毛细作用进一步更改,即使不饱和层完全干涸,当根接近饱和层时植物也有潜力提取水。

对潜在蒸腾 $TR_p$ ,应用的是彭曼－蒙太斯(Penman - Monteith)的蒸腾蒸发公式,该公式在水文实践应用中得到了非常广泛的应用。这个方程相当复杂但现在应用相当普遍,相关文献到处都是(Shuttleworth,1993)。它反映了蒸腾蒸发到大气中的水是气候条件(温度、湿度、太阳辐射和风速)和植被特征(如 LAI)的函数。

蒸腾通过考虑可获取水参数 $W_A$ ,从潜在蒸腾的角度进行计算:

$$TR = C_{tr} TR_p W_A$$

式中: $C_{tr}$ 为依赖于栖息地的蒸腾率; $TR_p$ 为彭曼－蒙太斯蒸发蒸腾量。

蒸发蒸腾是水文过程循环中一个最复杂的过程,在 LHEM 中有一个分开的模块专门来描述其应用。

## 3.4.4　渗透

由于模型是以天为时间步长进行运算的,因此假设降水立即渗透到不饱和层,渗透根据潜在的渗透和不饱和层储存的可利用水来定义。潜在的渗透是地表特征的函数:

$$I_p = C_{Hab} \frac{C_s}{C_{SI}}$$

式中: $C_s$ 为给定土壤类型的渗透率,m/d; $C_{Hab}$ 为栖息地类型的调整因子, $0 < C_{Hab} < 1$ ; $C_{SI}$ 为坡度调整因子(°)。

未饱和能力是土壤空隙中没有被水占满的总容量:

$$U_c = UW_d(P - U)$$

式中: $P$ 为土壤空隙率。如果 $I_p$ 小于未饱和能力,则潜在的渗透可以实现,实际的渗透 $H_F = I_p$ 。如果 $I_p > U_c$ ,则进入的水将填满整个空隙,能有效地减少不饱和带并使它饱和。在这种情况下,所有的渗透水直接流入饱和层,并加入可以获得的不饱和层的水, $UW$ 将设为 0。在渗透后留下的水就是地表水,成为地表水平径流的一部分。

## 3.4.5　浸透

由于重力作用,一部分不饱和层的水向下浸透到饱和层。只有那些超过了田间持水能力的水才能发生浸透。当潮湿比例低于田间持水能力时,所有的水都为毛细作用和黏附力保持,不会发生浸透。因此,可获得的浸透水量是:

$$U_e = U - U_f$$

浸透率由下面的方程定义:

$$H_p = 2C_v P \left\{ \frac{U_e^{0.4}}{(P - U_f)^{0.4} + U_e^{0.4}} \right\}$$

式中：$C_{vc}$ 为依赖土壤类型的垂直水文传导参数。

除了浸透过程，当水位上升时，水也从不饱和层向饱和层转换。在这种情况下，不饱和层的水将与来自饱和层的水一起进一步提高水位。该数量等于 $H_{P0} = \max(0, U \cdot D_h)$，在这里 $D_h = UW_d(t) - UW_d(t-1)$，指单位时间步长范围内不饱和层水深的变化。

反过来，如果水位下降，田间持水能力保留的潮湿水分将停留在土壤中，并增加不饱和层储存的数量：$H_{P1} = \max(0, U_f D_h)$。

### 3.4.6　空间应用

空间水文模块方面的算法已经得到了广泛的讨论（Voinov 等，1998；Voinov 等，1999a）。这里有三个主要的模块可以用来模拟水及其组成成分在水平方向上的运动。SWTRANS1 和 SWTRANS2 主要考虑地表水的动态，GWTRANS 主要考虑总的饱和层的水储存。

SWTRANS1 对平坦地区非常有用，如湿地、海岸平原和三角洲。在该模块中允许逆流，通过平衡邻近单元中的水来计算水位（Voinov 等，1998）。调用的函数是 SWTRANS1（S_WATER，MAP，ELEVATION，STUFF），这里 S_WATER 为地表水图，由单元模型更新；MAP 定义研究区域；ELEVATION 是高程图；STUFF 是组分浓度图。

SWTRANS2 假设在高程中有明确的梯度，能确保水向一个方向流动。这对陆地生态系统研究非常合适，产生的连接图能明确定义水运动的方向（Voinov 等，1999a），函数的调用与上面的调用相似。

SWTRANSP 是 SWTRANS1 和 SWTRANS2 的组合。这里水即可以在相对平坦的地方平衡，也可以在梯度占优势的地方向下流。这个函数可用于同时具有陡峭和平坦地形的区域。在 SWTRANSP 函数的调用中需要增加其他的变量：SWTRANSP（S_WATER，MAP，HABMAP，ELEVATION，STUFF），HABMAP 是一个新增加的层，用于决定什么时候使用 SWTRANS1 算法，什么时候使用 SWTRANS2 算法。有时候 HABMAP 是指栖息地类型图，开阔水域的单元格采用平衡算法进行计算。

GWTRANS 计算地下水的流动，并更新单元格中成分的浓度。该函数是修正的达西地下水流公式：GWTRANS（SAT_WATER，POROSITY，H_CONDUCT，MAP，STUFF，UNSATW），式中 SAT_WATER 为饱和水位高度图，由单元模型更新；POROSITY 为依赖土壤类型的空隙图层；H_CONDUCT 为专门的水文传导系数图；MAP 描述研究区域；STUFF 为成分浓度图，在具体的研究中指氮和磷；UNSATW 为不饱和层中水的数量；H_CONDUCT 为以单元格大小为权重计算的水平传导系数：$H\_CONDUCT = C_h / \sqrt{A}$，$A$ 为单元格大小，$C_h$ 为传导性。因此，对每个单元格，首先是计算当前单元格与邻近 8 个单元格的平均传导性：

$$H_0 = \frac{\sum\limits_{i,j \in \Omega} S_{ij} C_{ij}}{\sum\limits_{i,j \in \Omega} P_{ij} C_{ij}}$$

式中:$\Omega$ 为单元格$(i,j)$的邻接域,包括$(i-1,j-1)$、$(i-1,j)$、$(i-1,j+1)$、$(i,j-1)$、$(i,j)$、$(i,j+1)$、$(i+1,j-1)$、$(i+1,j)$和$(i+1,j+1)$;$S_{ij}$ 为 SAT_WATER;$C_{ij}$ 为 H_CONDUCT;$P_{ij}$ 为 POROSITY。下面是假设单元格$(i,j)$的水位趋向均衡,对每一个与邻近单元格 $k$ 成对的相互作用,流量 $F_k$ 用下式计算:

$$F_k = \frac{(H_0 P_{ij} - S_k)(C_{ij} + C_k)}{2}$$

这里 $k \in \Omega \setminus (i,j)$,新水位将是 $S_{ij} = S_{ij} + \sum_k F_k$,注意到 $F_k > 0$ 时,表示水离开单元格$(i,j)$,流进邻近单元格 $k$。如果 $F_k < 0$ 则是反方向运行。这样的水流动同样携带着成分浓度的变化,单元格$(i,j)$中的浓度也为这种相互的流动所更新,其计算如下:

$$N_{ij} = N_{ij} - N_{ij}\left(\frac{F_k}{S_{ij}}\right) \qquad\qquad F_k > 0$$

$$N_{ij} = N_{ij} + N_k\left(\frac{F_k}{S_{ij}}\right) \qquad\qquad F_k < 0$$

## 3.5　营养模块

### 3.5.1　状态变量

与 GEM 中一样,氮和磷是 LHEM 考虑的两种主要营养物质。通过加总几种主要的氮形式($NO_2^-$、$NO_3^-$、$NH_4^+$)形成一个可以被植物直接提取利用的所有氮形式。可得到的无机磷是以正磷酸盐的形式模拟的。当前 LHEM 中主要有两个营养模块,它们的区别主要体现在垂直方向上处理营养物质的概念框架上。在陆地生态系统中,地表的营养物并不一定以溶解的形式与地表水结合在一起,这与 GEM 中的溶解形式有差异。相反,因为大部分时间大部分单元格上没有地表水,$n\_SF$($n=$N 或 P)代表地表氮和磷的干沉积。在干期,$n\_SF$ 随空气沉积和有机物质的矿化积累而逐渐增加。当降水发生时,一些积累的 $n\_SF$ 变成溶解的形式,也会发生水平流动和渗透。

第一个营养物模块与水文流动紧密相关,考虑了地表的营养物质($n\_SF$)、不饱和层的营养物质($n\_US$)与饱和层的营养物质($n\_SD$)($n=$N,P)。

第二个营养模块的设计考虑了水文模块中的地表和亚地表浅层流量加总的问题。一部分储存在表层土壤中的氮和磷与地表的营养物一起可以参加快速的水平流动。上层土壤的深度是一个土壤依赖的参数。遵照与 CNS 模型(Haith 等,1984)相似的形成规律,大多数情况下都假设这一层有 10 cm 厚,而且假设这样的表层土暴露在直接的地表径流下。应该注意的是营养物变量的空间分布并不与水的分布完全匹配。由于缺少用于校准的测量数据,这样的处理只是最小化变量数目的一种尝试。因为我们必须弥补空间加总的假定,为这种加总所付出的代价是形成过程中产生的更多复杂性。

在这里只考虑 $n\_SF$(地表的 N、P)和 $n\_SD$(沉积层的 N、P)。这两个模块中的磷循环都以变量(P_SS)为特征,该变量是指以特殊形式储存在沉积层中的磷,不再能为植物提取利用,但可以有效地从磷循环中分离出来。这里的输入变量大多是水文模块提供的水文流动与植物动态模块中计算的净初级生产力和根深。

### 3.5.2　加载营养物质

系统中的营养物质有 5 种主要的来源:大气沉积、施肥、腐殖质的渗漏、废水处理厂的排放及有机物质的自然分解。大气沉积有湿沉积和干沉积两种,大多数情况下,仅有湿沉积方面的数据。为了考虑干沉积,可以假设干沉积与湿沉积存在一个比例关系($D_d$),这个比例关系将因地方不同而存在差异。

肥料的加载可以根据施肥的时间和数量来定义。通常植物的生长期仅施肥 1～2 次,很多情况下施肥的时间和数量都与植物、土壤类型及研究区的农业生产实践有关。一个估计施用氮肥数量的方法是假设每蒲式耳多少磅的规则,这样可以统一用磅计算的施肥量与用蒲式耳计算的作物产量(Bandel 和 Heger,1994)。大气沉积和施肥都对地表的营养物质($n\_SF$)存量有贡献。

废物处理厂排放的营养物数量通常是点时间序列数据,能直接应用到单元格模型中。大多数情况下也对 $n\_SF$ 有贡献,但是在某些情况下,取决于排放的工程技术,也对 $n\_US$ 和 $n\_SD$ 有贡献。化粪池的渗漏是非点源污染,可以根据单位时间间隔内单点源提供的营养物数量来估计。如每个点上氮的数量是 4.8 kg/a = 0.0132 kg/d(Valiela 等,1997)。参考其他的来源,该数据在 3.5～5 kg/a 之间变化(Environmental protection agency report with national center for resource innovation)。

死有机物质在土壤中和地表上的自然分解同样对营养物的加载有贡献。如果 $D_{min}$ 是总的矿物残余物数量,可以假设 $gD_{min}$ 是地表储存的数量,而 $(1-g)D_{min}$ 是土壤中储存的数量($0 < g < 1$)。通常很难测量矿物残余物的这种分解,这里的数据处理需要更多的校准。

### 3.5.3　植物的提取

植物生长利用的营养物与净初级生产力成比例。假设地表层的营养物质只要有水溶解就可以为植物提取利用,除了地表水($S$),应当同时考虑在 10 cm 亚地表层的不饱和或者饱和层($S_r$)中的水(见图 3-2)。如果营养物质的垂直分布与水的分布相关,则描述起来更复杂,需要为不饱和层的营养物质增加一个状态变量和一些难以估计的参数。

亚地表层水的数量是:

$$S_r = \begin{cases} \dfrac{(UW)R_s}{UW_d} & R_s < UW_d \\[3mm] UW + \dfrac{(SW)(R_s - UW_d)}{E - UW_d} & R_s > UW_d \end{cases}$$

式中:$UW$ 为不饱和层的水;$SW$ 为饱和层的水;$R_s$ 为亚地表深度,$R_s = 10$ cm;$UW_d$ 为

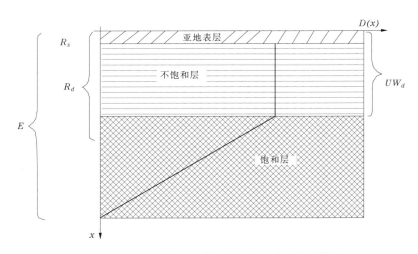

**图 3-2　植物根提取可获得的沉积层中氮的计算图**

假设营养物质的浓度是呈线性下降的。$E$ 是指高程，$R_d$ 是根深，
$R_s$ 是与地表水流相关的亚地表层深度，$UW_d$ 是不饱和层深度

不饱和层深度；$E$ 为给定区域的高程。可得到的溶解营养物总量是 $S + S_r$，营养物浓度是 $n\_C_{sf} = n\_SF/(S + S_r)$。当存在地表水时，总的可供植物提取的营养物等于地表所有的营养物，或者只是估计的亚地表层中储积的 $n\_SF$：

$$n\_A_{sf} = \begin{cases} (n\_C_{sf})(S + S_r) = n\_SF & S > 0 \\ (n\_C_{sf})(1 - n\_D_d)S_r & S = 0 \end{cases}$$

系数 $n\_D_d$ 用来分开保留在亚地表层中溶解的营养物和进一步渗透到地下水中的营养物质。

假设对表面营养物的提取速率为：

$$n\_SF_{up} = \min[n\_A_{sf}, (n\_U_{sf})NPP]$$

式中：$NPP$ 为植物模块中计算的净初级生产力；$n\_U_{sf}$ 为光合作用需要的营养参数。

由于需要描述随深度逐渐减少的营养物浓度（见图 3-2），同时还需要考虑根深，因此描述沉积层中的营养物提取更复杂。假设不饱和层中营养物浓度一样，并在饱和层的底端减少到 0，可得到如下公式：

$$n\_SD = \int_{R_s}^{E} D(x)\mathrm{d}x$$

式中 $D(x)$ 为沉积层中营养物的垂直分布（见图 3-2）。则在植物根层的深度 $y$ 处可提取的营养物质数量为：

$$n\_SD(y) = \int_{R_s}^{y} D(x)\mathrm{d}x$$

当 $y = R_d$ 时，可得：

$$n\_A_{sd} = \begin{cases} 0 & R_d > R_s \\ \dfrac{(n\_SD)(2E - UW_d - R_d)(R_d - R_s)}{(E - R_d)(E - UW_d)} & R_d > R_s \geqslant UW_d \\ \dfrac{(n\_SD)[2(R_d - R_s)]}{E - R_s} & R_s > R_d \geqslant UW_d \\ \dfrac{(n\_SD)}{E + UW_d - 2R_s} \times \left[ 2(UW_d - R_s) + \dfrac{(2E - UW_d - R_d)(R_d - UW_d)}{E - UW_d} \right] & 其他情况 \end{cases}$$

式中 $R_d$ 为植物模块计算的根深,从沉积层提取的营养物质与从地表提取的营养物质计算类似:

$$n\_SD_{up} = \min[n\_A_{sd}, (n\_U_{sd})NPP]$$

$n\_U_{sd}$ 为沉积层营养物的提取参数,上式中 $n$ 指氮和磷。

### 3.5.4　垂直运输

溶解的营养物质将随水流在水平和垂直两个方向运动,从 $n\_SF$ 到 $n\_SD$ 的流动与水从表面向沉积层的渗透紧密相关。

$$N\_ = (n\_C_{sf})(n\_D_d)(UW_p + SW_p + S\_SW)$$

式中: $n\_C_{sf}$ 为地表的营养物质浓度; $n\_D_d$ 为早期讨论的分解系数; $UW_p$ 和 $SW_p$ 分别为降水渗透到不饱和层和饱和层的数量; $S\_SW$ 是从地表水进入饱和层的数量。当饱和层的水接触到地表并以地表水形式流出时,逆反过程发生:

$$N_{up} = (n\_C_{sd})(SW\_S)$$

式中: $n\_C_{sd}$ 为沉积层的营养物浓度, $n\_C_{sd} = n\_SD/(S + SW)$; $SW\_S$ 为从饱和层中以地表水形式流出的水量。其中的 $S\_SW$、$SW\_S$ 都在水文模块中计算。

### 3.5.5　吸附作用

溶解的高浓度 $PO_4^{3-}$ 可以吸附土壤中的有机物质和金属离子,吸附速度由土壤中有机物质的数量来控制。在沉积层中溶解的 $PO_4^{3-}$ 浓度较低时,$P\_SS$ 可以再一次返回进入营养物循环。

### 3.5.6　空间应用

营养物的水平空间流动与水文过程紧密相关,因此是与水文模块中的地表水模块(SWTRANS1 和 SWTRANS2)和地下水模块(GWTRANS)一起描述的。

# 3.6　植物

## 3.6.1　状态变量

在植物模块中模拟了一些植物的生长情况,包括水生环境中的大型植物、森林中的树、农田中的作物及草地中的草和灌丛。植物的生物量(kg/m²)假设由光合作用(PH)和非光合作用(NPH)两部分组成,同时还区分了地上和地下生物量(见图 3-3)。

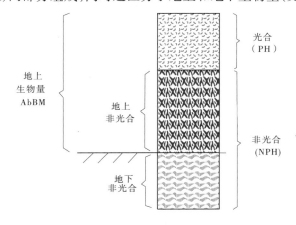

**图 3-3　模块中考虑的主要植物成分**

植物的生物量假设由光合作用部分和非光合作用部分组成,假设地上非光合作用
生物量(NPHa)和地下非光合作用生物量(NPHb)的比例是常数

状态变量 $B_t$ 用来追踪模块中设置的生物时间,生物时间是在植物生命跨度范围内平均每天有效温度的加总。在实例中超过 5 ℃ 的温度称为有效温度。有效温度是对植物的生理发育最合适的温度,因此它们的加总是植物生命阶段一个很好的代理指标,能触发发芽和再生器官的出现等生物过程。

该模块从自然模块中输入温度和太阳辐射数据,从营养模块中获得可利用的营养数量,从水文模块中获得潮湿比例。

## 3.6.2　温度的限制

当前有许多函数可以反映生长过程中温度的限制($L_t$)(Jorgensen,1980)。在大多数情况下,可用钟形曲线(bell - shaped curve)描述(见图 3-4),在该曲线上有一段最适温度范围,在该范围内可忽略温度的限制($L_t = 1$),在其他的温度范围内,增长放慢甚至停止($L_t \to 0$)。植物对温度的这种反应行为可用 Lassiter 和 Kearns(1974)提供的一个函数来描述:

$$L_t = \exp[S_1(T - T_{opt})](\frac{T_{\max} - T}{T_{\max} - T_{opt}})^{S_1(T_{\max} - T_{opt})}$$

式中：$T_{pot}$ 为最佳温度；$T_{\max}$ 为生长的最高温度，超过这个温度时植物停止生长；$S_1$ 为反映曲线形式的曲线参数。

另外的函数形式（Voinov 和 Akhremenkov，1990）更复杂，但在定义温度限制曲线的形状时提供了更多的灵活性：

$$L_t = \begin{cases} f_0^{(1 - T/T_{\max})^{S_1}} & T < T_{opt} \\ f_m\left(\frac{T_{\max} - T}{T_{\max} - T_{opt}}\right)^{S_1} & \text{其他情况} \end{cases}$$

式中：$f_0$ 为温度为 0 的函数值，$L_t(0) = f_0$；$f_m$ 为最高温度时的函数值，$L_t(T_{\max}) = f_m$。

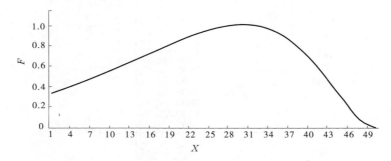

**图 3-4　温度或光通常的限制函数形式**

可能存在很多的函数来描述这种函数响应形式

### 3.6.3　光的限制

另外限制光合作用的因素是可获得的光量：

$$L_i = \frac{I}{I_s}\exp(1 - \frac{I}{I_s})$$

式中：$I$ 为入射的太阳辐射；$I_s$ 为辐射的饱和状态。

### 3.6.4　水的限制

过多或过少的水都会使植物生长过程放慢。这里用函数 $W_0$ 来解释水的赤字（见图 3-5）：

$$W_0 = \sin(W_a \frac{\pi}{2})^m$$

式中：$W_a$ 为可得到的水；$m$ 为耐干系数。当植物耐干能力高时（$m < 1$），即使可获得的水很少，植物增长也非常快。当植物耐干能力低时（$m \gg 1$），只要水的可获得性低于 1 植物增长就减缓。

与水的供应不充分情况相似，过量的水对植物来说也是致命的。有些植物的部分根

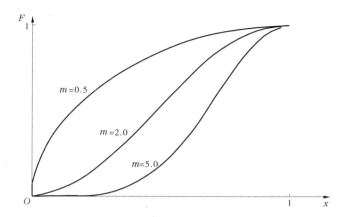

图 3-5　水对植物生长的限制

深位于地下水位之上来保证不存在过量水的限制。有些植物只要有一定程度的地表水覆盖就生长得非常好,但是如果水过量,生长会受到限制。函数 $W_1$ 考虑这两种情况,系数 $k$(对高水位的忍耐力)为负时反映植物能适应地表水的覆盖,系数 $k$ 为正时反映需要保持一定的根深位于地下水位之上。

$$W_1 = \begin{cases} 1/[1 + \exp(SW + k)] & k < 0 \text{ 或 } SW > -k \\ \min(1, \dfrac{UW}{R \cdot k}) & k > 0 \text{ 或 } R > 0 \\ 1 & \text{其他情况} \end{cases}$$

式中:$SW$ 为地表水;$UW$ 为不饱和层的水;$R$ 为根深。

当地表水的储存超过植物的容允状态时,或者不饱和层深度小于 $R \cdot k$ 时,$w_1$ 的值将小于 1 并限制植物的生长。

全面的水限制($0 < L_w < 1$)可由公式 $L_w = \min(W_0, W_1)$ 计算。

## 3.6.5　营养物质的限制

标准的 Michaelis – Menten 方程可用来计算单个营养物的提取:

$$f_n = \frac{S_n}{S_n + C_n}$$

式中:$S_n$ 为周围环境的营养物质浓度;$C_n$ 为半饱和系数($n = \text{N}, \text{P}$)。所有营养物的限制受 Liebigh 规律控制:$L_n = \min(f_n, f_p)$。

## 3.6.6　净初级生产力

假设光、温度、湿度和可得到的营养物状态这四个限制因素可以用连乘的形式来表示综合的限制作用,则净初级生产力用下式表示:

$$F_{NPP} = \alpha_{NPP} L_t L_i L_w L_n (PH)(1 - \frac{PH}{PH_M})$$

式中：$\alpha_{NPP}$ 为净光合作用率，1/d；$PH_M$ 为给定植物类型的最大光合作用生物量。

### 3.6.7　种植

有些类型的植物，如农作物，需要在一定的时间（$t_p$）种植。在种植期间，给定的生物量被引进这个系统，然后开始生长。如果种植的是种子，则引进的生物量是非光合作用生物量。在生物时间 $B_t$ 大于 $B_{st}$ 之前，该生物量仍然没有激活，但激活之后，3.6.8 节描述的迁移过程就开始将 $NPH$ 生物量转化成 $PH$ 生物量。当 $PH$ 出现时，光合作用开始发生，植物开始生长。

### 3.6.8　迁移转化

在模型分室（model compartment）中，基于下面的两个比例来描述新生物量的分布：

$\alpha^* = PH/BM_a$，光合作用生物量对地上生物量（$BM_a$）的最大比例。

$\beta = NPH_a/NPH_b$，地上非光合作用生物量（$NPH_a$）对地下非光合作用生物量（$NPH_b$）的比例，假设为常数。

使用这两个比例系数，能计算大部分其他模型的通量及分室。地上的非光合作用生物量是 $NPH_a = (\beta)NPH/(1+\beta)$，地下的非光合作用生物量是 $NPH_b = NPH/(1+\beta)$。当存在比转换到 $NPH$ 储存更多的 $PH$ 生物量时，$\alpha > \alpha^*$。在不支持光合作用生产的期间，$\alpha$ 可能非常小（$\alpha < \alpha^*$）。所有时候通常都假设 $\alpha = \alpha^*$。这里使用两个过程是为了方便向上和向下转化。第一个描述了从 $NPH$（根、枝等）转向 $PH$ 部分（叶）的过程，该过程发生在生长期开始时或者不支持生长的期间，将吸收的储存物用于植物生长的过程时。反过来，向下的过程发生在有效光合作用期间，存在很多当前所需要的生物量，其中的一部分可以转向储存在 $NPH$ 部分。这两种情况下，植物都尽力将 $NPH$ 和 $PH$ 这两部分的比例维持在 $\alpha^*$。

地上的生物量 $BM_a = PH + NPH_a = PH + (\beta)NPH/(1+\beta)$，因此 $\alpha = PH/[PH + (\beta)NPH/(1+\beta)]$。转换机理是使 $\alpha \rightarrow \alpha^*$。这种条件对某些生长再生器官的植物要发生变化。当再生过程开始的时候，植物改变了迁移模式，再生器官的生长成为生长过程的主要环节。这里并没有专门设置一个变量的来解释这些器官，只是假设它们是 $NPH$ 的一部分，当生物时间超过再生阈值时，迁移转变有利于 $NPH$ 的储存。

新的光合作用物质转换成 $NPH$ 储存比例用下式描述：

$$
T_r = \begin{cases}
\cos \dfrac{(\pi/2)a^*}{a} & a > a^* \\
1 - \dfrac{1}{B_t} & B_t > b_r \\
0 & \text{其他情况}
\end{cases}
$$

式中：$b_r$ 为再生器官开始生长时生物时间的阈值。

转换的反过程从 $NPH$ 储存中生成光合作用生物量，该过程发生在植物开始生长时，同样也需要生物时间记数器 $B_t$ 来触发。

### 3.6.9　死亡、落叶和收割

在不同的时期,有三种不同的途径减少植物的生物量。死亡是植物某些部分衰败的一个自然过程,假设其发生与 $PH$ 和 $NPH$ 生物量存在一个定常比例关系。

落叶植物在秋天落叶($PH$ 生物量),这个过程由日长的变化触发。只要日长低于某一阈值,落叶植物就开始落叶过程。开始比较慢,随剩余光合作用生物量的减少而加快,具体过程由下式描述:

$$F_L = \begin{cases} 0 & D > d_1 \text{ 且 } D \geqslant D(t-1) \\ PH & PH < P_{\min} \\ PH_{\max} \dfrac{\lambda}{PH^n} & \text{其他情况} \end{cases}$$

第一个条件指日长减少到阈值 $d_1$ 时,秋天的落叶发生;第二个条件指达到最小生物量 $P_{\min}$ 时,树叶完全凋落;第三个条件指日长条件达到后落叶过程逐渐发生。$\lambda$ 是指落叶率,$n$ 是指强度($n=3$),$PH_{\max}$ 是当前季节所能达到的最大生物量,它是生物量开始减少的一个参考点(见图 3-6)。

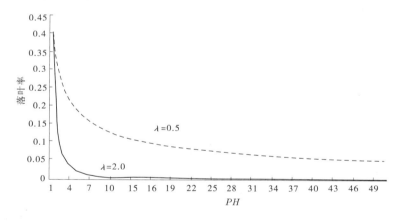

**图 3-6　落叶函数**
随着余下的光合作用生物量 $PH$ 的减少,落叶率增加

收割是减少植物生物量的另一个过程。在收割时($t_H$),将从系统中拿走一定比例的 $PH$ 和 $NPH$。当收割发生的时候,留下生物量中的一定比例($\rho$),迅速从活的生物量转化成死的有机物质,并为分解过程提供资源。对季节性作物来说($\rho=1$),在收割后所有留下的生物量都迅速死亡;对多年生植物来说,$\rho \to 1$,可能没有因为收割而引起死亡增加。

### 3.6.10　作物轮种的空间应用

植物的空间分布是固定的,在景观上并不能自由迁移。唯一的空间变化由与人类活动相联系的一些管理实践变化引起,如作物的轮种等。空间模块对于作物轮种的考虑是通过调用函数 CROPROT(HAB_MAP,DAYJUL)来完成的,这里 DAYJUL 为儒略天,HAB_MAP 为栖息地图。该函数扫描整个研究区域,并根据时间变化及当前的土地利用实践转变土地利用类型。作物序列是固定的并由图 3-7 中的矩阵决定,其中每种作物都与一定的时间间隔相对应,对每一个单元格 $(i,j)$ 及每一种作物,执行下面的操作:

if(TIME == TIME$_k$ && HAB_MAP(i,j) == CROP$_{k-1}$),HAB_MAP(i,j) == CROP$_k$

这里 TIME$_k$ 为作物 CROP$_k$ 的种植时间。

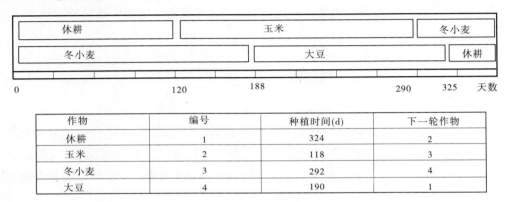

| 作物 | 编号 | 种植时间(d) | 下一轮作物 |
|---|---|---|---|
| 休耕 | 1 | 324 | 2 |
| 玉米 | 2 | 118 | 3 |
| 冬小麦 | 3 | 292 | 4 |
| 大豆 | 4 | 190 | 1 |

**图 3-7　马里兰作物轮种图**

根据这种轮种关系,用户编码更改模型中使用的栖息地图的类型。
因此,该模块在一年的不同时期有不同的栖息地依赖参数

## 3.7　残余物

### 3.7.1　状态变量

残余物模块主要是用来封闭营养和物质循环的模块,并不是用来详细调查排泄、细菌分解等多尺度和复杂过程的细节。当生物量死掉后,其中的一部分变成了稳定的残余物($D_S$),另外一部分变成了不稳定的残余物($D_L$),二者的比例由木质素含量决定。通常 $PH$ 生物量中木质素含量低,而 $NPH$ 生物量中木质素含量高。不稳定的残余物直接分解,稳定的残余物分解为不稳定的残余物或者变成沉积的有机物质(DOM),$D_{DOM}$。

### 3.7.2　分解

为了避免太多的复杂性,我们假设分解过程是线性的。稳定残余物的腐烂分解如下:

$$F_{DS} = d_0 D_S + d_1 L_{DT} D_S$$

式中:$d_0$ 为稳定残余物转变成 $D_{DOM}$ 的速率;$d_1$ 为稳定残余物和不稳定残余物之间的转

化速率,后者由 Vant-Hoff 温度限制函数 $L_{DT}=2^{(T-20)/10}$($T$ 为周围空气的温度)修正。不稳定残余物和 DOM 的分解同样用 Vant-Hoff 温度限制函数来描述。

## 3.8 校准和测试运行

我们一直利用 LHEM 来模拟 Patuxent 流域和它的几个子流域。这里的简短描述主要是为了说明这些模块是怎样组装在一起并如何校准的。PLM 模型的细节在第 8 章中有详细的讨论。这里主要是展示怎样将这些模块组装成一个工作的空间模型,并说明怎样有效地调整它们来反映区位和栖息地类型的变化。这里并不是特别集中在校准工作上,在任何情况下,只要把 LHEM 应用到其他流域,就需要重新校准。在变化的区位和栖息地上来测试模型稳定运行的参数范围也很重要。

模块化方法要求将校准过程分解成我们称为的多层校准方法(见图 3-8)。在这种情况下,整个模型的校准是从单个模块开始的一个逐步校准过程。这种方法的好处是每一步校准一个非常简单的模型。显然,单个模块的表现并不需要与整个模型的表现一致。因此,无论是在时间还是空间上,从简单的模块转向复杂的模型时,重新校准都是必要的。从简单的模块入手总是比拿住整个复杂模型,而不知道从哪里下手要容易一些。

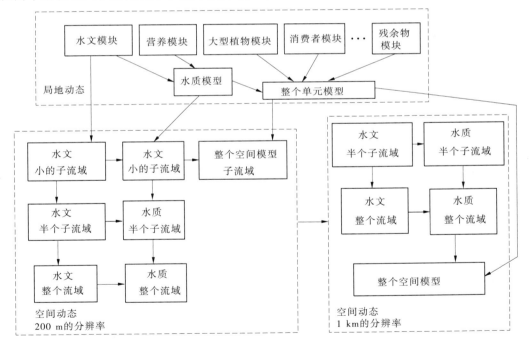

**图 3-8 多层模块校准的过程**

从一种空间或结构尺度转向另外的尺度时,需要的额外重新校准为校准小模块的简单性所补偿

我们从校准局地的水文模型开始,其他模块的输入,主要是植物模块,是通过固定的时间序列模拟的。如产生的一个接近 1 年期的植物动态时间序列(见图 3-9)。局地水文模块的校准难以得到充足的数据,因为这些过程基本是空间变化的,离开空间背景很难将

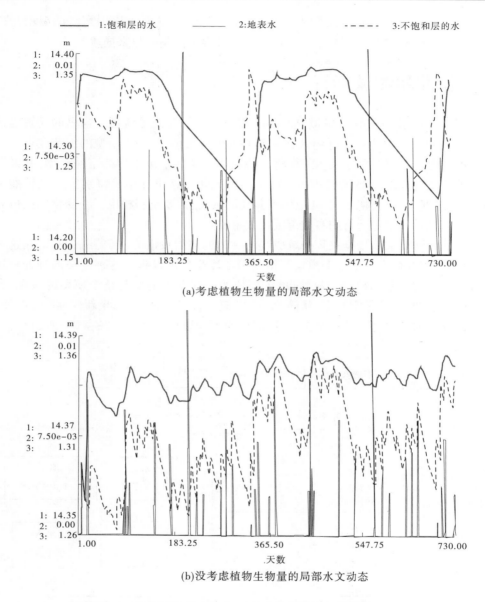

(a)考虑植物生物量的局部水文动态

(b)没考虑植物生物量的局部水文动态

**图 3-9　考虑(a)和没有考虑(b)植物生物量的局部水文动态**

蒸腾作用对不饱和层的水和饱和层的水有明显的影响。植物的存在增
加了不饱和层的潮湿能力,因而,高的渗透率能缓解地表水的峰流作用

它们局地化。因此校准局地水文模块的方式主要是参考其结果是否在大概的活动范围
内,只要确保在变化的条件下模型行为保持一种稳定的方式就可以。同样我们对当地的
营养模块也只提供这样有限的校准。这个局地校准阶段对确保所有主要的通量,如蒸发、
蒸腾、渗透、营养物荷载和吸收等保持在一个合理的范围内非常重要,也就是模型提供的
结果是一些可以解释的趋势。这对敏感性测试和理解单个参数的变化对模型整体动态的
影响也很重要。

　　许多这样的模块校准需要结合 SME 来进行。空间的水文、营养物或者水质模型在 Patuxent 流域的几个子流域进行了校准。实际工作中辨明了两个不同的空间尺度(200 m 和 1 km)。其中 200 m 分辨率非常适合用来捕获与土地利用变化相关的生态过程,但是由于分辨率太大,计算时需要太多的协处理器。1 km 的分辨率将模型运行的单元格数量从 58 905 个减少到 2 352 个。

　　在 Patuxent 流域北边的 Cattail Creek 子流域(面积 23 km²),进行了许多基本的校准工作。Hunting Creek 是位于 Patuxent 流域南部的一个子流域,其土壤质地和高程与 Cattail Creek 子流域有很大差异,同时它还包括一个三角洲部分,这些特征让我们可以在此测试专为开阔水域设计的第二种水文算法。下面测试的大一些的子流域是 Patuxent 流域没有潮汐作用的上半部分,该部分直接排水到 Bowie(面积 940 km²)的美国地质调查局的观测站。最后检测了整个 Patuxent 流域(2 352 km²)的情况。

　　为测试地表水流的敏感性,在小的 Hunting Creek 子流域我们分段进行了增加的实验。模型中控制地表水流的三个关键参数(渗透率、水平传导率和水平流速)由连接图上的路径长度来定义,超过这个长度,单元模型中的水可在单位时间步长内发生迁移。河流流量的峰值强烈地受到渗透率控制。传导率决定了暴风雨和受连接长度调整的暴风雨峰值宽度之间的河流水位。

　　地表水流校准的结果在第 8 章中报告。它们与实测数据呈现了很好的一致性,最重要的是,我们对水文过程的趋势具有足够的控制力,可以按照我们需要的方式更改水位曲线的模式。尽管我们并不能模拟单个洪峰或其他一些情况,但是模型工作得很好,能反映水文模式全面的趋势,并能很好地估计该地区总的径流量。空间的营养动态根据 Patuxent 流域上的 7 个测量站点的数据进行了校准。第 8 章的图 8-8 展示了在美国地质调查局 Bowie 站测量的氮浓度的校准结果,该站点位于 Patuxent 流域中部,能解释该研究区域上半部分营养变化的动态关系。

　　相比水质模型,植物模块的校准并不太依赖空间的相互作用,因而其单元模型的校准更重要。这里对一系列的参数集进行了校准,以反映不同的栖息地类型及相关植物群落的差异,考虑了一种林地类型和许多农业用地类型,如玉米、冬小麦、大豆和休耕地。

　　用来校准森林动态的数据使用的是位于美国东部 12 个森林监测站点长达 10 年的野外监测数据(Johnson 和 Lindberg,1992)。这些数据提供了平均的营养波动率和有机物质的营养成分,生物量和种类组成可以通过林业库存和分析数据库(FIA)推导。林业协会为选择数据利用橡树—山胡桃树并带有 0.6% 的松树作为标准样区来挑选数据。对农业栖息地,使用了马里兰合作扩展的农业营养物管理项目(www.agnr.umd.edu/users/agron/nutrient/home.html♯homeplace)和其他来源的数据(Schroder 等,1995)。

　　在这种情况下,最重要的事情是确保获得的参数集能反映不同栖息地和控制参数约束下的植物行为。对大多数植物来说,增长、成熟和衰退具有相似的模式,但是不同植物光合作用生物量和非光合作用生物量的动态存在差异。图 3-10 描绘了不同栖息地植物的生长曲线。提供这些曲线的模块与以前描述的植物模块是一样的,变化的只是参数集。

　　在其他的实验中,我们测试了不同的施肥率对大豆增长率的影响。营养模块用于产生可获得氮的动态,然后反馈输入植物模块(见图 3-11)。在测试的 5 种情景中,我们总共

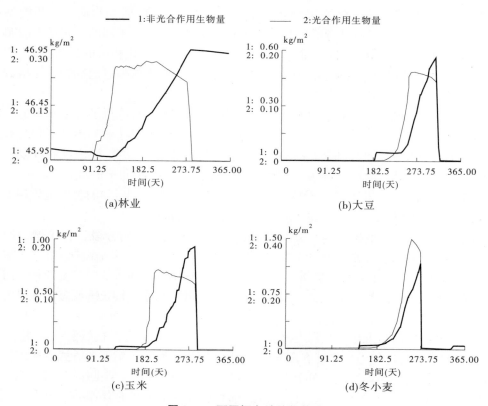

**图 3-10　　不同栖息地植物的动态**

当农业栖息地(b,c,d)收割的时候,林业用地继续增加非光合
作用生物量组织。注意冬小麦(d)是按 2 年的时间步长显示的

改变了两个参数,在前面的 4 种情景中变化地施用氮肥的数量,在第 5 种情景中氮肥的溶解率减少了 10 倍。结果显示简单地增加施肥量并不能改变植物的生长模式,但减少氮肥的溶解率能明显地增加所提供的生物量。这看起来与图 3-11(a)中可获得氮肥的数量有点矛盾。很明显,图 3-11(b)中氮肥的数量是最少的,需要放大图 3-11(b)才能发现最重要的是分送营养物质给植物的模式。延长溶解时间,实际上增加了植物提取氮的数量。从而光合作用生物量和非光合作用生物量的生产都增加。以粒状形式施用,氮肥溶解和渗透进土壤中比较慢,这可以视为一种最佳的管理实践。在这种情况下,增加的产量和生物量都非常明显。这里的目的并不是展示特殊应用中模型的行为,而是在广泛的参数和驱动力情况下展示不同的模块和它们的组合是否能提供有意义的输出,以便用来检验各种假说和情景。

　　只要局地模块被测试和提前校准,它们就能被 SME 转化并编译成空间模型,并进一步在整个 Patuxent 流域和它的子流域应用。最终的模型已在广泛的情景下运行(Costanza 等,2000)。通过运行这些情景,进一步有效地测试了不同参数和驱动力函数作用下模型的状况,测试结果进一步说明了模型具有鲁棒性和可行性。

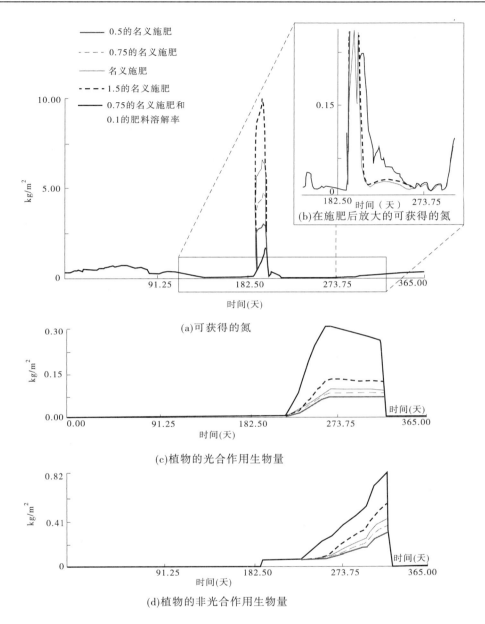

图 3-11　不同施肥情景下氮和植物生长的动态

# 3.9　结论

相比 GEM,模型模块化方法的目的并不是打算提供一个通用的模型,而是提供一个容易扩展、容易更改的通用框架。在一个地方表现好的模块在另一个地方表现可能不好。不同的研究目标和尺度可能完全不同,因而需要一组完全不同的模块集合来在 SME 中组装成工作的模型。尽管 STELLA 对所有的模型和过程来说并不完美,但用它来描述模型可以提供模型的透明程度,而这一点对于在不同背景下应用这些模块是非常重要的。

软件开发者与模型研究人员对于模型和模块的看法有一些差异。对软件开发者来说,模块是一个实体,是一个黑箱,应该尽可能地独立,并容易与其他模块一起重组。这对模块化的联合方法及网络基础的模型系统来说也是正确的,但这给研究者带来的效用可能很小。

对研究者来说,模型主要是理解现实系统的一个工具。加入很多的黑箱,具体的行为将是模糊的和难以理解的,因而很难增加关于系统的知识。人们只是从复杂的自然系统转向了一个也同样复杂的系统。产生的难以解释的结果并不足以增加人们对实际模拟过程的理解。正如早期提到的,生态和社会经济系统是复杂的、难以分解的,这样的分解需要仔细地分析研究过程的时空尺度,需要与模型建立的目标紧密相关。

在这种背景下,如果将视点从重复利用和即插即用转向透明性、分析性以及各种过程和系统成分的层次描述可能有用。如果模块是透明的,对实验和分析来说是开放的,研究者就能更好地理解模型的具体形成,从而根据研究目标很容易决定哪一个模块需要更改以及需要用哪一个模块。这也是我们提供 LHEM 的原因。STELLA 提供了基本的透明性和开放性,模块同时也用 SME MML 文件归档,这也是难以理解和更改的,但是它们很容易在 SME 中直接应用和重组。

当前有许多尝试来收集、整理和归档生态模型(Fiddman, 2001;Noble 和 Davies, 1995;GEML, 1997),其中最突出的是 Kassel 收集的生态模型(Benz 和 Knorrenschild, 1997;Hoch 等,1998)。这里展示的是一个相当不同的目标,我们集中在探求一个反映广泛多样的环境条件所需要的最小模块集合上,在这方面,我们的模块化方法可以与 MMS 系统相比较(Leavesley 等,1996),它的目标不是去收集模块,而是以某种格式呈现某些模块,容许用户根据自己的需要重组和更改。这并没有排除系统的扩展性,只要新的模块遵守一定的规则,并可与其他模块集成就可以加入已经建立的模型系统。

在应用 LHEM 时,用户最主要的任务是以一种有意义的和一致的方式将模块组合在一起。在 GEM 和其他预制的模型中,都定义和考虑了尺度一致性问题。用模型模块化方法,用户需要组合模块来适应研究系统的复杂性,模块之间相互的一致性变成了用户的任务,这是对最终模型增加的移植性和最优性所付出的代价。理论上可以设想让模型系统跟踪卷入的各种过程的尺度和分辨率,同时自动连接匹配这些尺度的模块。实践上,由于生态系统和社会经济系统的复杂性,出现这样的工具可能仍需要一定的时间。同时对模块化来说,模型的透明性是一个非常重要的前提,尤其是在研究的背景下运用模块时。

**感谢:**我们感谢 Thomas Maxwell,在我们需要补充完善开发 SME 时他给予了及时的帮助。本次研究获得了 EPA STAR(Science to Achieve Results)项目研究和开发办公室、国家环境研究和质量担保中心(R827169)的联合资助。

# 参 考 文 献

［1］ Bandel V A, Heger E A,1994. MASCAP－MD's agronomic soil capability assessment program, Agronomy Department Cooperative Extension, Service, University of Maryland, College Park, MD

［2］ Benz J, Knorrenschild M, 1997. Call for a common model documentation etiquette. Ecological Modelling 97(1,2)：141~143

［3］ CEML. 1997. Civil/Environmental Model Library. Department of Civil and Environmental Engineering, Old Dominion University. Available from http：//www.cee.odu.edu/cee/model/model

［4］ CORBA. 1996. CORBA Object Management Group. Available from http：//www.omg.org

［5］ Costanza R, Voinov A, Boumans R, et al.2002. Integrated ecological economic modeling of the Patuxent river watershed, Maryland. Ecological Monographs, 72(2)：203~231

［6］ Fiddman T. 2007. System Dynamics Model Library. Available from http：//www.home.earthlink.net/tomfid/models/models

［7］ Fishwick P A, Hill D R C,Smith R, (Eds.). 1998. Proceedings of the 1998 International Conference on Web－Based Modeling and Simulation. San Diego. Referring to the whole book

［8］ Fitz H C, DeBellevue E, Costanza R, et al.1996. Development of a general ecosystem model for a range of scales and ecosystems. Ecological Modelling 88(1/3)：263~295

［9］ Haith D A, Tubbs L J,Pickering N B. 1984. Simulation of pollution by soil erosion and soil nutrient loss. Wageningen, Pudoc

［10］ Hoch R, Gabele T,Benz J.1998.Towards a standard for documentation of mathematical models in ecology. Ecological Modelling 113：3~12. Available from http：//dino.wiz.uni－kassel.de/ecobas

［11］ HPS. 1995. STELLA：High Performance Systems. Available from http：//www.hps－inc.com/edu/stella/stella

［12］ Jakeman A J,Hornberger G M.1993. How much complexity is warranted in a rainfall－runoff model? Water Resources Research 29(8)：2637~2649

［13］ Johnson D W,Lindberg S E, 1992. Atmospheric deposition and forest nutrient cycling：a synthesis of the integrated forest study. New York：Springer－Verlag.

［14］ Jorgensen, S E. 1980. Lake Management Pergamon Press, Oxford, UK

［15］ Lassiter R R,Kearns D K,1974.Phytoplankton population changes and nutrient fluctuations in a sample aquatic ecosystem model. In：E.J. Middlebrooks, D.H. Falkenberg and T.E. Maloney, Eds. Modeling the Eutrophication Process. Ann Arbor Science, Michigan, p. 131~138

［16］ Leavesley G H, Restrepo P J, Stannard L G,et al.1996. The modular modeling system (MMS)：A modeling framework for multidisciplinary research and operational applications. In Goodchild, M., Steyaert, L., Parks, B., Crane, M., Johnston, M., Maidment, D., and Glendinning, S., Eds., GIS and Environmental Modeling：Progress and Research Issues, Gis World Books, Ft. Collins, CO., pp. 155~158

［17］ Macey R I,Oster G F,1993. Berkeley Madonna. Available from http：//www.berkeleymadonna.com/index

［18］ Maryland Department of State Planning. 1973. Natural Soil Groups of Maryland. Technical Report 199. Maryland Department of State Planning

［18］Maxwell T. 1999. A parsi－model approach to modular simulation. Environmental Modelling and Software 14: 511～517

［19］Maxwell T, Costanza R.(1995). Distributed Modular Spatial Ecosystem Modelling. International Journal of Computer Simulation: Special Issue on Advanced Simulation Methodologies 5(3): 247～262

［20］Maxwell T, Costanza R.1997. A language for modular spatio－temporal simulation. Ecological modelling 103(2～3): 105～114

［21］Nikolov N T, Zeller K F. 1992. A solar radiation algorithm for ecosystem dynamic models. Ecological Modelling 61: 149～168

［22］Noble I, Davies I.1995. MUSE－A Multi strata Spatially Explicit ecosystem modelling shell. Available from http://biology.anu.edu.au/research－groups/ecosys/muse/MUSE

［23］Novotny V, Olem H.1994. Water Quality. Prevention, Identification, and Management of Diffuse Pollution. Van Nostrand Reinhold, New York.

［24］Post D A, Jakeman A J.1996. Relationship between catchment attributes and hydrolocal response characteristics in small Australian Mountain Ash catchments. Hydrological Processes 10: 877～892

［25］Reynolds J F, Acock B.1997. Modularity and genericness in plant and ecosystem models. Ecological Modelling 94(1): 7～16

［26］Saxton K E, McGuinness J L.1982. Evapotranspiration. In Hydrologic Modeling of Small Watersheds. St. Joseph, ASAE Monograph Vol.5 (Haan, C. T., H.P. Johnson and D. L. Brakensiek, eds.). pp. 229～273

［27］Schroder U, Richter O, Velten K.1995. Performance of the plant growth models of the Special Collaborative Project 179 with respect to winter wheat. Ecological Modelling 81(1～3): 243～250

［28］Sequeira R A, Olson R L, McKinion J M.1997. Implementing generic, object－oriented models in biology. Ecological Modelling 94(1): 17～31

［29］Shuttleworth W J. 1993. Evaporation, in Handbook of Hydrology. (Maidment, D. R., ed.). McGraw－Hill, New York, pp. 4.1～4.53

［30］Silvert W. 1993. Object－oriented ecosystem modeling. Ecological Modelling 68: 91～118

［31］Valiela I, Collins G, Kremer J, et al. 1997. Nitrogen loading from coastal watersheds to receiving estuaries: new method and application. Ecological Applications 7(2): 357～380

［32］Villa F, Costanza R.2000. Design of multi－paradigm integrating modelling tools for ecological research. Environmental Modelling and Software 15: 169～177

［33］Voinov A, Akhremenkov A.1990. Simulation modeling system for aquatic bodies. Ecological Modeling 52: 181～205

［34］Voinov A, Fitz C, Costanza R.1998. Surface water flow in landscape models: 1. Everglades case study. Ecological Modelling 108(1～3): 131～144

［35］Voinov A, Voinov H, Costanza R.1999a. Surface water flow in landscape models: 2. Patuxent case study. Ecological Modelling 119: 211～230

［36］Voinov A, Costanza R, Wainger L, et al.1999b. Patuxent landscape model: integrated ecological economic modeling of a watershed. Environmental Modeling and Software 14: 473～491

# 第4章 大型空间模型的校准:一个多阶段、多目标的最优化技术*

## 4.1 引言

为理解生态系统的动态,以复杂物理过程为基础的模拟模型已经获得广泛的应用。目前的生态模型既有简单的小模型,也有复杂的、预测性的模拟模型。简单的小模型的假设条件有限,而且独立于测量数据,复杂的模型通常能详细描述研究对象,但特别依赖于用于初始化和测试的已有数据的集成。后者通常被视为处理复杂现实预测性研究的唯一方式。

现代生态学中的很多核心问题都已经运用动态模拟模型进行了研究(Sklar 和 Costanza,1991)。最近在大尺度模拟模型的应用方面取得了很好的成果(Costanza 等,1990;Band 等,1991;Raich 等,1991;Melillo 等,1993;Parton 和 Rasmussen,1994;Burke 等,1997)。全球气候变化影响的一些重要预测就是采用模拟模型的结果(Halpin,1997)。通常,认识生态、经济和社会科学之间的联系需要越来越多的有过程细节的预测性研究(Bockstael 等,1995)。对理解具体的环境影响和管理策略后果的需要日益增加,这要求复杂的、机械的模拟模型具有预测的能力和特性。

从计算的角度来看,计算机技术方面的进展增加了复杂模拟模型运行的可行性,但获得满足模型目标结果的难度随复杂性的增加越来越大。研究者从不同的角度对模型"有效性"和"验证"的问题进行了讨论,现在普遍认为不可能获得完全有效的模型(Oreskes 等,1994;Rykiel,1996)。针对一系列数据和假设,即使采用非常严格的过程来测量模型输出与一系列数据和假设之间的拟合优度,或在模型的参数空间中发现一个或更多的最优点(这个过程通常称为模型的校准)时,都能引起一些比较大的问题。有很多作者列举了模拟模型校准中遇到的问题,这些问题可总结为下面几类:

(1)比较模型的输出结果和测量的数据是校准的一种主要方式,这与利用数据作为假设是类似的。但得到的结论通常很难找到合理的理论解释;正如 Rykiel(1996)声称的,模型和数据是两个移动的目标,我们是在努力将一个叠加在另一个之上……我们并不能假定数据真正代表了现实系统,因而对数据的测试也不是对模型最好的测试。有效性不仅是针对数据,还包括对它们的解释。

我们不知道是校准数据中的不确定性,还是模型开发得不够充分(或者二者兼而有之)是参考数据与模型结果之间存在差异的原因。而且数据本身就是一个模型,尽管它们

---

* 作者:Ferdinando Villa,Alexey Voinov,Carl Fitz,Robert Costanxa。

反映的并不是过程,但是依赖于尺度的选择、假设和以前存在的系统概念,这些指导了数据的选择和收集。当针对数据校准一个模型时,我们是针对一个不抽象的、具体的模型来校准另一个。

(2)复杂的模型通常对参数变化的响应复杂。这里将展示一个人们已经开始逐渐认识的现象,任何非线性模型在不同的参数空间领域中可能具有多个最优点。全局最优化技术并不一定对发现相似情况下的局部最优点有帮助。不能忽略的是,每一个不同的最优点都包含着对所考虑现象的一种潜在的不同解释。

(3)模型响应的复杂性与定义校准问题的难度类似。这个困难有两方面:①定义理想模型行为具有太多的主观性,特别是对包含很多数据集的模型校准时这种主观性更大,因为这些数据集之间需要相容,或者具有更多的被视为"正确的"模型输出的普遍模式;②校准过程中存在的多重目标将校准问题转化为一个多重最优化问题。由于采用的各种最优化函数各具优势,因此模型输出具有非唯一的结果是一种很普遍的现象。

(4)不了解模型输出中校准误差的传播形态和特征。生态学家仅在小部分研究中,尝试估计校准模型预测时误差的影响(Gardner 等,1980;Binley 等,1991;Melching 等,1990)。这些问题使模型输出的严格评价变得特别困难,而且他们的应用是不确定的和有问题的(Romesburg,1981;Haefner,1996)。因为不知道误差影响的数量级,因此也不知道怎样去简化校准问题,也不能决定应该从校准准则中排除哪些东西。

这些难度使得 Beven(1993)在谈论模拟模型自然基础的、水文的属性时,直率地指出这些模型是预言性的,而不是预测性的。这些难度便对模型结果发表独立见解具有同样的难度和不确定性。从扩展的生态应用来看,目前缺乏对这些问题的真实评价。对模型响应缺乏充分和恰当的分析,限制了许多大型生态模型研究结果的有用性和研究深度。在集中的系统研究中,即使模型没有获得可接受的结果,但只要能理解模型的缺陷,他们也能提供珍贵的信息。我们决不能忽视模型是一个有效的产生新假设的工具。利用一个简单的校准过程,仅尝试复制一个可以得到的数据库,这样的试验过程可能丧失模型大部分重要特征。

为了量化这种不确定性及其对当前和将来生态研究的潜在影响,这里确定了一种系统的校准方法,并利用它分析了复杂的生态模拟模型的响应。在对校准过程中的一些模型价值成分进行理论分析后,我们集中在开发的理论和技术上,标准化校准的每个阶段并增加其可重复性。具体来说,将表明下面的问题:①校准准则的定义,用正规的方式总结校准过程的目标和标准化技术;②探索量化的模型结果和理想的模型结果之间距离的方法,并给出一系列校准准则;③探索部分或完全自动地考察模型参数空间的技术;④对过程结果进行分析来最大化模拟开发中获得的知识,用来指导将来的研究。

本章通过描述一些复杂性程度增大的生态模型和通用生态系统模型(GEM)(Fitz 等,1996)的校准过程,来具体说明我们的方法。通用生态系统模型是一个有 21 个状态变量、39 个参数的具体区域的生态模型。

# 4.2　模型校准过程的重新评价

模型的价值并不仅仅是复制数据库，像应用范围、稳定性和可靠性等其他方面也是经常讨论的，而且是更难量化的问题。模型"可信性"的想法（Sorooshian 等，1983）可以看成是一个广泛的关于模型价值的定义，预测自然系统的发展、模拟新的调查都比简单地复制模型的数据库要复杂。正如 Mankin 等（1977）指出的，模型重要的属性是适当性（可接受的模型预测范围与自然界中存在的不同情形的范围之间的比例）和可靠性（可接受的模型预测范围与模型能够提供的范围之间的比例）。量化这些方面非常困难，而且存在很多问题（Haefner，1996）。针对不同的模型目标和应用领域，还存在其他因素的影响。如在定义"可信性"时一个非常重要的因素是"精确性"，"精确性"定义为：①期望的结果与最近得到的结果之间的距离；②参数和测量值之间距离的比较。同样，一个模型的响应越复杂，在得到新的和更好的数据后重新校准它就越难，在变换参数值后也很难证明模型产生的结果对预测自然界中将发生什么有作用。

理想的模型校准应该从所有模型价值的角度来找寻特征化模型的参数空间，不是简单地去寻找最好地拟合了特征数据的那一点。当前的校准过程中，这种拟合数据太狭隘：在报告模型结果的时候，很少考虑特征化参数空间，最多仅是描述性的。我们认为应当考虑所有的模型价值（这依赖于模型的目标），并且进行正式的分析，同时应该特征化模型的参数空间，以便评价和浏览模型。

如果用来特征化理想结果的校准准则用不同的方式定义，会导致可接受参数集合的分布形式不同。如一个人可以量化部分参数空间，其中模型的输出结果是对研究系统有意义的描述。这样的校准并不需要拟合时间序列数据达到令人满意的程度，而是集中在匹配系统展示的定量和半定量模式，如已知的自相关、交叉相关、稳定状态或系统趋势及所有状态变量的可行性边界。除了拟合数据与输出结果外，这样的校准准则在模型应用范围方面提供了一张更完整的图片。而且针对复杂的模型，一般很难得到所有状态变量的时间序列数据，更容易得到匹配系统展示的定量和半定量模式间一致性的信息。

数据拟合方法完全依赖于数据的可获得性及数据的质量。松散的校准准则提供了参数可能的变化边界，容许用户来确定可能的范围，在单独采用数据评价方法失效的情况下对评价模型价值有所帮助。

同样也可以根据模型目标变化的优先性来定义不同的校准准则。从模型应用的角度来看，产生任何特定模式的能力可能有不同的重要性。通常人们并不期望模型结果同理想的最优化行为完全一致，因此试验者可以在校准准则中暗含优先性。处理不同校准优先性的有效方法是对校准目标赋予优先性权重。使用权重和仔细定义的校准目标可能会对同一模型形成不同的校准方法，不同的校准方法强调模型价值的不同方面。

不管怎样执行校准过程，选择的校准准则都将影响搜寻参数的过程，使研究者在不同的方向上前进。许多已经揭示的参数组合仍然存在很大的未知空间，该未知空间是与模型的复杂性成比例的。正如 Beven（1993）指出的，最优化参数集合的概念应该被"结果相同"的想法所取代，或者是通过使用多重的参数集合来取得可以接受的模型结果。我们将该概念扩展到更广泛的"多个结果相似",意味着令人满意地勾勒一个模型的表现可能需要采用多种校准策略。每一种校准策略都找到一个潜在的最优参数集合,组合不同校准方式提供的信息构成了对模型的最终校准。

对每类校准准则,参数空间中都有一系列的对应点来确定多维响应面上的相对最大值。多维响应面的相对最大值可以用来量化模型的输出与校准准则的一致程度。重建、分析和比较这些响应面对了解这些复杂模型是非常关键的。已经开展了探讨模型响应表面特征的正式研究(Kuczera,1990),模型响应面的特征可能是一种在模型参数空间上评价模型非线性的途径。但是,即使是小尺度上的模型应用,这些方法都是以严格的线性逼近来进行的,这使关于模型的实际调查显得空洞。真正的复杂模型很难做到数学上的最优化,其真正的优势在于通过理解和考察模型的复杂性来提供想法和新的假说。完全特征化参数空间将依赖于基于计算机的搜索。

# 4.3　目标函数和模型的估计技术

任何系统地尝试模型校准都需要定义一个所谓的"目标函数"。目标函数依赖于模型参数和状态变量的值,它定量地评价达到校准目标的程度。在理想的事例中,目标函数可以解析表达,校准模型的问题可以转化成数学上求该目标函数的最大化或最小化问题。但是在大多数生态应用中,模型的非线性和庞大使研究者很难使用这些精确技术,而是用简单的、探索性的基于计算机的技术来替代。

当前大部分生态模型,即使是一些非常复杂的,也仅采用一种粗略的方式校准——反复试验。尽管方法的成功在很大程度上取决于试验者本人的经验和感觉,但当问题太大时,并不能认为这种方法是可靠的。反复试验方法成功的机会将在下面的例子中通过分析一种算法(类似于计算机完成的反复试验过程)来定量评价。

本部分简短描述了在不可能对模型方程精确地进行数学最优化时,可以使用的一些重要的最优化技术。可以根据搜寻最优化参数空间组合(确定的或随机的)的方式和每一次算法迭代过程中考虑的参数空间中不同点的数目对搜寻方法进行分类。下面对这些技术进行了简短的概括,这些技术大多可以用目标函数的形式进行描述,从采用随机枚举法到用遗传算法来考察参数空间。

(1)蒙特卡罗枚举法。参考 Tarantola(1987)的工作,在任何阶段使用随机数生成器的方法就是蒙特卡罗方法。应用这个定义来枚举随机数已相当普遍,采用这种技术可以在指定的参数边界范围内产生大量的随机参数组合,并评价相应的目标函数。大多生态研究都已经超过了应用蒙特卡罗技术进行的反复试验校准来矫正模型参数的阶段。尽管在模型的响应相当复杂时并不能证明它对参数估计是有用的,但最终得到的响应函数能表示模型的复杂性。

(2)确定性的搜寻方法。这种技术从试验者选择的一点开始,通过考察其邻近的点是否能改进目标函数的值来考察参数空间。最近这些年已经开发了不同的搜寻算法,在这些算法中下山单纯形算法(Nelder 和 Mead,1965)和多维 Powell 方向集算法(Brent,1973)是应用最广泛的。尽管在搜寻参数空间方面这些方法的效益很高,但是这些技术对局部条件的变化很敏感，在复杂的响应面上并不一定能发现全局最优点。这些技术可以用来改进像遗传算法这类并不精确的全局最优化方法的估计结果。

（3）随机的单点搜寻方法。该技术努力通过概率算法来改进单点的估计结果，给每一种参数组合都赋予接受的可能性，当然这依赖于目标函数的值。这些技术非常适合对参数空间的边界部分进行全局搜寻。最流行的这些技术包括模拟退火技术，也是随机爬山技术。在 Press 等（1988）的著作中对模拟退火技术进行了全面的介绍。尽管模拟退火技术也有很多成功的应用，但很多地方已经为进化算法所超越。

（4）进化搜寻算法。该方法通过概率选择算法及一些基于突变、交叉和基因组重组过程的选择算法，迭代地改进了基因组种群（参数的组合）的平均拟合性（目标函数的价值），（Forrest，1993；Michalewicz，1996；Wang，1997）。该方法的强点在于能以比其他算法更高的效率来辨明全局最优点存在的区域，但最终的估计结果并不是很精确。确定性的算法可以用来改进它。

（5）多目标的校准问题和空间显式的模型。另外值得注意的一点是单目标函数并不足以完全特征化一个模型的行为。在许多情况下，只有目标函数的组合才能正确地表明校准准则。理想情形下，通过目标函数应该能得到最优状态下的所有最优化值，但事实上这里通常需要损益分析，因为随参数的变化，目标函数并不是单调地变化，有的增加，而有的减少。当对模型的状态变量进行多种测试的时候，也会存在类似的情况：在参数值的变化空间上，一种测试值可能与其他的测试值呈相反的变化。在这种情况下，在最优化过程中，应该分开不能共同度量的目标函数，校准的目标也不是参数空间中的一个最优点，而是优化的区域，在其中没有占优的目标函数。最优的集合已经用不同的方式理论化。最适合这种问题的最优化技术是 Pareto 最优化（Stadler，1988）。Pareto 的目标可以利用 Yapo 等（1998）提出的专门算法来逼近。

空间显式模型的校准也可以归于多目标分类中：每个数据和校准准则定义的研究点都需要一个或多个目标函数。编写本书时还没有在生态文献中发现在空间模型中应用多目标技术的例子。

通常技术的组合是获得最佳参数估计最好的办法。尽管存在很多可以获得的技术，但是这些方法的相对复杂性，加上缺乏标准化延迟了它们在生态学中的应用，以至很多生态建模者都没有意识到它们的存在。前面已经提到过的另一个问题是，假设按照现实数据校准模拟模型，一个人很难确认拟合程度不够是因为对现实缺乏理解，还是校准数据本身的问题（如数据丢失、数据质量较差或尺度不匹配）。在根据实际数据校准的时候，复杂模型表示的并不是一个简单的最优化参数组合，而是一些最优化参数的分布，这些参数通常以复杂的随机模式散布在参数空间中（Beven，1993；Spear，1997）。由于并不清楚模型结果与最优值之间的距离是由模型的行为还是由可获得的数据定义最优化的方式引起的，从而所有的最优点都构成了对试验者潜在的挑战，因此需要研究这些最优点才能够定义指定应用模型的价值。即使使用最高级校准技术的文献也通常是根据目标函数的值来对优化结果排序，得分最高的通常被认为是最好的点。相反，度量体现数据不确定性的目标函数的方差在确定目标函数值的范围时非常重要，这是一个值得考虑的准则，潜在地体现了对研究现象的不同解释。度量目标函数的方差需要更多的案例研究来支持。在很多情况下,通常缺乏数据而且数据的质量不高,基于半定量和定量模式的校准可能比简单地基于数据的模式更稳定和值得信赖。

需要有一种正式的方式来测定已经在多大程度上达到了校准目标,这不仅能指导校准值的搜寻,而且容许独立、客观地浏览模型的结果。选择的目标函数必须是可移植的,能容纳不同的校准策略,能提供解释数据缺乏的方法,容许一个人不含糊地、客观地报告模型的结果。开发的模型性能指数,就是表达这些所需要的一个有益尝试。

# 4.4　模型性能指数(MPI)的形式

几乎所有发表的环境研究成果都使用可得到的参考数据和相应的模型状态变量之间的距离做目标函数,如均方差。那些缺乏数据的变量通常在目标函数中被忽略。我们以为一个带有普遍性的公式应当具有很好的可移植性,能容纳数据的不足、不同定义的校准准则和不同试验者的优先排序。关于预期模型行为的非定量知识应该包括在模型的评价中,而不是排除在外。同时,从阻碍测量中运用标准准则的定义,是否允许客观评价和浏览模型的表现来看,指定模型目标函数不可能是通用的方法。

MPI形式上可以用来开发表明上述需要的目标函数,同时可以标准化而不牺牲可移植性。MPI基础的目标函数可以与4.3节列出的所有技术一起用来测量模型的响应表面。我们已经成功地应用MPI来校准和评价了非常大的模拟模型。

大型的模拟模型有许多状态变量并依赖于太多的参数,一般可以得到某些变量的相关数据。每一个变量期望行为的假设可能与校准有很大的关系。在缺乏现实数据时,半定量的动态模式,如自相关的期望结构或者稳定状态的统计依据,应该必须是构成校准准则的一部分。所有的这些都需要构造一个评价这种现象的误差模型来考虑,并转化成相应的准则来评价和校准。选择用来代表模型性能最优性的目标函数应该完全并正确地代表所开发的误差模型。在不同的应用中,同样的自然世界模型可能需要使用不同的误差模型和不同的校准准则。

目标函数需要反映数据和假设中不同的置信程度。如果数据质量不行,则模型输出和数据之间的统计一致性可能对匹配已知的动态模式和边界没有作用。需要从目标函数的形式中,得到一种或多种处理变量的数据质量和评价准则优先性的方式。

为了提供一个具有普适性的目标函数,我们采用的是一个基于多准则评价的目标函数。多准则评价框架(Voogd,1983)清晰地嵌入了目标和优先性,容许在决策问题中清晰地包括主观成分,而且经开发可用来考虑各种各样的评价准则。在我们的案例中,需要对每个变量已经了解的方面进行不同的测试。对评价和校准而言,它们每一个都具有潜在的不同重要性。开发的MPI框架可以作为一个通用的工具来定义满足下面需要的目标函数:①作为一个绝对距离的函数,从参数值提供的最优化模型行为来看,模型的响应面接近线性反应;②通过使用统一的测试响应和使用应用协议,具有标准化的潜力(辅助参考和浏览);③效率和可移植性,可通过利用权重和误差还原技术得到,用于各种技术的自动参数搜寻;④普遍性,容许针对同一模型使用不同的公式,与不同的校准目标函数的定义相对应;⑤使用单目标和多目标技术的合适性。

　　MPI 是案例基础的、针对专门的校准准则集，对最优化模型表现的一个或多个属性，利用不同的变量和测试组合来集成可得到的知识。选择将整个误差模型汇总成单一指标，或者针对误差模型的不同方面定义一系列的 MPI。需要注意的是，确定误差模型的哪些方面需要考虑目标、问题的属性和采用的校准技术。依据问题和可获得的信息数量，误差模型的细节可以通过与参考数据或详细指明的期望模型行为的定量、半定量指定约束的比较来详细说明。当前可得到的检验方法包括对模型输出的最小可能性需要的粗略检验和在时域空间内对观测和模拟数据间拟合程度的严格统计检验。

　　在 MPI 的框架内，每一个变量都有自己的权重来表明自身的相对重要性，而且针对每一个变量都需要指定一种或多种测量与拟合程度差异的方法。组合这些测量可以得到每一个变量的部分得分（0～1），全局得分也可通过组合部分得分得到，其值也在 0～1 间变化，据此可以对模型的表现迅速做出总结。单目标最优化技术可以利用这些汇总的值作为目标函数。多目标技术可以优化部分 MPI 得分，同时特征化参数空间。

　　在 MPI 框架下，目标函数 $O$ 可以定义为权重平均：

$$O = \frac{\sum_v W_v V_v}{\sum_v W_v}$$

式中：$W_v$ 为定义的变量 $v$ 的权重。对考虑的变量 $v$，变量的得分 $V_v$ 是完成的 $t$ 次测试得分（$T_t$）的加权平均值。

$$V_v = \frac{\sum_t W_t T_t}{\sum_t W_t}$$

　　$W_t$ 是用户定义的 $t$ 次测试的权重。所有的测试都是按照生成 0（最差的情况）和 1（与假设完全一致）之间的值来设计。因此 0～1 既是变量得分的范围也是总得分的范围，这既可起到标准化的作用，也容易理解和解释。

　　我们设计的这种检验方法，对与最优化参数组合的绝对距离的增加，以一种类似的、接近线性的方式响应，期望能增加可理解性和提高自动参数搜寻的效益。从这种角度来看，采用权重平均的组合算法是最恰当的。不同权重的选择和算法组合是相关联的（Sorooshian 等，1983），尤其是在自动参数搜寻当中使用这种检验方法时。目前正在研究参数自动搜寻中其他平均方法的比较效益。

　　表 4-1 中列出了包含在 Villa（1997）开发的 MPI 软件包中的检验方法。MPI 检验方法可以分类，下面详细描述怎样进行检验。Villa（1997）给出了完全的检验方法和可以得到的选择，这些现在可以在网络上得到。

　　（1）边界检验。这些检验检查约束在指定边界范围内的变量值。BOUNDS 检验返回存在于指定边界范围内点的比例，CINT 检验拥有同样的功能，同时还计算一些参考数据的 95% 的置信区间。WBOUNDS 和 WCINT 检验是相同检验的加权版本。远离的奇异数据点（outlier）将成比例地减少检验值。对参数加权容许研究者通过给或远或近的奇异数据点赋予权重来影响检验结果。

表 4-1　MPI 软件包中的变量检验

| 测试 | 描　述 |
|---|---|
| BOUNDS | 落入参考区间内点的百分比 |
| WBOUNDS | 和 BOUNDS 相似,根据奇异点与最近的界限或区间之间的距离加权 |
| CINT | 落入参考数据 95% 置信区间内点的比例 |
| WCINT | 和 CINT 相似,根据奇异数据点的距离加权 |
| THEIL | 成对数据之间的不平等 Theil(1961)系数 |
| DBK | 同时设定斜率为 1 和截距为 0,对观测数据和模拟数据线性回归的结果(Dent 和 Blackie,1979) |
| STEADY | 稳定状态,分段线性回归,测试斜率 |
| INCREASE | 单调增加,分段线性回归,测试斜率 |
| DECREASE | 单调减少,分段线性回归,测试斜率 |
| TREND | 已知趋向,指线性回归线的斜率 |
| FREQ | 对比模拟数据和观测数据的自相关结构,识别振动的共有频率,或者寻找模拟数据的特定周期 |
| ERRCOMP | 模拟数据的误差成分与均值、方差和随机误差的特定容错百分比的和谐程度 |

　　(2)MSQ 基础的测量。这些测试返回两点间距离的均方值。一种有用的检验是基于 Theil(1961)的不公平系数,变换成期望的响应。其他的检验包括均方误差和 Pearson 相关系数。当不确定性模型不是高斯模型或者需要对占优势的局外点进行更稳定的估计时,我们正在研究其他更恰当的检验方法。这些包括最小绝对值和最小最大准则(Tarantola,1987)。

　　(3)回归基础的显著性检验。四种检验用于检查数据及部分数据的趋势。由于统计显著性检验的阈值属性,大多数这样的检验都有一种二进制的反应。然而,在某些情况下测量与期望目标的距离(更适合于自动参数搜寻)是可能的(也就是作为观测的回归线斜率与期望的回归线斜率之间合适的距离标度)。正确地检验两个数据序列之间是否存在一致的统计关系的方法可以参考 Dent 和 Blackie(1979)的成果,同时检验采用观测数据和模型数据回归的斜率是否等于 1 和截距是否等于 0。这项工作由 DBK 检验完成,在所有的回归检验中,可以容许研究者改变参数显著性状态和[0,1]区间范围内的响应。

　　(4)相关检验。FREQ 检验计算参考数据和模型数据的周期图,并检测是否存在显著的波峰。根据正常波峰的数目、它们的重要性及相对距离来计算检验结果。已经证明这样的检验比基于时间序列交叉相关的检验或者一致性检验更具有识别能力,能更好地反映值域的变化范围。当参考数据并没有显示明显的周期时,检验的权重设为 0。起限定作用的因素容许研究者影响研究结果的敏感性(也就是当最显著的波峰对应的周期位于指定区间时,容许结果大于 0)。目前还没有定义相关检验检查两个模型输出变量的交叉相关约束和相差。

　　(5)误差成分检验。有两种方式处理 MPI 公式中的数据质量问题。最简单的不需要检验的方式是使用权重和得分的方法(Costanza 等,1992),当参考数据质量很差时,赋予最低的重要性。另外是,在已经知道数据来源的误差时,可以采用 ERRCOMP 检验和逐点检验。ERRCOMP 检验的得分反映了与指定的可接受误差成分之间的和谐性。误差(观测值和期望值之间差异的平方和)可以划分成平均、方差和随机误差。正常的、期望的形式是整个误差是随机的。如果在一定程度上知道误差的原因,ERRCOMP 得分可以与其他的检验组合在一起,通过计算误差的成分,计算每一个成分之间的相对重要性和指定的"容许"划分之间的协调性指数来体现变量的得分。举例来说,期望偏差(平均的系统误差)高达总误差的 10%,如果容许偏差为 10% 则计算得分为 1。如果系统误差不超过10%,随机误差超过 90%,如果允许更大的偏差存在,计算结果将呈现一个低于 1 的值。如果拟合误差是因知道或假想的数据丢失引起的,组合这种测试与 THEIL 检验将得到一个高的 MPI 值。误差的分解是根据 Rice 和 Cochran(1984)的研究成果计算的。

正如早先提及的,除了权重平均外还可以采用其他的汇总算法,并且可能对指数的应用有主要的影响。可以选择非线性的组合算法成比例地对低(或高的)值赋予更高的重要性。从指数的应用来看,不同的公式可能非常有用。作为一个例子,Storie 指数(Storie,1976)为更保守的测量奠定了基础,该指数仅赋予模型和假设之间拟合非常好的情况一个高的值。这点可能非常有用,在采用枚举方法搜寻参数空间时,更好地区别模型有良好反应的区域是最重要的。在参数空间的搜寻中,线性权重的算法是最容易想到的,它的特点是能让这种简单测试的方法逼近线性反应,作为一个与最优点之间距离的函数,这也是我们开发 MPI 的一个目标。

我们已经开发了一个不依赖于模型的、用户友好的软件包来定义和计算适合于任何专门模型目标的 MPI(Villa,1997)。该软件包容许遗失数据,并具有强大的报告功能,非赢利机构和研究组织可以从 Villa 处免费得到。

在标准化的结果报告中可以很自然地应用 MPI。全局的 MPI 值依赖于变量的数目,因而所有模型变量分开的 MPI 得分比全局的 MPI 更有意义。为了有目的地在报告和浏览中使用 MPI,MPI 公式需要严格遵照标准化的规定。我们已经开发了参考手册来描述怎样在模型结果的描述中使用 MPI。

MPI 的公式和软件是构造标准化的、本能上可以理解的目标函数的一个工具,而且目标函数中嵌入了定量和半定量的知识。从简单的多次重复试验到最高级的进化算法,当前很多可以得到的优化工具都与 MPI 兼容。

# 4.5　应用实例

为了说明 MPI 与上面所谈的技术之间的联系,这里描述了两类具有不同复杂性程度的过程基础的生态系统模型试验。第一类试验分析了在相对简单的生态系统模型中增加模型校准结果复杂性的影响。为了提供对于反复试验校准的评估,对比了"目测"程序算法和更复杂的技术。在第二类试验中,展示了怎样利用不同的 MPI 基础的目标函数来揭示模型响应面的结构,以及在更复杂的模型分析中怎样指导进一步的校准试验。

## 4.5.1　增加模型的复杂性对模型响应可预测性的影响

　　基于同样的通用生态系统模型,利用不同的参数校准了一系列模型来评价模型对模型复杂性变化的响应。在这些例子中,我们利用简单的 MPI 基础的目标函数,采用了三种不同的技术来勾勒模型响应面的特征:①采用蒙特卡罗枚举方法搜寻参数空间来产生模型的响应面,并直观地评价它的复杂性;②利用一个反复试验程序来考察从不同的、随机选择的区位开始的模型参数空间;③使用遗传算法技术搜寻响应面的全局最优点。采用的例子是用 STELLA II(HPS,1995)开发的一个通用的包含 4 个状态变量的生态系统模型,该模型是马里兰大学生态系统模型课程中一个经典的例子。图 4-1 是 STELLA 的图表。模型的 4 个状态变量是:①生产者的生物量;②草食动物的生物量;③消费者的生物量;④营养物浓度。该模型总共有 11 个参数和 4 个初始条件。

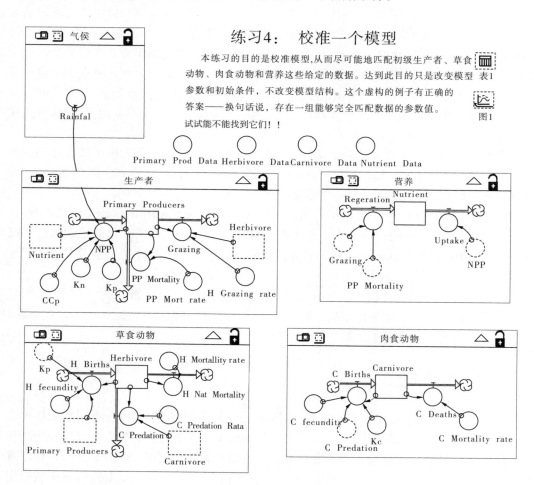

**练习4:　校准一个模型**

　　本练习的目的是校准模型,从而尽可能地匹配初级生产者、草食动物、肉食动物和营养这些给定的数据。达到此目的只是改变模型参数和初始条件,不改变模型结构。这个虚构的例子有正确的答案——换句话说,存在一组能够完全匹配数据的参数值。试试能不能找到它们!!

表1

图1

**图 4-1　试验中使用的生态系统模型的 STELLA 图表,在"手工"校准学习中分发给学生**

我们选择了这 11 个参数的一种组合，它们直观地提供了状态变量合理的动态，并以 200 个时间步长来运行该模型以产生每一个状态变量的参考时间序列。它们也同时作为校准数据来定义用 THEIL 检验设定的 MPI 基础的目标函数。这为模型提供了目标函数等于 1 的目标点。我们总共完成了 6 类校准试验，包括蒙特卡罗枚举搜寻、模拟的反复试验搜寻和遗传算法的最优化。在每个参数集中增加 2~7 个参数，同时定义围绕目标值 75% 的置信区间为参数搜寻子空间。那些不变化的参数固定在以前选定的目标值上。每一次模拟都运行 200 个时间步长，记录了所有变量基于 THEIL 比较检验的 MPI 值和产生 MPI 值的参数值。

使用每个参数的均匀分布，通过随机选择参数组合完成了蒙特卡罗枚举试验。对每个试验的参数集合都计算了 10 000 个点的响应面。开发了适应性的搜寻算法用来模拟试验者控制的反复试验过程。图 4-2 展示了该算法怎样交替考虑所有的参数，怎样从初始的猜想点开始搜寻最佳点，对每一次试验怎样评价整个模型的 MPI，在考虑敏感性测试的基础上确定一系列参数值来连续模拟，并调查围绕初始点参数变化的敏感性。通过随机选择搜索空间中的开始点和参数的数量，每类试验我们都完成了 100 次测试。

依次考虑所有的参数，利用测试试验评价整个模型的 MPI 对于单个 MPI 的敏感性，然后利用敏感性测试确定的一系列值进行演替模拟，以研究初始猜测点周围的参数效应。参数对 MPI 变化的净效应为正并且大于测试者设定的阈值时，参数的变化被接受。阈值的作用是，避免对于 MPI 很小的改进却偏离参数的最大似然估计太多。参数值被接受后，具有改善 MPI 作用的变量权重按改善 MPI 数量的比例增加，最大可达初始值的 2 倍。这阻止了因小的改进而丢失好的拟合，模拟了测试者更为关注的最佳拟合变量。根据这种方案，所考虑的参数初始值和顺序都与搜索过程的结果相关，除非响应面极其简单。

进化的最优化由 Houck 及其协作者利用 Matlab 开发的软件完成。该算法使用基因遗传最优化算法，在很多情况下已经证明了其有效性（Houck 等，1996）。我们使用的种群大小为 100，对每类试验都进行了 100 次最优化运行，每次运行中初始化随机过程、突变和种群的选择都使用了不同的随机种子生成器。当种群拟合的分布超过 10 代不发生变化时优化运行才中止。

为确保参数的数目能反映模型的复杂性，我们选择了对模型的 MPI 有明显影响的参数来进行试点试验。这可以通过对每次蒙特卡罗模拟运行后得到的总的 MPI、单变量的 MPI 与参数值进行多元回归分析来进行事后验证确认。在所有情况下，回归系数对所有参数在 0.99 的置信水平上都显著。这确保了观察到的属性是模型复杂性增加的结果，排除了参数变化敏感性方面大的差异造成这种影响的可能性。

蒙特卡罗试验中，在每次搜寻试验开始和结束时，每次遗传算法试验结束时，我们记录了参数值和相应的 MPI 值。同时，为了系统地说明响应面的结果，计算了每次蒙特卡罗试验和搜寻试验中使用的参数确定参数空间的主成分。然后利用第一和第二主成分来勾勒参数空间的二维表征，以保持与全维参数空间的相似性。尽管这样做的结果并不理想，但是这样做的结果最接近我们能得到的"看得见"的响应面，提供了分辨出最优响应区域的最大机会（Kuczera，1990）。除了两个参数的情况，所有情况标准化后的参数值都进行了标准化分析。在所有的情况中，第一、二主成分至少解释了总方差的 47%。在两个

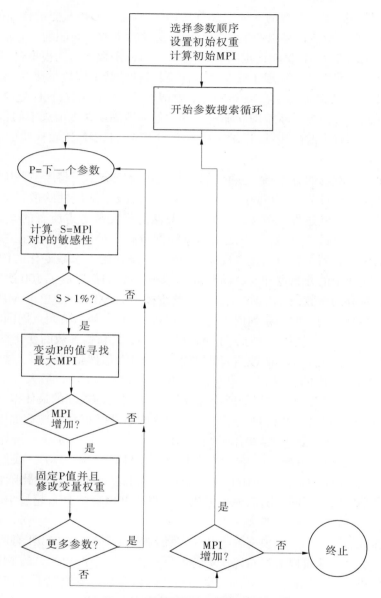

**图 4-2　反复试验搜索算法流程图**

依次考虑所有的参数,利用测试试验评价整个模型的 MPI 对于单个 MPI 的敏感性,然后利用敏感性测试确定的一系列值进行演替模拟,以研究初始猜测点周围的参数效应。参数对 MPI 变化的净效应为正并且大于测试者设定的阈值时,参数的变化被接受。阈值的作用是,避免对于 MPI 很小的改进却偏离参数的最大似然估计太多。参数值被接受后,具有改善 MPI 作用的变量权重按改善 MPI 数量的比例增加,最大可达初始值的两倍。这阻止了因小的改进而丢失好的拟合,模拟了测试者更为关注的最佳拟合变量。根据这种方案,所考虑的参数初始值和顺序都与搜索过程的结果相关,除非响应面极其简单参数的情况下,我们直接使用标准化的参数值。

图 4-3 展示了所获得的最大 MPI 和采用每一种技术得到的好的校准点(MPI >0.9)的比例,该比例是考虑的所有参数的函数。除了在两个参数的情况下采用遗传算法外,没

有方法可以达到精确的校准目标，也就是 MPI 等于 1。正如所期望的那样，采用遗传算法所得到的终值非常接近校准的精确目标，采用适应性搜寻算法也能获得较高比例的"好"点。在蒙特卡罗试验中，当参数为 6 个时最大 MPI 值出现，参数大于 6 个时 MPI 值急剧下降，这可以作为有效地采用蒙特卡罗技术校准模型的一个复杂性阈值。

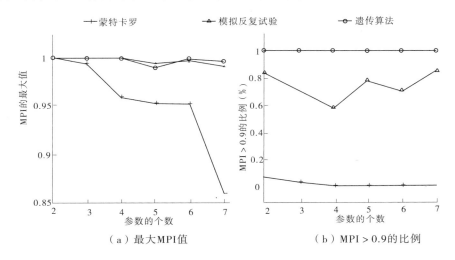

图 4-3　不同的最优化试验中 MPI 的最大值和最终的大于 0.9 的 MPI 值占的百分比与考虑的
参数个数之间的关系

在进行的反复试验模拟校准中，针对 2 个参数完成一次搜寻平均需要运行 80.28 次模型，7 个参数需要运行 392.16 次模型。结合图 4-3 中显示的成功搜索运行比例，说明试验者需要反复运行相似的模型才能校准模型。图 4-4 展示了考虑 2 个、3 个、4 个和 7 个参数时，每次校准运行的开始和最终点的主成分空间（5 个和 6 个参数空间的运行也确认了图中信息最多的子集空间模式）。两参数空间中简单的响应面使反复试验成为了一种合适的校准方法。但是从三个参数开始，遇到的局部最大化点都散乱地分布在参数空间中。注意到下面这一点非常有意思，在这个模型中，并不是模型目标函数中非最优的局部最大值比例随模型的复杂性变化，而是它们明显地随机散布在参数空间中。

用从蒙特卡罗试验中得到的目标值来勾勒插值响应趋势面，成为比水文学中反复试验的方法更系统的一种处理校准过程的方法（Kuczera，1990；Beven 和 Binkley，1992）。图 4-5 说明了与图 4-4 相同的情形。趋势面是通过对格网单元线性插值获得的。通过蒙特卡罗试验获得的主成分分析（PCA）旋转矩阵被用来确定 10 个最高值点和目标点的对应坐标，这10 个最高点是使用 3 种校准技术获得的。

正如上面所介绍的，2 个参数的情况显示了一个非常简单的、可预测的响应趋势面，这里所有模型的估计结果和目标点都位于最大的 MPI 点附近。随模型复杂性的增加，插值的模型响应趋势面的预测值减少，高 MPI 值出现的参数区域明显远离目标点。检查在反复模拟试验中发现的那些 MPI 值大于 0.95 的点，可以明显地观测到响应面增加的复杂性表明好的解进一步远离了目标参数。在 7 个参数情况下，一个 MPI 高于 0.99 的单点显示在一个完全不同的区域。遗传算法只能在 6 个参数空间中辨明全局的最优点。在

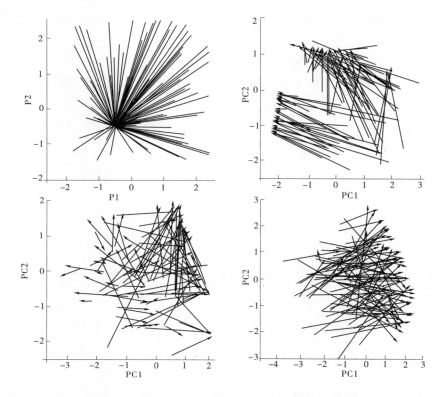

图 4-4　在模拟的反复试验中,具有 2、3、4 和 7 个参数时轨线的简化描述

箭头从参数空间的起点坐标处开始,到每个搜索终点结束。实心圆表示最终 MPI 高于 0.95 的点;
空心圆表示 MPI 值高于 0.99。图中画的是每次试验搜索运行中遇到的标准化参数值进行主成分转化的前两个坐标

7 个参数空间中(见图 4-5)MPI 大于 0.99 的值出现在没有预料到的空间范围内。在插值趋势面的"白"区,也是我们期望发现最高 MPI 值的地方,通常远离全局最优点和通过其他不同的技术发现的最大 MPI 值。这使广泛使用的响应面分析几乎没有任何用处,响应面只能用来传递一个模型的复杂性。已经有研究指出这通常是大的非线性模型的一个普遍特征(Beven 和 Binkley,1992;Spear,1997),并且在实际应用中具有重要的含义。正如 4.5.2 节讨论的那样,在实际应用中,我们并不能预知真实最优区位和目标函数值。

## 4.5.2　在复杂模型中使用不同的 MPI

Patuxent 景观模型(PLM)是一个空间显式的,包括水文、生态和经济过程的多学科工程。尽管模型最终的明确表达形式是空间显式的和模块化的(见第 3 章和第 8 章),这里描述的校准主要处理非空间的但复杂的单元模型的一个早期版本。这里描述的 PLM 生态成分主要是基于通用生态系统模型(GEM)(Fitz 等,1996),该生态系统模型具有 27 个状态变量和 39 个参数(Pat - GEM)。此部分只是尝试将它作为针对同一模型使用不同的 MPI 基础的目标函数校准的一个例子,并不是描述整个 PLM 模型的校准。对整个 PLM 模型的校准,我们将组合遗传算法和确定性的搜寻方法,对每个不同的组分使用多

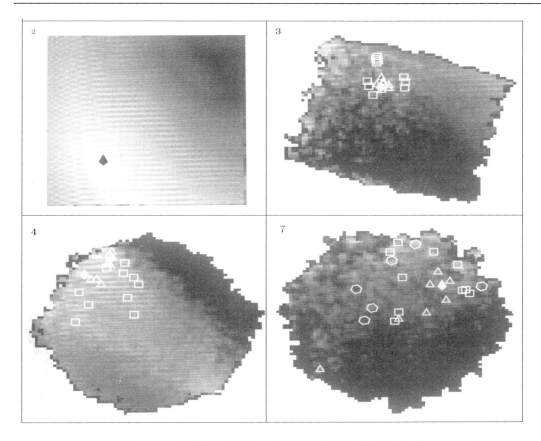

**图 4-5　利用蒙特卡罗试验在 2、3、4 和 7 个参数情况下的结果得到的内插响应面**

轴是文中解释的参数空间的前两个主成分。菱形表示目标点的位置,正方形表示蒙特卡罗试验获得的 10 个最高值点,三角形表示模拟反复试验中得到的 10 个最高值点,六边形(只有在 7 个参数的情况下才)表示遗传算法得到到的 10 个最佳估计值的位置。除了最后一种情况之外,所有的遗传算法估计都非常接近目标点,这没有在图中标出。2 个参数的情况,所有的点都在图中符号表示的范围内

种 MPI 公式,并与层次化的反复试验程序结合起来进行。

针对 Pat‑GEM 模型的校准,采用了两种策略,建立了对应的 MPI 基础的目标函数。称为 B(来自英语单词"boundary")的函数采用关于变量动态行为的信息。指定了所有变量的边界,并采用了 WBOUNDS 检验(见表 4-1);采用 FREQ 检验来对有季节性周期变化的变量进行评价。稳定状态的条件也采用类似的方法进行了检验。F(来自英语单词"fit")目标函数是 B 的一个高分辨率版本,对所有具有时间序列数据的变量进行了THEIL 检验。使用不同但相关的校准策略容许我们了解变化的校准规则对最终参数集合的影响。

对每一个目标函数,我们都运行了 100 次模型,以确定性地搜寻参数空间,使用的算法是 Nelder 和 Mead(1965)开发的修订版本。该算法通过界面与空间建模环境相连(Maxwell 和 Costanza,1997),它可以作为一个独立的 UNIX 程序进行编译和运行。通过S 和 TCL 脚本,可以自动进行数据分析和画图。

　　整个搜寻圈在参数空间中尝试了 18 000 个不同的点。没有任何两个搜寻圈终止在同样的参数组合空间上。"边界"的校准一致提供了高目标函数值,然而在数据校准中,大多数点提供了比达到的最大值低很多的目标函数值,这可部分归因于在 B 搜寻中使用的规则不严格。在两种情况下,提供最高 MPI 值的参数组合都仅占参数空间的一小部分。参数空间中的每一组搜索终点构成了具有不同特征的响应面,反映了这种规律,这也可以通过尝试达到一个特定的校准目标来获得这种规律。响应面的可预测性无疑是模型评价中的重要要素。在校准试验中采用不同的 MPI 公式允许我们评价添加新的校准数据所获得的收益。

　　第一组试验得到 F 校准的最高 MPI 值是 0.294,B 校准的最高 MPI 值是 0.599。虽然结果不是很令人满意,但是比用"眼睛"观察到的值都要高;通过文献分析和早期校准试验得到的起始点的 MPI 值,F 校准是 0.054,B 校准是 0.112。图 4-6 显示了两种校准试验得到的最佳点的详细结果。

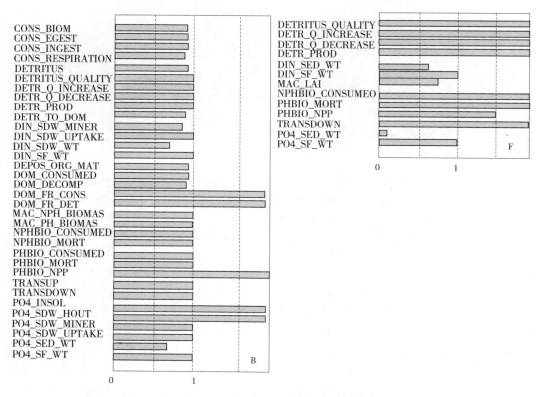

**图 4-6　两个校准试验中最佳搜索循环的校准结果总结**
对于 MPI 大于 0 的变量,条形的长度与 MPI 值成比例。灰色条形表示搜索循环开始时的 MPI 值

　　反映响应面复杂性和可预测性程度的指标,可以在参数值标准化后,通过绘制 MPI 中搜索循环内任意两个测试点的距离与参数空间中对应的平均欧几里德距离之间的差别得到。这类绘图反映了任何系统模式,展示了参数变化和模型表现之间的关系是如何可预测的。图 4-7 是通过在参数空间中随机抽样得到的,显示了一个复杂的响应面,参数空

间中的距离不能预测出 MPI 中的距离。在 F 校准中，只有参数空间中远的距离才能使 MPI 值存在巨大差异；但是图中的其余部分显示完全缺乏模式。

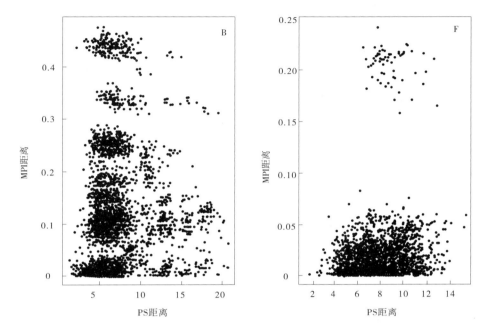

**图 4-7　标准化参数值和相应的 MPI 距离之间的欧几里德距离散点图**
以"拟合"(F)与"边界"(B)校准试验的结果为基础绘制

　　因为参数中的距离和结果中的距离之间不存在明显的关系，所以对参数空间中的非抽样点没有任何推论。在这种情况下通过详尽的蒙特卡罗试验绘制的响应面没有任何用处。在"拟合"校准中，参数空间中较小的距离不会具有很大差异的 MPI 值。

　　把参数值作为观测值，在坐标平面中可以有效地用图形描述响应面。图 4-8 展示的是采用 B 和 F 模式对校准的终点进行 PCA 分析的结果。正如图中显示的那样，多数情况下两种搜索策略都形成发散的参数组合；每次校准试验点在参数空间中分离的区域中聚集。对于在两种校准模式下定义的共同 MPI 点，在狭隘的重叠区域发现较高的 MPI 值（大的圆点）是不足为奇的。然而，点的分离很清楚地反映了选择校准标准的重要性。就像例子中的情形一样，即使是有很多共同之处的校准策略也会导致参数的分离，这使得添加数据之后的重新校准变得十分困难。

　　在每次的搜索循环中，记录了所有参数组合，这些组合都改变了所有变量的得分。每次运行结束，利用搜索程序生成的 S 语言脚本，自动对变量的分值与参数值进行了多项式回归。选择回归模型是因为每个变量的分值对单个参数线性变化的响应呈"驼峰"状。回归的结果允许我们利用生成的图来检验参数变化的效应，提炼搜索策略。

　　变量的分值对参数变化的敏感性取决于模型的参数化，所以这样的分析不能得出关于参数变化效应的通用结论。然而，知道参数的变化对最终得分有明显影响的事件比例，对于研究者而言无疑是非常重要的信息。图 4-9 中的图（"影响"图）表明了单个参数效应和双向交互作用的比例。详细解释了每个参数对每个变量的详细影响。正如图中显示的

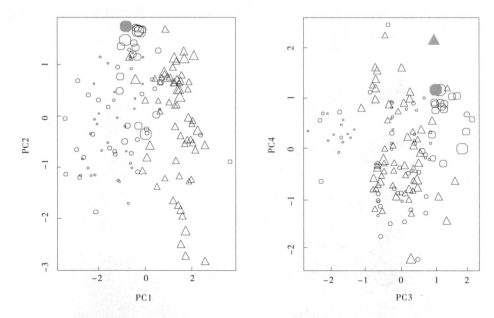

**图 4-8　标准终点 PCA 分析结果**

类散点图表示主成分平面中 B(圆)和 F(三角形)校准试验的最终点,使用每次搜索循环选择的参数值计算。
点的大小与 MPI 值成比例。黑点是达到的最高值。黑菱形是所有运行的起始点

那样,大多数效应只有在少数情况下才是明显的,这进一步证实了模型响应的复杂性。然而在多数情况下,一些参数会影响变量的 MPI 值。在基于对目标函数大量的评价而绘制的影响图的帮助下,试验者很容易检验参数的变化是否会改进变量的分值,会不会影响其他的变量以及效应中是否包含其他参数的影响。

进一步研究特定参数的效应时,可以有效地使用交互式的动态数据可视化技术。这种分析可以让我们更深地了解关于模型的知识。在模型开发的初始阶段,类似的分析价值很高:从模型结构变化引起的模型响应复杂性变化中得到的信息,对确定相对预期目标而言最好的模型表达公式形式非常重要。在预测模型中,能否在情景变化或获得新数据后很容易地对模型进行重新校准,这是模型价值的一个重要组成部分。在模型开发阶段,定量化这些变量对建模者来说是一种基本素质。

# 4.6　空间校准

对栅格基础的空间显式模型的全面校准而言,需要假设上面描述的算法能应用到模型考虑的整个研究区域的单元格中。通常,由于以下两个主要原因而使全面校准变得非常困难:

(1)任务的复杂性是无限的,观察每个个体单元的动态并将它与数据集进行拟合,这需要的计算量太大,即使是现在的超级计算机也很难实现。

(2)几乎没有这样分辨率和范围的数据集能满足这样的需求。

因此对于多数空间模型的校准,我们仍然需要依赖于反复试验的方法,把研究者以前

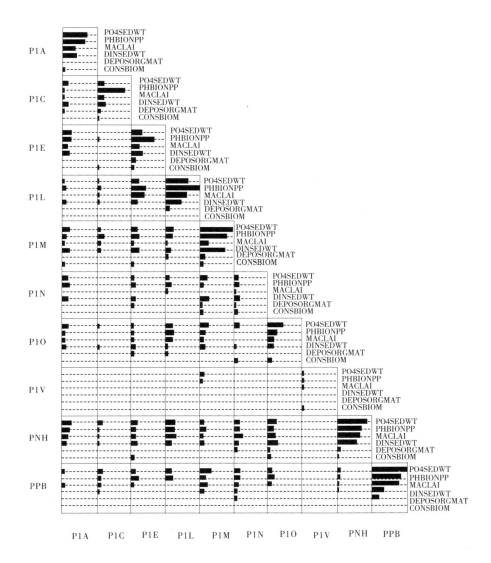

**图 4-9　F 校准试验中的部分影响图**

每个盒子包含一个条形图,总结了特定参数 P 或者作用于每个变量 MPI 值的参数的显著效应比例。条形长度与搜索
循环的次数成比例,变量的 MPI 值与 P 的回归在 95% 的置信水平上显著。对角的元素表示单参数效应;次对角元素
表示参数之间的双向相互作用效应。该图根据 F 校准试验的数据绘制而成

的建模经验和直觉融合到参数校准的过程中。另外,通常需要用一些有意义的、间接反映
空间过程的局部指标来反映空间动态。

　　例如,在模拟水文模块时(见第 6 章和第 8 章),没有研究区域内每个单元格的地表水
数据。可以得到的是观测站点观测的水流和水位时间序列数据,比如在 Everglades 应用
的监测数据(见图 4-10)。在同样的点或者其他位置,可能还有水质等数据(如营养物和
沉积物浓度)。然后,运行空间模型并且比较模型结果和景观上这些点的地表水动态,只
要模型结果和观测的时间序列数据能够较好地匹配,就可以说模型执行良好。当然,这样

处理潜在地考虑了空间动态,因为在许多情况下选取的观测站位于入流点或者河流较好的位置上,这受上游大量单元格产生的径流的影响。但应该清楚的是,校准这些时间序列数据,我们必须对没有直接观测和描述的其他单元格中的动态做出大量的假设。

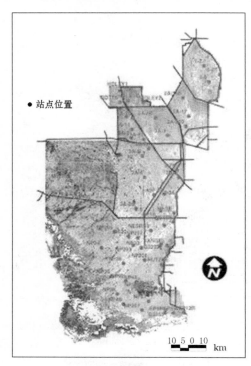

(a)水位监测站的位置　　　　　　(b)监测总磷量(TP)和其他水质参数的监测点位置

**图 4-10　Everglades 地区的监测站点**

## 4.6.1　Patuxent 案例研究

整个 PLM(见第 8 章)在 2 352 km² 的范围内用 14 个状态变量描述了 Patuxent 流域的时间动态。1 km×1 km 可能是能够使用的最粗糙的分辨率,因为即使是在这种分辨率下,还是聚合了土地利用的许多空间变量。整体上校准这种复杂性和分辨率的模型非常困难,采用逐步校准的方法卓有成效。就像第 3 章描述的那样,这里采用了多阶段校准的方法(见图 3-8)。整个模型的校准以逐步的过程实现,逐步的过程可以解耦成下面的两个维度:

(1)结构方面。考虑了模型变量的子集,组织成简单的模型来描述系统的某些功能部分。

(2)分辨率方面。考虑了几个空间子集,在不同的分辨率下描述子流域。

假定系统的其他部分是独立的,或者处于半稳定状态,或者能够用外部的作用力函数描述,单个模块是可以从模型结构的其他部分中分离出来的模块。校准工作是从单个模块的校准开始的,明显的优点是每一步只需校准一个非常简单的模型。加总几个模块和单个模块分开的表现行为不一定一致。因此不管是局地的还是空间的模型,当组合单个模块时都需要进行重新校准。当然调整性能良好的模块比校准整个模型要简单得多。

同时，选定了两种分辨率来运行模型：200 m×200 m 和 1 km×1 km。一方面，200m 的分辨率更适合于捕获和土地利用变化有关的固有过程；另一方面，它太详细以至于运行模型需要的 CPU 运行时间太多。校准需要运行大量模型并在几十年的时间尺度上运行整个模型，这对于情景分析来说是非常重要的。在 1 km 的分辨率下，200 m 分辨率中的单元数由 58 905 减少到了 2 352 个。

第二，我们划分了分等级的子流域。整个 Patuxent 流域被分割为分层嵌套的子流域，在较小的尺度上进行分析。总共划分了三个层次（第 8 章，图 8-5）。我们选取 Patuxent 排水区北部的一个小子流域（Cattail Creek）作为空间分析的起始点。从那里，我们转向 Patuxent 流域上游直到 Bowie Creek，几乎覆盖了半个流域。最后，我们考察了整个 Patuxent 流域。因此，我们从在 566 个单元格上运行模型开始，然后转到 23 484 个单元格，最后在 1 km 的分辨率下考虑整个 Patuxent 流域的 2 352 个单元格，最后在 200 m 的分辨率下考虑所有的 58 905 个单元格。

有趣的是，在 200 m 和 1 km 的分辨率下，模型运行的结果非常接近（见图 4-11）。这个发现对于分析整个生态经济模型的其他模块而言是很有意义的。因为多数水平空间动态由水文流控制，因而可以预期 1km 的粗糙分辨率对于流域集成模型的空间分析是足够的。

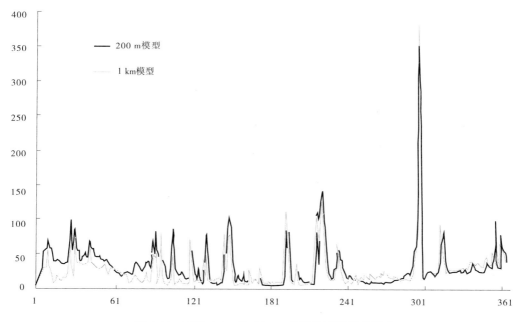

**图 4-11　对比 1 km 和 200 m 分辨率下模型的输出**

两种分辨率下模型结果的相关性甚至比数据集之间的相关性还要高。例如，在表 4-2 中我们比较了 200 m 和 1 km 的分辨率下模型的相关性与相应的高程和坡度图之间的相关性。采用了两种从 200 m 到 1 km 的聚合方法。一种是平均值法（A），1 km 栅格的加总值是 25 个 200 m 单元格的平均值。另一个是大数法（M），把最常出现的值作为加总值。两种加总方法都产生了一些误差。方法 A 对于高程层效果较好，而方法 M 对于坡度层产生了较小的误差。但用这两种方法得到的坡度层的相关性都很小。无疑 200 m 和 1 km 的分辨率下模型的表现截然不同。但用这两种方法,加总的 1 km 图与 200 m 图上运行模型的相关性甚至好于 1 km 的空间数据集和 200 m 的原始数据之间的相关性。

　　比较观测站点的径流量和模型的输出对校准与分析模型性能非常有用。它把二维的空间信息整合为标准化的一维信息。另一种观察空间模型输出的方法是把模型变量输出为一系列图,然后编译为图形动画。这种方法尤其对局部潜在的水积聚和其他空间不一致的事物非常重要。尽管可以建立这样功能强大的呈现方式,但应该明白的是得到这类空间动态数据与模型结果比较难。

表 4-2　200 m 和 1 km 的分辨率下径流、高程和坡度的相关性

| 图 1 | 图 2 | 平均法 | 图的相关性 | 模型相关性 |
|---|---|---|---|---|
| 高程,200 m | 高程,1 km | 多数 | 0.921 | 0.922 |
| 坡度,200 m | 坡度,1 km | 多数 | 0.25 | |
| 高程,200 m | 高程,1 km | 平均 | 0.926 | 0.935 |
| 坡度,200 m | 坡度,1 km | 平均 | 0.23 | |
| 高程,1 km(平均) | 高程,1 km(大数) | | 0.996 | |
| 坡度,1 km(平均) | 坡度,1 km(大数) | | 0.725 | |

## 4.6.2　Everglades 案例研究

　　类似于 PLM 的校准,在不同的空间分辨率及区域层次上开发和提炼了 Everglades 景观模型(ELMv2.1a)的性能。就像第 6 章描述的那样,我们在"单元"模型水平上、在可以获得高质量的时空数据的子流域水平上和 1 km² 栅格单元的"粗糙"分辨率上评价了 ELM 的性能,在这个过程中没有采用 MPI 的形式,尽管它对正在进行的模型提炼有用。

　　ELM 的总目标是理解和预测 Everglades 恢复计划(USACE 和 SFWMD,1998)中不同的水管理情景下相关栖息地的变化情况。该研究最终得到驱动 Everglades 景观属性变化的两个重要因素是水流/水深和水质。为了交流模型在区域尺度上匹配景观驱动因素观测动态的"技能"水平,针对观测数据,我们对模型的预测性进行了一系列时空分析。

　　对于通常的性能评价,使用包括偏差和均方根误差(RMSE)的总结统计来评价预测偏差和精确性的模型校准。对于水位高度的预测数据、全部的平均偏差和所有观测站的均方根误差分别是 6 cm 和 23 cm(见表 4-3)。南佛罗里达水管理模型(SFWMM)是另外一个模拟 Everglades 水文的工具(HSM,1999)。这个模型在更大的范围内模拟了南佛罗里达大部分地区复杂的管理规则(见第 6 章),是评价 Everglades 恢复目标中南佛罗里达水文状况的主要模拟工具(USACE 和 SFWMD,1998;CERP Team,2001)。SFWMM 在同样的监测站上能较好地校准,全部平均偏差是 1 cm,均方根误差是 18 cm。地表水磷浓度的全部平均偏差和均方根误差分别是 0.002 mg/L 和 0.026 mg/L(见表 4-4)。考虑季节平均值时,偏差是 0.001 mg/L,均方根误差减少为 0.013 mg/L。

统计上反映拟合程度的指标（相关系数, $R^2$；模型效率, $EFF$；Theil 的不平等系数, $U^2$）描述了通过点与点的对比得到的模拟和观测数据之间的一致程度。对水位来说，ELM 和 SFWMM 的模拟值都解释了观测到的 68% 的水位变化（见表 4-3）。两个模型的 $U^2$ 统计有微小的差别：ELM 的是 0.018，SFWMM 的是 0.012。与水位高度相比，地表磷浓度的统计拟合度较低，个体模拟和观测数据拟合得到的平均 $R^2$ 只有 0.10（见表 4-4）。然而，当使用加权的季节平均时，平均 $R^2$ 改善为 0.20。用加权的季节平均分析时，模型效率和 $U^2$ 同样表现出拟合度的改善。

拟合度检验有助于我们洞察模型的性能，但是测量模型－观测的偏差值对于评价模型预测模式的功效或"技能"十分重要。尽管在未来的版本中，模型的预测性在有些方面应该而且需要改进，但是在目前的水质评价中，模型和观测数据之间的差别是在可以接受的误差范围之内。尽管没有总结模拟－观测时间序列数据的多维可视化，但是掌握这些变量的时间动态（见 ELM 网页和随书光盘），从富营养化的北部到磷浓度较低的南部，空间上的趋势（见图 4-12）以及 ELM 捕获的月－季动态是非常清楚的。

影响水质测量和生态／水质预测的因素有很多。例如，尽管模拟的磷浓度实际上是 1 km 栅格单元上的平均浓度，但是由于在 1 km 栅格内部的某一点测量的磷浓度受很多随机因素的影响，因此很难代表平均条件。由于水质数据较高的变化性和观测的随机误差，要想精确匹配单个模拟和观测的磷浓度数据非常困难。当观测数目很大时，随机抽样不会增加偏差（Scheaffer 等, 1986；Dixon 和 Garrett, 1993），因此可以通过加总来减少随机误差。

我们利用时间加总来减少随机误差对观测数据的影响。而且，通过径流（水控制结构站点）或者池塘水深（湿地站点）加权的磷浓度能够反映系统总的物质／容量的相对重要性，并且能够减少某些情况下极端值的影响。值得注意的是，相比加总之前的 0.10（见表 4-4），加权的季节平均 $R^2$ 值增加到了 0.20（见表 4-5）。比较所有观测站的模拟和观测的季节平均地表水总磷（TP）浓度，发现模拟值解释了观测值 50% 以上的变化（见图 4-13）。对每个观测站点进一步加总季节平均值，$R^2$ 增加到了 0.60 以上（即模拟结果解释了观测值 60% 的方差）。所有站点的加权季节平均值累积频度图也证实模拟值和观测值匹配良好（见图 4-14）。干和湿季节的平均值是一种有效加总，能最小化随机误差的影响，而且能维持在合适的时间尺度上解释地表水总磷浓度随湿／干季节的变化。在这种加总水平下，Everglades 清晰地展现了精确预测季节平均磷浓度变化的能力。

本文中应用的各种数学分析和可视化方法应该能够说明 ELM 是预测 Everglades 水文和水质分析的有效工具。然而，ELM 的实力超过了仅仅预测"景观驱动因素"的功能。尽管目前还没有测量其他生态系统变量的区域性能，但是其他的生态动态对于理解和评价管理选择是十分重要的。水生附着生物与大型植物的生长率和死亡率、泥炭的积累和氧化率，连同很多其他的生态系统过程动态地与模拟生态系统内的水文和生物化学循环相互作用。在校准过程中监测了这些变量，以保证它们的取值是合理的。重要的是，这些变量的动态构成了由植被／水生附着生物群落类型和根据土壤定义的栖息地变化的基础。这些景观属性的变化是 ELM 模拟的主要目标，将构成 ELM 生态评价的核心，其他出版物在子区域尺度上证实了这一点（Fitz 和 Sklar, 1999）。

表 4-3　站点统计总结

| 位置 | OBS $n$ | ELM vs OBS | | | | | WMM vs OBS | | | | |
|---|---|---|---|---|---|---|---|---|---|---|---|
| | | 偏差 (m) | $R^2$ | RMSE (m) | $EFF$ | $U^2$ | 偏差 (m) | $R^2$ | RMSE (m) | $EFF$ | $U^2$ |
| 1-7 | 416 | 0.06 | 0.73 | 0.16 | 0.33 | 0.001 | 0.00 | 0.71 | 0.15 | 0.44 | 0.001 |
| 1-8T | 368 | 0.04 | 0.67 | 0.23 | 0.06 | 0.002 | 0.11 | 0.73 | 0.19 | 0.35 | 0.001 |
| 1-9 | 413 | 0.00 | 0.72 | 0.15 | 0.50 | 0.001 | 0.08 | 0.72 | 0.17 | 0.35 | 0.001 |
| 2A-159 | 162 | $-0.05$ | 0.63 | 0.22 | 0.51 | 0.003 | $-0.06$ | 0.60 | 0.22 | 0.52 | 0.003 |
| 2A-17 | 816 | $-0.04$ | 0.65 | 0.24 | 0.43 | 0.004 | $-0.06$ | 0.76 | 0.18 | 0.69 | 0.002 |
| 2A-300 | 662 | $-0.05$ | 0.56 | 0.23 | 0.46 | 0.004 | $-0.06$ | 0.70 | 0.20 | 0.63 | 0.003 |
| 3-34* | 131 | $-0.09$ | 0.84 | 0.16 | $-1.70$ | 0.000 | $-0.12$ | 0.51 | 0.19 | $-0.68$ | 0.000 |
| 3-69* | 200 | 0.52 | 0.86 | 0.52 | $-10.02$ | 0.004 | 0.49 | 0.84 | 0.50 | $-3.88$ | 0.003 |
| 3-71 | 204 | $-0.09$ | 0.68 | 0.14 | 0.35 | 0.004 | -0.03 | 0.34 | 0.15 | 0.31 | 0.004 |
| 3-76 | 198 | $-0.07$ | 0.66 | 0.12 | 0.46 | 0.003 | $-0.08$ | 0.23 | 0.19 | $-0.37$ | 0.007 |
| 3A-10* | 735 | 0.06 | 0.64 | 0.34 | 0.51 | 0.001 | 0.00 | 0.61 | 0.19 | 0.61 | 0.000 |
| 3A-11 | 695 | $-0.24$ | 0.78 | 0.34 | $-1.25$ | 0.011 | $-0.22$ | 0.74 | 0.27 | $-0.42$ | 0.007 |
| 3A-12 | 769 | 0.10 | 0.66 | 0.25 | 0.25 | 0.006 | 0.04 | 0.62 | 0.20 | 0.51 | 0.004 |
| 3A-2 | 429 | 0.06 | 0.59 | 0.26 | 0.53 | 0.006 | 0.02 | 0.58 | 0.25 | 0.57 | 0.006 |
| 3A-28 | 755 | 0.29 | 0.83 | 0.31 | $-0.19$ | 0.010 | 0.02 | 0.84 | 0.13 | 0.78 | 0.002 |
| 3A-3 | 616 | 0.16 | 0.87 | 0.22 | 0.68 | 0.005 | 0.12 | 0.84 | 0.20 | 0.74 | 0.004 |
| 3A-4 | 609 | 0.10 | 0.84 | 0.17 | 0.75 | 0.003 | 0.01 | 0.85 | 0.13 | 0.84 | 0.002 |
| 3A-9* | 662 | $-0.02$ | 0.83 | 0.16 | 0.82 | 0.000 | $-0.07$ | 0.82 | 0.16 | 0.78 | 0.000 |
| 3A-NE | 762 | 0.07 | 0.68 | 0.25 | 0.59 | 0.006 | 0.07 | 0.52 | 0.28 | 0.48 | 0.007 |
| 3A-NW | 779 | $-0.07$ | 0.63 | 0.25 | 0.38 | 0.005 | $-0.02$ | 0.64 | 0.20 | 0.62 | 0.003 |
| 3A-S | 615 | 0.01 | 0.85 | 0.20 | 0.44 | 0.004 | 0.03 | 0.87 | 0.11 | 0.81 | 0.001 |
| 3A-SW | 643 | 0.11 | 0.82 | 0.17 | 0.49 | 0.003 | 0.02 | 0.86 | 0.12 | 0.74 | 0.002 |
| 3B-2* | 50 | $-0.23$ | 0.63 | 0.35 | 0.18 | 0.002 | $-0.07$ | 0.66 | 0.14 | $-0.09$ | 0.000 |
| 3B-SE | 492 | 0.03 | 0.56 | 0.31 | 0.46 | 0.022 | 0.11 | 0.67 | 0.26 | 0.60 | 0.016 |
| ANGEL* | 559 | 0.18 | 0.64 | 0.31 | 0.46 | 0.002 | $-0.07$ | 0.68 | 0.20 | 0.31 | 0.001 |
| EP12R* | 256 | $-0.13$ | 0.68 | 0.14 | $-3.26$ | 0.001 | $-0.05$ | 0.59 | 0.08 | $-0.01$ | 0.000 |
| EP9R* | 235 | 0.03 | 0.69 | 0.11 | 0.63 | 0.000 | 0.11 | 0.56 | 0.14 | $-1.08$ | 0.000 |
| EPSW | 389 | $-0.09$ | 0.77 | 0.13 | $-0.38$ | 0.123 | $-0.03$ | 0.61 | 0.08 | 0.46 | 0.039 |
| G1502 | 808 | 0.11 | 0.57 | 0.28 | 0.39 | 0.022 | 0.02 | 0.69 | 0.21 | 0.67 | 0.013 |
| G3273* | 555 | 0.15 | 0.67 | 0.26 | 0.39 | 0.001 | 0.10 | 0.81 | 0.18 | 0.68 | 0.001 |
| G3353* | 466 | $-0.03$ | 0.67 | 0.18 | 0.57 | 0.001 | 0.02 | 0.76 | 0.11 | 0.71 | 0.000 |

续表 4-3

| 位置 | OBS (n) | ELM vs OBS | | | | | WMM vs OBS | | | | |
|---|---|---|---|---|---|---|---|---|---|---|---|
| | | 偏差 (m) | $R^2$ | RMSE (m) | EFF | $U^2$ | 偏差 (m) | $R^2$ | RMSE (m) | EFF | $U^2$ |
| G618* | 794 | 0.10 | 0.60 | 0.18 | 0.02 | 0.000 | 0.05 | 0.72 | 0.13 | 0.52 | 0.000 |
| G620 | 615 | 0.11 | 0.80 | 0.16 | 0.57 | 0.006 | 0.07 | 0.81 | 0.12 | 0.73 | 0.004 |
| HOLEY1 | 235 | 0.23 | 0.64 | 0.26 | −0.53 | 0.005 | 0.06 | 0.65 | 0.14 | 0.57 | 0.001 |
| HOLEY2 | 233 | 0.19 | 0.67 | 0.23 | −0.11 | 0.004 | 0.00 | 0.39 | 0.19 | 0.31 | 0.003 |
| HOLEYG | 240 | 0.24 | 0.55 | 0.29 | −1.48 | 0.005 | 0.09 | 0.53 | 0.16 | 0.20 | 0.002 |
| MonRd* | 140 | 0.43 | 0.65 | 0.49 | −11.90 | 0.004 | 0.21 | 0.65 | 0.30 | 0.29 | 0.001 |
| NESRS1 | 726 | 0.02 | 0.48 | 0.15 | 0.43 | 0.005 | −0.03 | 0.51 | 0.14 | 0.47 | 0.005 |
| NESRS2 | 714 | 0.09 | 0.63 | 0.18 | 0.39 | 0.008 | 0.02 | 0.65 | 0.15 | 0.61 | 0.005 |
| NESRS3 | 536 | 0.07 | 0.60 | 0.26 | 0.29 | 0.017 | −0.03 | 0.71 | 0.17 | 0.70 | 0.008 |
| NP202* | 751 | −0.06 | 0.81 | 0.12 | 0.71 | 0.000 | −0.07 | 0.84 | 0.12 | 0.70 | 0.000 |
| NP203* | 665 | 0.00 | 0.79 | 0.10 | 0.77 | 0.000 | −0.04 | 0.84 | 0.09 | 0.78 | 0.000 |
| NP205* | 781 | 0.05 | 0.67 | 0.19 | 0.64 | 0.010 | 0.03 | 0.72 | 0.17 | 0.70 | 0.008 |
| NP206 | 714 | 0.14 | 0.57 | 0.29 | 0.45 | 0.028 | 0.08 | 0.75 | 0.21 | 0.71 | 0.016 |
| NP207 | 100 | −0.05 | 0.79 | 0.14 | −0.35 | 0.122 | 0.04 | 0.61 | 0.17 | −1.06 | 0.126 |
| NP33 | 771 | 0.04 | 0.55 | 0.16 | 0.42 | 0.006 | −0.05 | 0.73 | 0.12 | 0.67 | 0.004 |
| NP34 | 762 | 0.10 | 0.70 | 0.23 | 0.29 | 0.064 | −0.06 | 0.67 | 0.18 | 0.56 | 0.062 |
| NP35 | 783 | 0.19 | 0.69 | 0.25 | −0.95 | 0.106 | 0.13 | 0.64 | 0.18 | −0.04 | 0.070 |
| NP36 | 785 | 0.04 | 0.47 | 0.18 | 0.38 | 0.020 | 0.01 | 0.56 | 0.15 | 0.55 | 0.015 |
| NP38 | 770 | 0.08 | 0.70 | 0.19 | −0.03 | 0.109 | 0.04 | 0.74 | 0.13 | 0.56 | 0.059 |
| NP44 | 743 | 0.34 | 0.68 | 0.42 | 0.07 | 0.101 | 0.04 | 0.80 | 0.20 | 0.79 | 0.035 |
| NP46* | 699 | −0.06 | 0.63 | 0.17 | 0.59 | 0.001 | −0.10 | 0.71 | 0.17 | 0.55 | 0.001 |
| NP62* | 624 | 0.12 | 0.72 | 0.20 | 0.32 | 0.001 | −0.10 | 0.76 | 0.18 | 0.36 | 0.001 |
| NP67 | 734 | 0.03 | 0.71 | 0.13 | 0.63 | 0.037 | −0.07 | 0.80 | 0.14 | 0.55 | 0.060 |
| NP72* | 669 | 0.37 | 0.66 | 0.44 | −0.67 | 0.004 | 0.03 | 0.79 | 0.22 | 0.78 | 0.001 |
| ROTTS | 395 | 0.03 | 0.62 | 0.15 | 0.25 | 0.002 | −0.13 | 0.64 | 0.20 | −0.24 | 0.003 |
| RUTZKE | 473 | −0.12 | 0.48 | 0.35 | −1.36 | 0.086 | 0.08 | 0.64 | 0.17 | 0.47 | 0.016 |
| SHARK | 633 | −0.02 | 0.68 | 0.15 | 0.64 | 0.004 | −0.02 | 0.60 | 0.16 | 0.58 | 0.005 |
| TAM140* | 790 | 0.11 | 0.55 | 0.29 | −14.55 | 0.001 | −0.10 | 0.82 | 0.17 | 0.60 | 0.000 |
| THSO | 428 | 0.05 | 0.71 | 0.18 | 0.59 | 0.036 | −0.14 | 0.85 | 0.18 | 0.60 | 0.056 |
| 平均值 | 546 | 0.06 | 0.68 | 0.23 | −0.48 | 0.018 | 0.01 | 0.68 | 0.18 | 0.35 | 0.012 |
| 最大值 | 816 | 0.52 | 0.87 | 0.52 | 0.82 | 0.123 | 0.49 | 0.87 | 0.50 | 0.84 | 0.126 |
| 最小值 | 50 | −0.24 | 0.47 | 0.10 | −14.55 | 0.000 | −0.22 | 0.23 | 0.08 | −3.88 | 0.000 |

注：表中 OBS 表示观测值。

表 4-4　未加权的总磷浓度统计总结

| 位置 | OBS（$n$） | 偏差（mg/L） | $R^2$ | RMSE（mg/L） | EFF | $U^2$ | gMean DIF（mg/L） |
|---|---|---|---|---|---|---|---|
| C123SR84 | 54 | −0.007 | 0.06 | 0.040 | −1.25 | 0.62 | −0.011 |
| CA311 | 31 | 0.003 | 0.04 | 0.004 | −2.50 | 0.24 | 0.003 |
| CA315 | 29 | −0.001 | 0.09 | 0.004 | −0.71 | 0.54 | −0.001 |
| CA32 | 26 | 0.000 | 0.26 | 0.005 | −1.17 | 0.44 | 0.000 |
| CA33 | 27 | 0.024 | 0.06 | 0.031 | −9.50 | 0.57 | 0.023 |
| CA34 | 29 | 0.001 | 0.01 | 0.008 | −0.12 | 0.59 | 0.002 |
| CA35 | 22 | 0.021 | 0.04 | 0.028 | −4.77 | 0.59 | 0.022 |
| CA36 | 30 | 0.022 | 0.54 | 0.027 | −0.40 | 0.24 | 0.026 |
| CA38 | 30 | 0.002 | 0.11 | 0.013 | −0.22 | 1.24 | 0.004 |
| COOPERTN | 115 | 0.000 | 0.02 | 0.006 | −1.32 | 0.28 | −0.001 |
| EP | 52 | 0.001 | 0.10 | 0.007 | 0.03 | 0.49 | 0.001 |
| L40-1 | 99 | −0.009 | 0.13 | 0.058 | 0.00 | 0.68 | −0.009 |
| L40-2 | 101 | −0.027 | 0.17 | 0.057 | −0.23 | 0.66 | −0.031 |
| L7 | 60 | 0.012 | 0.00 | 0.097 | −0.57 | 0.92 | 0.006 |
| LOX10 | 17 | 0.002 | 0.08 | 0.011 | −0.28 | 0.58 | 0.004 |
| LOX11 | 22 | −0.004 | 0.03 | 0.006 | −1.17 | 1.47 | −0.003 |
| LOX12 | 23 | 0.013 | 0.12 | 0.014 | −19.95 | 0.48 | 0.013 |
| LOX13 | 25 | −0.003 | 0.00 | 0.006 | −0.54 | 0.97 | −0.002 |
| LOX14 | 25 | 0.014 | 0.08 | 0.016 | −18.06 | 0.46 | 0.014 |
| LOX15 | 25 | 0.018 | 0.00 | 0.023 | −18.50 | 0.58 | 0.017 |
| LOX16 | 23 | 0.016 | 0.00 | 0.019 | −10.14 | 0.52 | 0.016 |
| LOX3 | 17 | 0.001 | 0.11 | 0.015 | −0.33 | 0.96 | 0.004 |
| LOX4 | 16 | 0.024 | 0.01 | 0.027 | −105.73 | 0.62 | 0.022 |
| LOX5 | 19 | −0.002 | 0.19 | 0.006 | −0.71 | 0.61 | −0.001 |
| LOX6 | 23 | 0.005 | 0.03 | 0.009 | −2.69 | 0.39 | 0.005 |
| LOX7 | 23 | 0.002 | 0.09 | 0.005 | −2.41 | 0.21 | 0.002 |
| LOX8 | 23 | −0.002 | 0.06 | 0.005 | −0.73 | 0.57 | −0.001 |
| LOX9 | 19 | −0.003 | 0.04 | 0.008 | −0.15 | 1.15 | −0.001 |
| NE1 | 75 | −0.006 | 0.05 | 0.009 | −0.26 | 2.74 | −0.004 |
| P33 | 88 | −0.002 | 0.02 | 0.008 | −0.48 | 1.02 | −0.001 |
| P34 | 66 | 0.008 | 0.14 | 0.010 | −2.60 | 0.37 | 0.009 |
| P35 | 82 | −0.008 | 0.01 | 0.023 | −0.14 | 7.20 | −0.004 |

续表 4-4

| 位置 | OBS (n) | 偏差 (mg/L) | $R^2$ | RMSE (mg/L) | EFF | $U^2$ | gMean DIF (mg/L) |
|---|---|---|---|---|---|---|---|
| P36 | 85 | −0.027 | 0.21 | 0.074 | 0.22 | 120.37 | −0.007 |
| P37 | 44 | 0.011 | 0.09 | 0.014 | −0.18 | 0.50 | 0.012 |
| S10A | 94 | 0.001 | 0.15 | 0.049 | −0.81 | 0.41 | −0.005 |
| S10C | 100 | −0.034 | 0.29 | 0.066 | 0.02 | 0.91 | −0.026 |
| S10D | 172 | −0.062 | 0.47 | 0.087 | −0.12 | 1.76 | −0.053 |
| S10E | 46 | −0.061 | 0.05 | 0.085 | −1.14 | 2.74 | −0.058 |
| S11A | 164 | 0.07 | 0.05 | 0.040 | −1.26 | 0.68 | 0.007 |
| S11B | 178 | −0.011 | 0.24 | 0.047 | 0.14 | 0.97 | −0.007 |
| S11C | 222 | −0.023 | 0.30 | 0.046 | 0.04 | 1.05 | −0.020 |
| S12A | 381 | −0.004 | 0.07 | 0.029 | 0.06 | 3.81 | 0.000 |
| S12B | 388 | −0.001 | 0.06 | 0.022 | 0.03 | 2.13 | 0.000 |
| S12C | 399 | −0.002 | 0.04 | 0.018 | −0.05 | 1.50 | −0.001 |
| S12D | 395 | −0.002 | 0.07 | 0.015 | −0.10 | 0.95 | −0.002 |
| S144 | 166 | −0.005 | 0.01 | 0.025 | −0.44 | 2.05 | −0.002 |
| S145 | 196 | −0.002 | 0.00 | 0.020 | −0.044 | 1.43 | −0.001 |
| S146 | 167 | −0.003 | 0.01 | 0.021 | −0.55 | 1.44 | −0.001 |
| S151 | 217 | −0.007 | 0.10 | 0.025 | −0.07 | 1.22 | −0.007 |
| S31 | 74 | −0.010 | 0.05 | 0.024 | −0.18 | 3.72 | −0.008 |
| S333 | 389 | −0.004 | 0.06 | 0.017 | −0.06 | 1.27 | −0.003 |
| TSB | 60 | 0.000 | 0.02 | 0.010 | 0.82 | 0.49 | 0.006 |
| 平均值 | 101 | −0.002 | 0.10 | 0.026 | −4.07 | 3.43 | −0.001 |
| 最大值 | 399 | 0.024 | 0.54 | 0.097 | 0.82 | 120.37 | 0.026 |
| 最小值 | 16 | −0.062 | 0.00 | 0.004 | −105.73 | 0.21 | −0.058 |

注:表中 OBS 表示观测值。

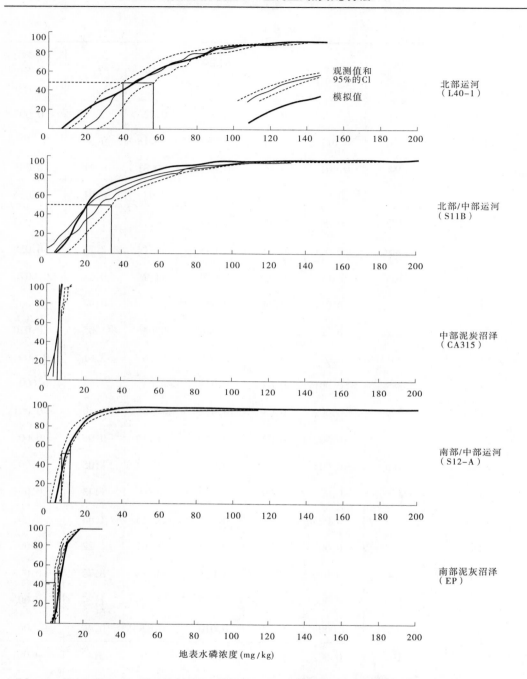

图 4-12　ELM 模拟和观测(原始形式,未加总)磷数据的累积频率分布(百分比)

注意,使用的只是成对的模拟和观测数据

表 4-5　季节平均总磷浓度统计总结

| 位置 | OBS $n$ | 季节平均 | | | | | 加权季节平均 | | | | |
|---|---|---|---|---|---|---|---|---|---|---|---|
| | | $R^2$ | 偏差 (mg/L) | RMSE (mg/L) | $EFF$ | $U^2$ | $R^2$ | 偏差 (mg/L) | RMSE (mg/L) | $EFF$ | $U^2$ |
| C123SR84 | 11 | 0.05 | 0.004 | 0.038 | −2.49 | 0.65 | 0.05 | 0.004 | 0.034 | −1.81 | 0.53 |
| CA311 | 2 | | −0.002 | 0.009 | | | | −0.003 | 0.001 | | |
| CA315 | 2 | | 0.002 | 0.007 | | | | 0.001 | 0.000 | | |
| CA32 | 2 | | −0.001 | 0.008 | | | | −0.001 | 0.002 | | |
| CA33 | 3 | | −0.017 | 0.011 | | | | −0.019 | 0.009 | | |
| CA34 | 2 | | 0.000 | 0.003 | | | | 0.000 | 0.002 | | |
| CA35 | 2 | | −0.020 | 0.012 | | | | −0.022 | 0.006 | | |
| CA36 | 2 | | −0.023 | 0.022 | | | | −0.022 | 0.019 | | |
| CA38 | 2 | | −0.002 | 0.011 | | | | −0.004 | 0.007 | | |
| COOPERTN | 6 | 0.60 | 0.001 | 0.006 | −15.00 | 0.26 | 0.60 | 0.001 | 0.001 | 0.12 | 0.01 |
| EP | 12 | 0.26 | −0.002 | 0.010 | −11.78 | 1.20 | 0.11 | −0.001 | 0.009 | −4.23 | 0.90 |
| L40−1 | 14 | 0.02 | −0.001 | 0.033 | −0.24 | 0.23 | 0.02 | −0.001 | 0.024 | 0.34 | 0.13 |
| L40−2 | 14 | 0.09 | 0.017 | 0.049 | −2.56 | 0.34 | 0.09 | 0.017 | 0.036 | −0.93 | 0.18 |
| L7 | 10 | 0.14 | −0.023 | 0.047 | −1.49 | 0.34 | 0.14 | −0.023 | 0.027 | 0.21 | 0.11 |
| LOX10 | 3 | | −0.001 | 0.008 | | | | −0.002 | 0.004 | | |
| LOX11 | 3 | | 0.004 | 0.004 | | | | 0.003 | 0.003 | | |
| LOX12 | 3 | | −0.012 | 0.002 | | | | −0.012 | 0.000 | | |
| LOX13 | 3 | | 0.003 | 0.003 | | | | 0.003 | 0.001 | | |
| LOX14 | 3 | | −0.014 | 0.005 | | | | −0.014 | 0.002 | | |
| LOX15 | 3 | | −0.018 | 0.007 | | | | −0.018 | 0.005 | | |
| LOX16 | 3 | | −0.016 | 0.007 | | | | −0.016 | 0.004 | | |
| LOX3 | 3 | | 0.000 | 0.011 | | | | −0.002 | 0.010 | | |
| LOX4 | 2 | | −0.022 | 0.004 | | | | −0.022 | 0.001 | | |
| LOX5 | 3 | | 0.004 | 0.006 | | | | 0.004 | 0.004 | | |
| LOX6 | 3 | | −0.004 | 0.006 | | | | −0.005 | 0.002 | | |
| LOX7 | 3 | | −0.001 | 0.006 | | | | −0.001 | 0.001 | | |
| LOX8 | 3 | | 0.002 | 0.005 | | | | 0.002 | 0.002 | | |
| LOX9 | 3 | | 0.005 | 0.007 | | | 0.003 | 0.004 | | | |

续表 4-5

| 位置 | OBS $n$ | 季节平均 | | | | | 加权季节平均 | | | | |
|---|---|---|---|---|---|---|---|---|---|---|---|
| | | $R^2$ | 偏差 (mg/L) | RMSE (gm/L) | $EFF$ | $U^2$ | $R^2$ | 偏差 (mg/L) | RMSE (mg/L) | $EFF$ | $U^2$ |
| NE1 | 14 | 0.33 | 0.006 | 0.009 | −1.09 | 0.39 | 0.32 | 0.005 | 0.007 | −0.82 | 0.31 |
| P33 | 15 | 0.09 | 0.002 | 0.009 | −5.24 | 0.67 | 0.06 | 0.001 | 0.007 | −4.33 | 0.57 |
| P34 | 13 | 0.43 | −0.008 | 0.008 | −13.10 | 0.92 | 0.17 | −0.009 | 0.008 | −8.27 | 1.00 |
| P35 | 15 | 0.00 | 0.008 | 0.016 | −0.49 | 0.57 | 0.04 | 0.006 | 0.011 | −0.76 | 0.52 |
| P36 | 15 | 0.05 | 0.028 | 0.030 | 0.04 | 0.38 | 0.45 | 0.014 | 0.020 | −0.17 | 0.47 |
| P37 | 14 | 0.04 | −0.012 | 0.009 | −3.60 | 0.94 | 0.22 | −0.012 | 0.008 | −4.58 | 1.00 |
| S10A | 19 | 0.24 | 0.002 | 0.033 | −0.49 | 0.21 | 0.23 | −0.016 | 0.021 | 0.67 | 0.08 |
| S10C | 19 | 0.27 | 0.037 | 0.064 | -0.85 | 0.33 | 0.44 | 0.035 | 0.066 | −0.05 | 0.26 |
| S10D | 22 | 0.31 | 0.060 | 0.072 | −1.25 | 0.30 | 0.67 | 0.076 | 0.077 | −0.02 | 0.18 |
| S10E | 8 | 0.00 | 0.050 | 0.101 | −7.31 | 0.66 | 0.07 | 0.069 | 0.099 | −4.15 | 0.58 |
| S11A | 25 | 0.40 | −0.013 | 0.010 | 0.78 | 0.09 | 0.68 | −0.025 | 0.003 | 0.98 | 0.01 |
| S11B | 24 | 0.52 | 0.008 | 0.014 | 0.89 | 0.05 | 0.63 | 0.000 | 0.015 | 0.87 | 0.06 |
| S11C | 25 | 0.57 | 0.018 | 0.034 | −0.80 | 0.31 | 0.65 | 0.017 | 0.020 | 0.75 | 0.08 |
| S12A | 25 | 0.11 | 0.006 | 0.009 | 0.80 | 0.11 | 0.02 | −0.002 | 0.004 | 0.38 | 0.11 |
| S12B | 25 | 0.10 | 0.005 | 0.008 | 0.83 | 0.09 | 0.00 | −0.003 | 0.004 | 0.34 | 0.11 |
| S12C | 28 | 0.16 | 0.004 | 0.005 | 0.72 | 0.07 | 0.01 | 0.002 | 0.005 | 0.89 | 0.05 |
| S12D | 28 | 0.10 | 0.004 | 0.005 | 0.55 | 0.08 | 0.01 | 0.002 | 0.004 | 0.36 | 0.08 |
| S144 | 21 | 0.01 | 0.003 | 0.009 | 0.24 | 0.20 | 0.02 | 0.004 | 0.011 | 0.22 | 0.27 |
| S145 | 25 | 0.00 | 0.000 | 0.006 | 0.51 | 0.14 | 0.01 | −0.001 | 0.005 | 0.67 | 0.10 |
| S146 | 22 | 0.04 | 0.001 | 0.008 | 0.27 | 0.19 | 0.00 | −0.001 | 0.007 | 0.60 | 0.15 |
| S151 | 27 | 0.20 | 0.009 | 0.016 | 0.10 | 0.23 | 0.11 | 0.009 | 0.017 | 0.18 | 0.23 |
| S31 | 8 | 0.00 | 0.010 | 0.021 | −0.85 | 0.57 | 0.08 | 0.018 | 0.024 | −2.31 | 0.55 |
| S333 | 29 | 0.07 | 0.006 | 0.006 | 0.60 | 0.08 | 0.12 | 0.008 | 0.007 | 0.49 | 0.11 |
| TSB | 15 | 0.02 | −0.002 | 0.017 | −0.53 | 0.80 | 0.01 | −0.004 | 0.012 | −0.87 | 0.77 |
| 平均值 | 11.65 | 0.17 | 0.002 | 0.017 | −2.10 | 0.38 | 0.20 | 0.001 | 0.013 | −0.84 | 0.32 |
| 最大值 | 29.00 | 0.60 | 0.060 | 0.101 | 0.89 | 1.20 | 0.68 | 0.076 | 0.099 | 0.98 | 1.00 |
| 最小值 | 2.00 | 0.00 | −0.023 | 0.002 | −15.00 | 0.05 | 0.000 | −0.025 | 0.000 | −8.27 | 0.01 |

注:表中 OBS 表示观测值。

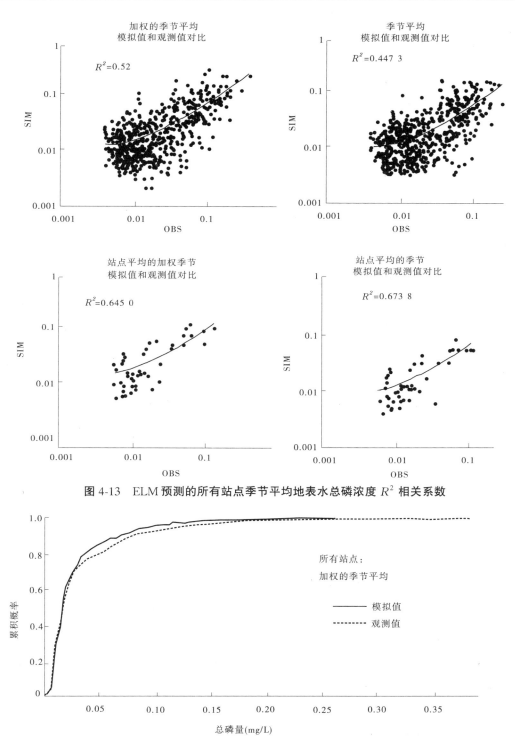

图 4-13　ELM 预测的所有站点季节平均地表水总磷浓度 $R^2$ 相关系数

图 4-14　ELM 模拟和观测的所有站点地表水总磷浓度加权的季节平均累积频率分布

# 4.7 结论

这里开发了一种计算目标函数的通用形式,考虑了数据和期望模型行为的定量和半定量信息。目标函数适合使用最优化技术。模型复杂性增加的情况下通过一系列最优化试验,通过使用广泛传播的反复试验方法和蒙特卡罗法,展示了怎样成功地校准模型,还展示了校准规则的多种定义怎样改善我们对复杂模型响应的了解,以及这些信息是怎样融入到预测模型开发中的。

非线性模型对参数变化的响应非常复杂,这也是将系统最优化技术用于生态模型校准的原因。不仅模型的校准依赖于这项技术,而且只有应用了这项技术才有可能挖掘多数模型的潜力。这一点正逐渐被意识到,我们也证实了这一点,那就是任何非线性模型都有可能展现多种可以接受的最佳结果。全局最优化技术,比如遗传算法,在类似的情况下不能帮助鉴定单一的最优点。每个不同的优化值都体现了对现象潜在的不同解释。然而,当用实际数据校准模型时,目标函数与理想点之间的差异可以归因于数据质量问题以及与理想行为的实际距离。如果想要完全理解并有效地使用模型,这与前面提到的需要考虑的因素一起要求仔细考虑模型响应面中所有有意义的最优点。

除了上面介绍的这些,还应该认识到校准复杂的空间模型是一个充满美感的过程,使用复杂的统计方法(如 MPI),可以补充但不能替代研究者的经验和常识,这些经验和常识是研究者本人自我教育的结晶,有助于研究者本人在多种模型运行与反复试验过程中了解系统的性能。模型的价值主要在于建模过程,从模型分析中重新理解系统性能和功能,这些是采用曲线图拟合和最优化的自动化方法获取不到的。

**致谢**:本研究由美国环境保护署(与国家自然基金协力)的国家环境研究和质量担保中心研究和开发办公室资助(R2-4766-010)。

## 参 考 文 献

[1] Band L E, Peterson D L, Running S W, et al.1991. Forest ecosystem processes at the watershed scale: basis for distributedsimulations.Ecological Modelling 56:171～196

[2] Beven K J.1993.Prophecy, reality and uncertainty in distributed hydrological modelling.Advances in Water Resources 16:41～51

[3] Beven K J, Binkley A M.1992.The future of distributed models: model calibrationand Predictive uncertainty.Hydrology Proceedings6:279～298

[4] Binley A M, Beven K J, Calver A, et al. 1991.Changing responses in hydrology:Assessing the uncertainty in physically-based predictions.Water Resources Research 27:1253～1261

[5] Bockstael N, Costanza R, Strand I, et al.1995.Ecological economic modeling and valuation of ecosystem.Ecological Economics 14:143～159

[6] Brent R P.1973.Algorithms for Minimization Without Derivatives.Prentice-Hall, Engle-wood Cliffs,NJ.

[7] Burke I C, Lauenroth WK, Parton WJ.1997.Regional and temporal variation in net primary productivity and nitrogen mineralization in grasslands.Ecology 78:1330～1340

[ 8 ] CERP Team.2001.RECOVER（REstoration COordination & VERification）.Available from www.evergladesplan.org,accessed on January 1,2002

[ 9 ] Costanza R, Sklar F H,White.M L.1990 Modelling coastal landscape dynamics.BioScience 40:91~107

[10] Costanza R, Funtowicz S O,Ravetz J R.1992.Assessing and communicating data quality in policy relevant research.Environmental Management 16:121~131

[11] Dent J B,Blackie M J.1979.System Simulation in Agriculture.Applied Science Publishers,London

[12] Dixon P M,Garrett K A.1993.Sampling ecological information:choice of sample size,econsidered.Ecological Modelling 68:67~73

[13] Fitz H C,Sklar F H.1999.Ecosystem analysis of phosphorus impacts and altered hydrology in the Everglades: A landscape modeling approach,in Phosphorus Biogeoeds.）:Lewis Publishers,Boca Raton,FL, 585~620

[14] Fitz H C,DeBellevue E, Costanza R,et al.1996.Development of a general ecosystem model（GEM）for a range of scales and ecosystems.Ecological Modelling 88:263~295

[15] Forrest S.1993.Genetic algorithms:principles of natural selection applied to computation.Science 261: 872~878

[16] Gardner R H,Huff D D,O'Neill R V,et al.1980.Application of error analysis to a marsh hydrology model.Water Resources Research 16:659~664

[17] Haefner J W.1996.Modelling Biological Systems:Principles and Applications.Chapman & Hall, New York

[18] Houck C R,Joines J A,Kay M G,1996.Comparison of genetic algorithms, random restart and two－opt switching for solving large location－allocation problems.Computers and Operations Research 23:587~596

[19] HPS.1995.STELLA User's Manual.High Performance Systems.Hanover,NH

[20] HSM.1999.A Primer to the South Florida Water Management MOdel（Version 3.5）.Hydrologic Systems MOdeling Division,South Florida Water Management District,West Palm Beach

[21] Kuczera G.1990.Assessing hydrologic model nonlinearity using response surface plots.Journal of Hydrology 118:143~161

[22] Mankin J B,O'Neill R V,et al.1977.The importance of validation in ecosystem analysis, in New Directions in the Analysis of Ecological Systems.Part 1.Simulation Councils Proceeding Series.Vol.5（Innis, G.S.,ed.）.PP.63~71

[23] Maxwell T,Costanza R.1997.An open geographic modelling environment.Simulation68（3）:175~185

[24] Melching C S,Yen B C,Wenzel H G.1990.Reliability estimation in mokelling watershed runoff with uncertainties.Water Resorces Research 26:2275~2280

[25] Melillo J M,McGuire A D,Kicklighter D W,et al.1993.Global climate change and terrestrial net primary production.Nature 363:234~240

[26] Michalewicz Z.1996.Genetic Algorithms ＋ Data Structures ＝ Evolution Programs.Springer－Verlag, New York

[27] Oreskes N,Shrader－Grechette K,Beliz K.1994.Verification, validation and confirmation of numerical models in th earth sciences.Science 263:641~646

[28] Nelder J A,Mead R.1965.A simplex method for function minimization.ComputationJournal7:308~313

[29] Parton W J,Rasmussen P E.1994.Long－term effects of crop management in wheat－fallow:Ⅱ.CENTUEY model simulations.Soil Scence Socety of America Journal 58:530~536

[30] Press W H, Flannery B P,Teukolsky SA,et al.1988.Numerical Recipes in C.Cambridge University Press,Cambridge

[31] Raich J W, Rastetter E B, Melillo J M. 1991. Potential net primary productivity in South America: Application of a global model. Ecological Applications 4:399~429

[32] Rice J A, Cochran P A. 1984. Independent evaluation of a bioenergetics model for laremouth bass. Ecology 65:732~739

[33] Romesburg H C. 1981. Wildlife science: Gaining reliable knowledge. Journal of Wildlife Management 45 (2):293~313

[34] Rykiel E J. 1996. Testing ecological models: The meaning of validation. Ecological Modelling 90:229~244

[35] Scheaffer R L, Mendenhall W, Ott L. 1986. Elementary Survey Sampling. PWSKent, Boston, MA

[36] Sklar F H, Costanza R. 1991. The development of dynamic spatial models for land scape ecology: A review and prognosis, in Quantitative Methods in Landscape Ecol ogy (Turner, M. G. and R. Gardner, eds.). Springer - Verlag, New York

[37] Sorooshian Gupta S V K, Fulton J L. 1983. Evaluation of maximum likelihood Parameter estimation technipues for conceptual rainfall - runoff models: Influence of calibration data vatiability and length on model credibility. Water Resources Research 19:251~259

[38] Spear R C. 1997. Large simuation models: Calibration, unipueness and goodness of fit. Environmental Modelling and Software 12:219~228

[39] Stadler W. 1988. Fundamentals of multicriteria optimization, in Multicriteria Optimization in Engineering and in the Scicnces (Stadler W, ed.). Plenum Press, New York

[40] Storie R E. 1976. Storie Index Soil Rating. Special Publication Division of Agricultural Science. University of California, Press, Berkeley

[41] Tarantola A. 1987. Inverse Problem Theory. Elsevier Science, Amsterdam

[42] Theil, H. 1961. Economic Forecast and Policy. North - Holland, Amsterdam

[43] USACE and SFWMD. 1998. Central and Southern Florida Project Comprehensive Review Study: Draft Integrated Feasibility Report and Programmatic Environmental Impact Statement. U. S. Army Corps of Engineers and South Florida Water Manag ement District. Available from http: // www.evergladesplan.org, accessed on January 1, 2002

[44] Villa F. 1997. Usage of the Model Performance Evaluation software. Internal report, Institute of Ecologica Economics, University of Maryland. Available from www.giee.uvm.edu/ ~ villa/svp/svp

[45] Voogd H. 1983. Multicriteria Evaluation for Urban and Regional Planning. Pion Ltd., Amsterdam

[46] Wang Q J. 1997. Using genetic algorithms to optimise model parameters. Environmental Modelling and Software 12:27~34

[47] Yapo P O, Gupta H V, Sorooshian S. 1998. Multi - objective global optimization for hydrologic models. Journal of Hydrology 204:83~97

# 第二部分

# 案 例 研 究

# 第 5 章  密西西比三角洲栖息地的变化：
## 未来的情景和可供选择的办法 [*]

## 5.1  引言

密西西比三角洲平原的栖息地在空间和时间上都发生了广泛的变化。这些变化包括更多的耐盐群落取代淡水植被和湿地向开阔水域的转变等。在路易斯安那沿海地带，土地损失率的估计变化范围是 73～102 km² /a（Gagliano 等，1981；Dunbar 等，1992；Reed，1995）。路易斯安那海岸沿线土地损失率最高的是 Barataria – Terrebonne 河口（见图 5-1），那里海岸地带的生命期望变化范围是 50～200 年（Gagliano 等，1981）。

驱动长期趋势的湿地损失和栖息地变化的主要区域因素是：①河口圆形突出部分的遗弃（Wells 和 Coleman，1987）；②海平面的上升和下降（Day 和 Templet，1989；Penland 和 Ramsey，1990）；③来自密西西比河与 Atchafalaya 河的淡水与沉积物的变化（Paille，1997）；④人为因素引起的内部水文条件的改变（Baumann 和 Turner，1990；Day 和 Templet，1989；Reed，1995；Roberts，1997；Turner，1997）。过去的 60 年里，所有这些变化之间相互作用的加总是栖息地演替模式改变的机制（Roberts，1997；Wells，1996）。

密西西比三角洲在地质年代尺度上的地理演变是一种自然过程（Penland 等，1988；Roberts，1997）。在遗弃的河口圆形突出部分，沉积物的压实和固结使得陆地表面的海拔相对于平均海平面下降了（Baumann 等，1986；Wells，1996）。为保持湿地长期的稳定性，湿地海拔的上升必须等于相对海平面的上升（Cahoon 等，1995；Chmura 等，1992）。

从 20 世纪早期开始，建造的防洪堤进一步隔离了密西西比三角洲中多数湿地与河流及相关沉积物之间的联系（Mossa，1996）。分布广泛的人工渠道极大地改变了三角洲内部的湿地水文条件（Turner，1997）。防洪堤阻止了季节性的洪水泛滥，并随之减少了沉积物和营养物向邻近湿地的输入。另外，人工渠道及相关碎石堆以同样的方式起作用，减少了物质向邻近湿地的输入（Boumans 和 Day，1993；Swenson 和 Turner，1987）。有证据表明，人工渠道的挖掘增加了湿地的易受侵蚀性。几项研究表明，人工渠道的密度与湿地损失相关（Scaife 等，1983；Turner 和 Rao，1990）。在盐沼泽地区，渠道 – 湿地损失的比率高达 1∶4（Bass 和 Turner，1997），湿地损失直接由渠道挖掘和混乱堆放废弃物引起，间接由沉积物输入减少和涝灾过多等这类过程引起（Mendelssohn 等，1981）。

---

[*]  作者：Enrique Reyes, Jay F. Martin, Mary L. White, John W. Day, G. Paul Kemp。

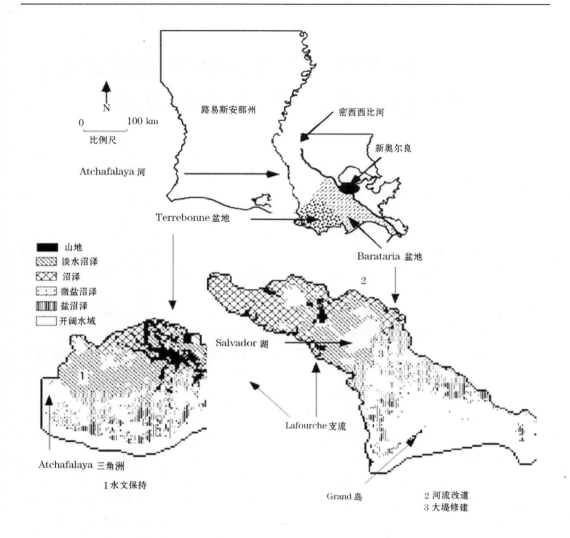

**图 5-1　路易斯安那州 Barataria 和 Terrebonne 盆地的位置**

图中的数字表示推荐的管理工程的位置

　　目前,多数三角洲地区海岸湿地的沉积物主要来自于海湾底部以及墨西哥湾近海岸重新悬浮的沉积物(Baumann 等,1986;Hatton 等,1983)。然而,目前科学上达成的共识是通过河流改道输入湿地的沉积物和营养荷载将弥补现在的有害影响,并恢复大面积的湿地(Boesch 等,1994;Day 等,1997)。

　　对于 Barataria 和 Terrebonne 盆地,土地损失从 20 世纪 50 年代起就很严重。两个盆地的湿地损失数据随时间发生变化,比如 1956～1978 年间报告的损失是 20～24.86 $km^2$/a,1978～1988 年间则是 31.6～35.4 $km^2$/a(Dunbar 等,1992;Reed,1995)。1956～1990 年间,Barataria 和 Terrebonne 盆地由渠道挖掘带来的直接土地损失率分别是 30% 和 10%,而且这些行为带来的间接影响大约是直接影响的 2 倍(Reed,1995)。

生态影响包括净初级生产力下降(Day等,1997)、海水入侵(Warne和Stanley,1993)及物种组成的波动(Deegan和Thompson,1985),这构成了系统整体的经济和社会成本(Deegan等,1984;Templet和Meyer – Arendt,1988)。为了保证三角洲资源的持续活力,在密西西比三角洲以及世界上其他的三角洲地区需要选择和执行管理计划以扭转现在的土地损失趋势(Martin等,2000)。

通常是在隔离空间和时间的背景下进行环境管理计划的评价,这样做总是带来始料不及的后果。通常,一个地区的管理行为会对邻近地区产生影响。如果评价跨越了相应的空间和时间边界,就需要比较被管理地区的短期生产收益与邻近地区受到的影响。但是,在评价环境管理计划时,空间和时间影响经常被想当然地忽略,对于过程的分析也常常是局部的和短期的。这不是管理的缺陷,而是因为概念模型无力解决空间与时间上相应的过程和异质性。景观空间模型(Costanza等,1990;Fitz等,1996;Martin和Reddy,1997;Reyes等,2000)作为工具显式地融合了系统过程以及跨越空间和时间边界的关系,可以辨明管理计划跨越空间的短期和长期影响。在景观水平上模拟湿地栖息地能够测试关于这些过程动态的假说,这对于管理提议的修复计划可能带来的长期影响非常重要。

本研究的目的是建造一个景观栖息地模型,评价Barataria和Terrebonne盆地不同的气候与管理计划和带来的长期间接效应和累积效应。建造的Barrataria – Terrebonne生态景观空间模拟(BTELSS)模型包括一个与针对初级生产力和栖息地转换的生态算法相耦合的显式水文动态模块。该模型被用来再现历史上的土地损失趋势以及1956~1988年间每个盆地的栖息地变化,并用于预测未来的变化趋势。特别地,测试了不同的气候模式和三种管理选择,并且分析了它们的影响。

本章接下来的部分针对Barataria和Terrebonne盆地描述了BTELSS模型的结构,进行了模型的校准运行并采用一个拟合指标对模型性能作了评价(Costanza,1989),对照1956~1988年的历史记录验证运行了模型,在同样的历史记录下模拟了未来30年的状况,在平均的气候模式和相对海平面上升速度加倍的情况下模拟了未来的状况,为不同的管理选择进行了三种情景预测。最后,全面评价了模型性能。

## 5.2 研究区域

Barrataria – Terrebonne系统位于路易斯安那州南部,是一个支流交叉处的河口 – 湿地系统。Barataria盆地位于密西西比河天然大堤和Lafourche支流之间,面积6 100 km²,呈近似三角形。Terrebonne盆地东部以Lafourche支流为边界,西部是Atchafalaya河,面积5 500 km²(见图5-1)。

两个盆地的动态系统都受到自然和人为作用的影响。从1904年起,Barataria盆地就没有河流直接流入,降雨是淡水资源的主要来源;但是,密西西比河通过影响墨西哥湾近海岸的盐度,潜在地影响Barataria盆地的南部(Perret等,1971)。Terrebonne盆地受Atchafalaya河的影响,其西部是南路易斯安那州少数几个土地净增加的区域之一(Boesch等,1994;Roberts,1997)。

两个盆地的植物群落在盐沼泽、微盐沼泽以及淡水沼泽中都有分布(Chabreck和

Condrey,1979)。海拔较高的地方沼泽和滩地阔叶林取代了淡水沼泽。

# 5.3　模型结构

为这两个盆地建立了一个景观栖息地预测模型,这个动态的空间模型采用了变化的时间和空间尺度。模型包含一个有限差分的、两维的、垂直集成的水文模块(时间步长是 1 小时,空间单元格大小是 $100\ km^2$),和一个与水文模块耦合的初级生产力模块(时间步长是 1 天,空间单元格大小是 $1\ km^2$)。水文和生产力模块的输出为土壤模块(时间步长是 1 年,空间单元格大小是 $1\ km^2$)提供输入,然后在栖息地转换模块中对其进行评价,栖息地转换模块在一年两次的基础上重新定义栖息地类型(空间单元格大小是 $1\ km^2$)。模块相互作用的细节以前已经有人描述过(Reyes 等,2000;White 等,1997)。

## 5.3.1　地图

美国鱼类和野生生物服务部门(USFWS)利用 1956 年和 1978 年的航空图片以及 1988 年的卫星图片做成了栖息地分类数字地图,并根据该地图掌握了土地损失和栖息地变化的模式与速率。采用多数决定原则(能占到 51% 的栖息地类型决定 $1km^2$ 的单元类型)把 $625\ m^2$ 的栖息地图聚合成 $1\ km^2$,作为景观模型的空间校准数据集。在聚合的过程中,图被重新分类,从 14 种土地分类减少到 4 种湿地(沼泽、淡水沼泽、微盐沼泽和盐沼泽)(swamp、fresh marshes、brackish marshes、salt marshes)、开阔水域和被开发的土地等 6 种土地分类。两个盆地的植物群落都反映了高程、盐度和土壤类型的梯度变化。盐沼泽以 Spartina alterniflora 为特征,微盐沼泽以 Spartina patens 为特征,淡水沼泽以 Panicum hemitomon 为特征,沼泽以 Taxodium distichium 为特征(Chabreck,1972;Conner 等,1987;Tiner,1993;Visser 等,1996)。

## 5.3.2　拟合分析

使用一个多分辨率的拟合参数($F_t$)评价了模拟图和 USFWS 聚合栖息地图的匹配情况(Costanza,1989)。这个多分辨率拟合参数的变化范围是从 0(不匹配)～100(完全匹配)。以前对于路易斯安那州南部的栖息地模拟研究也使用了这种方法进行同样的分析(Sklar 和 Costanza,1991)。另一方面,为了评价土地相对于 USFWS 1988 年的基础地图发生了多少变化,设计了一个全面的土地变化指标($OLC$),它是用最后的土地总数除以 1988 年的土地总数得到的百分比。

# 5.4　模型校准和验证

BTELSS 模型校准包括连续的两步:首先,匹配每个盆地的土地－水比率;其次,匹配栖息地分布。基本原理是先纠正模型的时间部分(土地可持续性,例如相似的土地－水比率),然后校正空间部分(栖息地类型的均衡性,例如栖息地分布)。

## 5.4.1　校准

为了匹配每个盆地的土地－水比率,通过控制盆地范围的参数,从 1978~1988 年反复运行了 BTELSS 模型,同时针对对于模型输出具有最重要作用的参数进行了敏感性分析。采用的盆地范围的参数包括观测到的海平面上升(SLR)、曼宁系数和初始海拔。

BTELSS 模型被设计为能够模拟水文动态和生态过程,以提供主要的栖息地变化模式。模拟目标是匹配 1988 年的景观模式,因此所有的土地损失过程都应该暗含在模型中。由于土地损失的复杂性,在校准中使用了 USFWS 1978 年和 1988 年的图与实际的土地损失率,使用这些图是因为它们反映了景观受到的所有影响。BTELSS 模型融合了大尺度的因素(盐度、相对 SLR 和沉积物迁移)以及它们的区域效应。

空间校准使用多分辨率拟合参数对比了 1978~1988 年的模型运行产生的 1988 年的栖息地图与 USFWS 1988 年的图(Costanza,1989)。在改变初始参数(比如初始植物生物量、耐盐性)的情况下反复运行模型,直到两个盆地的全面拟合参数都改善到 85 以上。

1978~1988 年的基础情形校准模拟产生的 Barataria 盆地的拟合参数是 89.3,Terrebonne 盆地的拟合参数是 85.08(分别见图 5-2 和 5-3)。两个盆地的总湿地和水面积也是一致的(Barataria 的 $F_t = 96$,Terrebonne 的 $F_t = 94$)。表 5-1 展示的是不同运行(校准、验证和未来情景试验)结果的拟合参数和栖息地面积,下文将讨论这些问题。

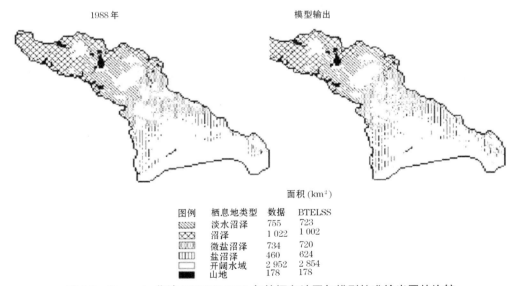

图 5-2　Barataria 盆地 USFWS 1988 年的栖息地图与模型校准输出图的比较

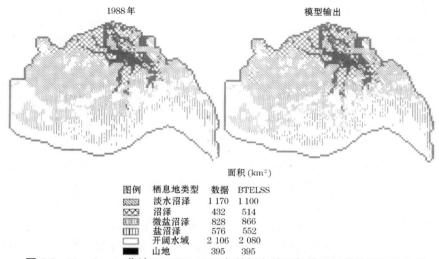

面积（km²）

| 图例 | 栖息地类型 | 数据 | BTELSS |
|---|---|---|---|
| | 淡水沼泽 | 1 170 | 1 100 |
| | 沼泽 | 432 | 514 |
| | 微盐沼泽 | 828 | 866 |
| | 盐沼泽 | 576 | 552 |
| | 开阔水域 | 2 106 | 2 080 |
| | 山地 | 395 | 395 |

图 5-3　Terrebonne 盆地 USFWS 1988 年的栖息地图与模型校准输出图的比较

表 5-1　盆地运行情景结果总结

| 情景名 | 最终栖息地面积（km²） | | | | | |
|---|---|---|---|---|---|---|
| | 淡水沼泽 | 沼泽 | 微盐沼泽 | 盐沼泽 | 开阔水域 | 校准拟合 |
| Barataria 盆地 USFWS 图值 | 755 | 1 022 | 734 | 460 | 2 952 | |
| 正常状况（1988～2018） | 396 | 1 017 | 236 | 217 | 4 057 | |
| 平均海湾和平均河流（1988～2018） | 663 | 1 022 | 520 | 312 | 3 387 | 88.07 |
| 增加海平面上升（0.4 cm/a） | 240 | 1 014 | 150 | 200 | 4 319 | 94.77 |
| 河流改道 | 503 | 1 018 | 248 | 210 | 3 944 | 80.94 |
| 大堤修建 | 286 | 1 014 | 226 | 252 | 4 145 | 96.93 |
| Terrebonne 盆地 USFWS 图值 | 1 170 | 432 | 828 | 576 | 2 106 | |
| 正常条件（1988～2018） | 510 | 428 | 499 | 365 | 3 310 | |
| 平均海湾和平均河流（1988～2018） | 737 | 426 | 600 | 360 | 2 969 | 95.93 |
| 增加海平面上升（0.4 cm/a） | 382 | 426 | 394 | 362 | 3 548 | 97.49 |
| 水文保持 | 552 | 429 | 466 | 365 | 3 300 | 97.63 |

注：依据 2018 年正常状况栖息地计算的 2018 年情景的拟合值。

## 5.4.2　验证

为了验证 BTELSS 模型的有效性，模型的所有参数都设置为 1978～1988 年（基础情形）的值，以 1956～1987 年为模拟期限进行了模拟运行。每年输出一次模型预测的 1956～1990 年的开阔水域面积。计算得到这些值的一阶导数（用 km²/a 表示的土地损失)用来阐明土地损失率的变化(见图 5-4)。

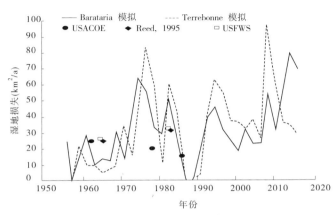

**图 5-4　模拟输出的 Barataria 和 Terrebonne 盆地历史上的年度土地损失**

图中的单点对应文献中的值

模型预测了 1956～1987 年间的年度土地损失波动,Barataria 是从 0～65 km²,Terrebonne 是从 0～85 km²,与其他报告(Gagliano 等,1981)中的 73 km²/a 差不多。两个盆地具有相似的土地损失模式。初始时期适度的损失峰值发生在 20 世纪 60 年代早期,为 10～30 km²,在 60 年代晚期减少到 5～10 km²。在整个 70 年代,两个盆地的土地损失量都是上升的,达到了观测到的最大值。80 年代又开始下降,到 1990 年几乎降为 0。土地损失校准信息可以通过用模型逼近的区间估计得到。1956、1978 年和 1990 年的 USFWS 数据产生了两个区间。美国陆军工程师兵团(UASCOE)报告的 1931～1990 年的区间估计值是 20、22 km²/a(Dunbar 等,1992)。BTELSS 模型的区间数值在这两个估计集合的范围之内(见表 5-2)。

**表 5-2　Barataria 和 Terrebonne 盆地预测的 1988～2018 年间土地损失率**

(单位:km²/a)

| 情景名 | Barataria | Terrebonne |
| --- | --- | --- |
| 历史模拟 | | |
| 校准运行(1978～1988 年) | 27.11 | 33.89 |
| 验证运行(1956～1978 年) | 25.50 | 26.73 |
| 天气预测(1988～2018 年) | | |
| 正常状况 | 36.83 | 40.13 |
| 平均海湾和河流 | 15.33 | 31.83 |
| 增加的海平面上升(0.4 cm/a) | 45.57 | 48.07 |
| 管理替代(1988～2018 年) | | |
| 河流改道 | 33.07 | |
| 修建大堤 | 39.77 | |
| 水文保持 | | 39.80 |

## 5.5 未来情景

在校准和验证模型之后,利用对于未来 30 年的模拟(1988~2018 年)分析了两个盆地受到的不同气候情景的影响。在过去的几年里研究者非常重视理解全球变化和墨西哥湾 SLR 的效应。现在已有几个关于密西西比河排泄(Miller 和 Russell,1992)和路易斯安那海岸水(Justic 等,1996)的模拟,但是没有关于密西西比三角洲湿地的模拟。BTELSS 模型允许分别处理长期的 SLR 和平均水位的年际变化,作为驱动栖息地变化的潜在因素。所有的未来模拟,除了一个相对 SLR 是 0.18 cm/a 外,其他的都高于墨西哥湾的平均海平面条件。这个值处于政府间气候变化专门委员会(IPCC)估计值范围的中间(Gornitz,1995)。

三种气候情景考虑了历史记录的变化,包括:①气候时间序列的重复;②墨西哥湾海平面的年度平均值和密西西比河的年度平均排泄状况;③相对海平面上升率(0.4 cm/a)加倍。表 5-1 列出了所有这些未来情景的结果。第一个情景是正常状况(NC),模拟了现在趋势的延续。随后的模拟都将与这个 NC 情景作对比。模拟的首要目标是理解气候怎样影响景观栖息地的分布,并确定 Barataria 和 Terrebonne 湿地栖息地对于多样的气候条件的适应能力,这里气候条件代表的是潜在的全球变化条件。第二个目标是评价关于土地损失和栖息地动态的潜在管理选择所产生的结果。

## 5.5.1 正常状况

正常状况情景包括的是一个针对各个盆地 30 年(1988~2018 年)的模拟。为了进行未来模拟,定义了理论的时间序列和边界条件。气候本质上是趋向于循环的(Latif 和 Barnett,1994;Thomson,1995),而气候模式随时间是趋向于自相关的。相比 1956 年,1988 年与 1987 年的气候条件更加相似(1956 年和 1987 年的气候条件是数据集中的两个末端成员)。为了模拟未来的状况,在运行原始的时间序列时采用相反的顺序;也就是说,作用力函数和边界条件是 1955~1992 年的实际数据但是顺序是反的,当模拟 1993 年的情景时,利用的是从 1991 年开始的数据,当模拟 1994 年的情景时,利用的是从 1990 年开始的数据,以此类推。

最终的栖息地图显示了预测的沼泽退化程度。Barataria 有 1 105 km$^2$ 的沼泽转化为开阔水域(见图 5-5),水/土地比率从 1988 年的 0.99 变化为 2.17。表 5-1 列出了每种栖息地的最终面积。微盐沼泽减少的最多(498 km$^2$),而沼泽仅损失了 5%。湿地损失最大的地方是在盆地中游和下游,因为它们已经转化为开阔水域,而盆地上游占优势的沼泽栖息地相对几乎没有发生变化。这种损失模式可部分地归因于初始海拔、盐度与盆地上下游之间水位的差异。

在 30 年的模拟期限内,Terrebonne 有 1 204 km$^2$ 的土地转化为开阔水域,最终水/土地比率从 0.70 变化为 2018 年的 1.84。最显著的特征是盆地西北部损失了大面积的淡水沼泽以及东南部微盐沼泽和盐沼泽的破碎化(见图 5-6)。与 Barataria 形成对比的是,

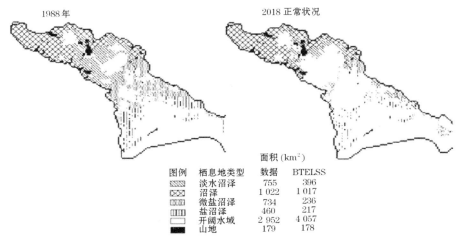

图 5-5 Barataria 盆地 USFWS 1988 年的栖息地图与正常状况下模型模拟输出图的比较

淡水沼泽栖息地遭受了最大的损失（660 km²），这在很大程度上与盆地西北部大面积转化为开阔水域有关。

表 5-2 中列出了这种情景下两个盆地土地损失率的模型预测结果。模拟的比率低于 20 世纪 90 年代预测的 102 km²/a（Dunbar 等，1992；Gagliano 等，1981；Reed，1995）。

利用 NC 情景建立基准条件之后，为了探究模型对不同气候情景模式响应的包络面，在几种气候条件下运行了模型。为了评价作用力函数变化对于栖息地分布的影响，使用拟合优度指标将运行结果与 NC 情景下 2018 年的栖息地图进行了对比。这个指标揭示了结果图与原始预测的偏离程度。

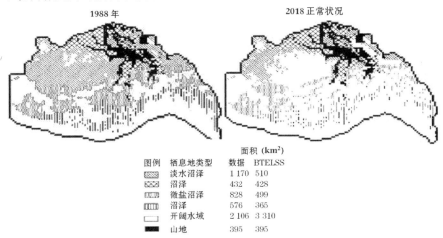

图 5-6 Terrebonne 盆地 USFWS 1988 年的栖息地图与正常状况下模型模拟输出图的比较

## 5.5.2 平均状况

分析 1956～1988 年的气候记录发现，1986 年具有墨西哥湾海平面的平均值和密西

西比河排泄的平均值。利用 1986 年的这些值作为气候条件的唯一来源,通过重复运行
30 年里每一年的模拟,试图度量极端和平均状况下的全面效应(也就是扰动的持续和长
期效应)。并且,以此检验了模型的稳定性和植物群落忍受长期效应的能力。

　　两个盆地的平均河流排泄和平均海平面效应是不同的。利用 OLC,Barataria 盆地具
有最高的变化百分比(34.6%),而 Terrebonne 盆地与 NC 情景只有 13.2%的差异。这些
数字反映了稳定的年际状况下被保护的土地百分比。开阔水域的数量是最小的(见表 5-1),
甚至低于 NC 情景。

　　为了在空间背景下度量两个作用力函数(墨西哥湾的平均海平面与平均河流排泄)的
影响,对最终的土地/水和栖息地图(见图 5-7(a)和图 5-8(a))采用了多分辨率拟合指标分
析。由于 2018 年的情景图应该偏离 NC 图,因此预期的 $F_t$ 指标较低。表 5-1 中列出了
最终的土地单元格数量和拟合指标。平均的海湾和河流排泄指标在所有的气候变化模拟
中是最高的(或者近似最高)。这表明平均海平面和河流排泄的典型条件并没有降低土地
损失速度的趋势。

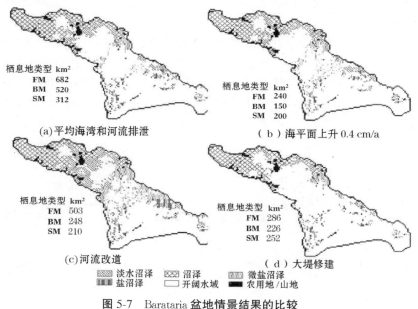

图 5-7　Barataria 盆地情景结果的比较

图中栖息地面积的表示如下:淡水沼泽(FM),微盐沼泽(BM),盐沼泽(SM)

### 5.5.3　海平面上升加快

　　海岸地带的未来情景必须考虑 SLR 加快的可能性。前面的情景中采用的 SLR 速度
是 Gornitz 和他的同事(1982)报告的平均值(0.18 cm/a)。SLR 速度加快未必就会导致土
地损失的线性增加。现在的情景考虑的 SLR 速度是 0.4 cm/a,这个值位于几个作者
(Emery 和 Aubrey,1991;Gornitz;1995;Hoffman,1984)计算的数值范围之内,并且代表了
IPCC 估计的"最佳猜测"速度(Gornitz,1995)。

SLR 速度加快导致了广泛的陆地栖息地损失(见表 5-1)。与 NC 情景相比,Barataria 和 Terrebonne 的盐沼泽相应地只减少了 17 km² 和 3 km²。然而,淡水沼泽和微盐沼泽损失了 NC 情景中保留面积的 30%～50%。这不仅揭示了海水侵入盆地的有害效应,还揭示了土地损失过程中的非线性特征(见图 5-7(b)和图 5-8(b))。

当与 1988 年的栖息地图对比时,开阔水域的增加显得更显著。Barataria 的开阔水域增加了 1 367 km²,即增加了 48%。Terrebonne 的开阔水域增加的更多,增幅达到了 68%(1 442 km²)。这证明各盆地对于相似作用力函数的响应是不同的。

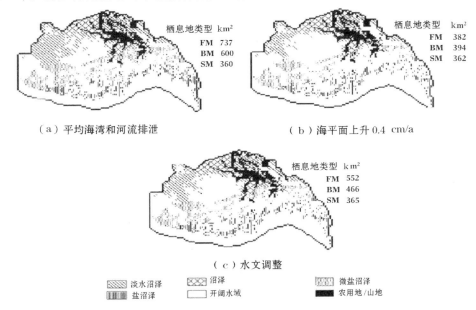

（a）平均海湾和河流排泄　　　　　　　（b）海平面上升 0.4 cm/a

（c）水文调整

图 5-8　Terrebonne 盆地情景结果的比较

图中栖息地面积的表示如下:淡水沼泽(FM),微盐沼泽(BM),盐沼泽(SM)

## 5.5.4　未来的管理选择

密西西比三角洲典型的管理计划包括控制水流以及相关沉积物的迁移。进入盆地的淡水可能会增加沉积物和营养物的运移量,并且把盐分梯度向墨西哥湾方向推进。密西西比河与 Atchafalaya 河以及其他水路的改道是盆地水量增加的主要原因(Gagliano,1989)。在试图控制水位和盐度、减少暴风雨(飓风)能量与管理野生动物群时,可能会限制淡水和盐水流。为了达到这些目的需要利用防洪堤、拦河坝、水闸、防洪闸和抽水机等结构与手段。防洪堤作为区域管理计划的一部分,曾经被提议为阻止大规模潮水入侵的"防线"(Boesch 等,1994)。通过影响海岸系统的水文条件,这类管理选择具有跨越时空的潜在普遍效应(Sklar 和 Browder,1998)。

在 BTELSS 模型中可以实现水的输入,以此模拟每个盆地不同的管理选择。因此,BTELSS 模型被用来评价提议的管理计划对于土地损失率渐增的区域影响,并检验这些管理决策造成的栖息地变化。

### 5.5.4.1　河流改道:Barataria 盆地

有人建议把密西西比河的水转调到 Barataria 盆地的北部边界(见图 5-7(c)),通过减少盐度、增加沉积物和营养物来阻止土地损失。从 12 月～次年 3 月,建议的径流量是 283 m³/s,其他月份减少到 28.3 m³/s。按照建议的时间表,将增加的河水调度到对应的 100 km² 的水文单元格中,然后对这种情景进行了模拟。所有的模拟中,都对 1988 年施加了结构和水力学的调整,从而允许每个计划都能反映出 30 年的潜在效应。

和 NC 情景相比,模拟的 30 年中因引入淡水和沉积物使得土地损失减少了 113 km²(见表 5-1)。集中在 Salvador 湖北部和西部的淡水沼泽的保存(见图 5-7(c)),是造成这种差异的主要原因,因为淡水沼泽的损失从 NC 中的 359 km² 降到了 252 km²。其他栖息地的数量变化类似于 NC 产生的那些变化。遍及盆地的那些深远的、有时是负面的影响说明,虽然一个计划的主要影响可能集中于一个地区,但是次要的影响可能会分布很广泛并且会部分地抵消集中的影响。对比 NC 情景和本情景的结果(见图 5-5),可以发现高度分散的次要影响在两个景观中到处都有。

### 5.5.4.2　构筑防洪堤:Barataria 盆地

从东到西越过整个 Barataria 盆地的连续的低障碍防洪堤被提议用来限制盐度的增加,并阻止潮汐对大堤北部沼泽的影响。防洪堤的中部还可以为盆地上游和下游之间的航行和水流提供一个通道。模型的实现包括在对应大堤位置的一组线性单元中增加曼宁系数,以此模拟情景中建议的水文调整。迭代测验表明这些系数乘以 9.0 能够最好地模拟防洪堤的效应。

这个情景以淡水沼泽和盐沼泽的损失为代价增加了开阔水域的面积。和 NC 相比,淡水沼泽损失增加了 110 km²,微盐沼泽损失增加了 10 km²,而开阔水域增加了 88 km²(见表 5-1)。为了保存 35 km² 的盐沼泽减少了开阔水域面积的增加量。和 NC 相比,Salvador 湖北部和西部的淡水沼泽损失最大(见图 5-7(d))。在 100 km² 的单元格中用 1.0 km² 的单元格增加的曼宁系数来表示防洪堤,模拟结果与 NC 相比这些单元格的土地损失更集中(见图 5-5)。

### 5.5.4.3　水文保持:Terrebonne 西部

这个计划的目的是把淡水引入盆地中部,并增加淡水在盆地西北部的保持时间。所做的调整包括恢复天然水文障碍和支流网络来将水引到盆地内部。通过增加 4 个 100 km² 的水文动态单元中的曼宁系数(乘以 3.0)来对这种状况进行了模拟。调整系数是通过稍微增加该系数的值来运行模型并对比四个单元格中的水速确定的。这种模拟方法增加了水在所期望地区的停留时间,迫使更多的水流入 Terrebonne 西部的沼泽。由于淡水被迫通过盆地排泄到墨西哥湾,因此减小了所在区域的盐分含量。

这种情景影响了景观调整地区及邻近地区的栖息地分布。与 NC 相比(见图 5-6),30 年后将出现多于 42 km² 的淡水沼泽和略少于 33 km² 的微盐沼泽,水/土地比率将从 1.51 下降到 1.50(见表 5-1)。这应该归因于盆地西部盐分的淡化和随之发生的微盐沼泽向淡水沼泽的转换(见图 5-8(c))。

# 5.6　讨论

景观模型是为数不多的、能够在空间和时间上预测复杂的相互作用效应、全球变化的累积和长期效应的工具之一。通常不能简单地外推植被对多重影响的响应。而且这些响应的历史趋势不一定符合未来的条件(Dale 和 Rauscher,1994),这主要是由海平面上升加快、全球变暖以及植物集合成分的变化引起的(Dale 和 Rauscher,1994)。因此需要一个过程基础的、空间显式的模型来处理未来情景的这种内在复杂性(Ruth 和 Pieper,1994)。

本章的一个主要目的是评价 BTELSS 模型预测不同气候模式下景观响应的有效性。BTELSS 模型被设计为由主要的区域海岸过程驱动并对此做出响应(Baumann 和 Turner,1990;Reed,1995;Turner,1997;Wells,1996)。模型没有模拟小于 1 km² 的尺度上能够产生局部变化的水文动态、土壤和植物过程。通过在校准方法中隐含地包含这些因素弥补了局部效应的发生。增加栖息地对气候效应的响应以及使用区域作用力函数的结果是,产生的栖息地预测图类似于每个盆地中 1988 年实际的海岸栖息地分布(见图 5-2 和图 5-3)。Barataria 和 Terrebonne 相应的 $F_t$ 指标分别是 85 和 89,它们指示了匹配的效果(见表 5-1)。

验证运行进一步测验了湿地栖息地对于区域因素效应的响应,比如地面下陷和盐分侵入。运行得到的 $F_t$ 和完美情形($F_t = 100$)之间的差异(见表 5-1)表明了栖息地响应算法对于局部效应的不确定程度。30 年的模拟得到的结果与 USFWS 1988 年的图之间存在 30% 的差异。模拟图和景观图像之间的差异程度大约是每 10 年 10 个百分点。因为这种差异仅由区域效应引起,所以这 10 个百分点的差异最有可能归因于局部效应,比如渠道挖掘、沼泽围坝和其他引起栖息地变化的因素。

## 5.6.1　未来的海平面上升情景

气候试验检验了两个盆地的气候效应(见图 5-7(a)、(b)与图 5-8(a)、(b))。与 NC 情景相比,最小的影响(即平均的海湾 – 河流排泄情景)导致了较少的土地损失和较大的湿地分布差异。由于气候条件发挥了更大的影响作用(即 SLR 加快的情景),因此土地损失量增加了(见表 5-2)。除了平均海湾 – 河流排泄情景之外,预测的结果都是 30～40 km²/a,平均海湾 – 河流排泄情景产生的值几乎小了一半。两个盆地拟合指标变化的对比(见表 5-1)表明 Barataria 盆地(值的变化范围更大)比 Terrenonne 盆地更易遭受栖息地变化的影响,对气候和河流排泄效应的弹性也更大。平均的密西西比河排泄和海平面条件下计算的拟合指标值最低,这是在正常的气候变化范围内维持状况的结果。这些结果和 NC 情景一起(见图 5-5 和图 5-6)表明年际变化是影响沼泽稳定性的最主要原因。单靠冲积层、植物生产力和沉积物输入不能弥补海平面上升的加快(每年增加 10 cm,Penland 和 Ramsey,1990)、气候条件的急剧变化(飓风和冬季的暴风雪)和自然演替(Baumann 等,1986;Cahoon,1994;Coleman,1988;Dale 和 Rauscher,1994;Day 和 Templet,1989;Nyman 等,1990;Wells,1996)带来的效应。

## 5.6.2　连续的土地损失

由于处于三角洲循环的退化阶段,并位于全新世地层中(Roberts 等,1994),Barataria 和 Terrebonne 盆地具有密西西比三角洲相对 SLR 的最大比率(Penland 和 Ramsey,1990),使得其中的沼泽地特别容易被淹没。NC 的结果以及管理情景都不同程度地显示这些盆地的土地损失将继续,并且不管怎样选择管理计划,管理都只能降低损失速度。与 NC 相比,30 年里河流改道引起的最大土地损失量是 113 km$^2$(见表 5-1)。与 30 年里(NC)每个盆地的损失都超过 1 100 km$^2$ 相比,管理计划显然能够最大程度地减少土地损失比率。相对的 SLR,包括土地下陷和海平面上升(Cahoon 等,1995),将对未来的土地损失负主要责任(见图 5-7(b)和图 5-8(b))。在过去的半个世纪里,人为因素比如渠道挖掘、废弃物的堆放、围坝和防洪堤的修建已经说明了土地损失的大部分原因(Deegan 等,1984;Turner,1997)。然而,这些时期以及过去的 10 000 年里,在三角洲盆地的破坏阶段,相对 SLR 在土地转化为开阔水域方面扮演了主要角色(Coleman 等,1998),并且将来还会如此,就像 SLR 情景中展示的 0.4 cm/a 那样。

## 5.6.3　未来管理情景的评价

评价的三个方案中,土地损失方面最大的收获是由 Barataria 的河流改道提供的(见表 5-2)。如果充分供应的河流沉积物能够分布于沼泽表面,经历下陷的三角洲和 ESLR 的沼泽可能会保持相对的海拔高度(Day 和 Templet,1989;Reed 等,1997)。运送的矿物质和营养物可以促进有机物的生产,并通过根生物量的死亡和生产与河流沉积物一起增加海拔(Delaune 等,1983)。海拔增加会形成一个正的反馈环,减少每日的泛滥,从而使植被维持较高的生产力(Cahoon 等,1995;Cahoon 和 Turner,1989;Nyman 等 1990)。防洪堤的存在是密西西比三角洲的特征,它们减少了洪水漫堤和决口以及河流沉积物向三角洲沼泽的输入(Mossa,1996)。河流改道及其控制的通过大堤的水流和沉积物,是恢复三角洲自然循环过程的一种尝试。

大堤计划没有为沼泽提供抵消相对 SLR 的方法,因此在保护沼泽栖息地方面很难起作用。尽管这些计划成功地降低了研究区域北部的盐度,但是向开阔水域转化的主要驱动因素是这些地区的相对 SLR(Roberts,1997)。与河流改道相比,这些管理选择都有损三角洲的自然功能。这些选择不是促进沼泽和沉积物之间的联系,而是试图隔离沼泽区域并阻止沉积物从北向南传送。线性结构的抬升对内陆沼泽的有害效应已经在比这些计划更小的尺度上得到了很好的阐述(Bass 和 Turner,1997;Cahoon 和 Turner,1989;Swenson 和 Turner,1987)。

　　模拟过程中修建的大堤增加了沼泽栖息地向开阔水域的转化，并显示出了所用方法的局限性。模拟结果显示，尽管达到了减少盐度和潮汐能的目的，但是每日泛滥的相关变化增加了水/土地比率。两种情况中，跨过这些线性障碍时消除的水流减少了大堤北部的盐度，但是增加了北部和南部的泛滥。大堤模拟中，栖息地转换发生在这些结构的邻近地区。因为大堤显著地改变了邻近地区的水文条件，导致栖息地发生变化，这是预料之中的事情。然而，相当数量的栖息地转换发生在曼宁系数增加的单元内部（见图 5-7(d)）。增加的曼宁系数减慢了受影响单元的水流运动，并且加剧了大堤相关地区的涝情。目前还不能区分修建大堤的真实景观动态造成的栖息地转换和曼宁系数增加导致的栖息地转换。

　　与 NC 相比，Terrebonne 盆地的水文保持也减少了土地损失（见表 5-1）。这个计划在保护 Terrebonne 盆地西北部的淡水沼泽栖息地方面是成功的（见图 5-8(c)）。这可以归因于盐度的减少以及沉积物增加导致的海拔上升。淡水沼泽的增加和微盐沼泽的损失之间的损益展示了模型在评价环境管理选项时消除空间和时间边界的能力。不像 Barataria 盆地的河流改道那样，进入 Terrebonne 的淡水和沉积物被储存下来，并且一个地区的沉积物增加会伴随盆地中其他地区的沉积物减少。随后，到达内部微盐沼泽的沉积物数量减少。评价管理计划时，沉积物的变化对微盐沼泽的影响展示了考虑盆地范围的影响和间接影响的重要性。

　　BTELSS 模型允许以不同的形式在盆地范围内对比不同的管理选择和气候情景效应。可以单独地看待每个栖息地类型的变化或者与其他计划中的栖息地类型变化作比较（见图 5-9）。以一种非空间的形式考察所有的栖息地类型能够确定哪个类型对于哪一种计划更敏感。组合最终的图，模型便于鉴定不同情景下的高风险区域。不能在隔离空间和时间的情况下、在立即受影响的区域聚焦于短期效应来评价管理计划。正如这里所阐述的，空间模型是一种能够跨越时空评价管理计划的工具。

## 5.6.4　模型的局限性

　　曼宁系数增加的水文动态单元中真实的栖息地转换强调了通过考虑模型局限性和假设来解释结果的重要性。水文动态模块的尺度和曼宁系数的调整共同导致了关于大堤计划的一些不明确结论。因为大堤对于水流具有重要的影响，所以必须在水文动态部分包含大堤。

　　因为模型是针对恶化的三角洲盆地设计的，所以土地损失是要考虑的主要过程。开阔水域中沉积物的沉积可以形成土地从而典型地抬升三角洲盆地，目前的模型并没有考虑这方面的问题。模型只是模拟了土地单元的保护以及向其他栖息地的转换，包括开阔水域。尽管维持现存的沼泽比建立新的沼泽栖息地更加重要、更加简单（Templet 和 Meyer – Arendt，1988），但是由于模型的这种局限性，我们保守地估计了河流改道减少三角洲土地损失的潜力。

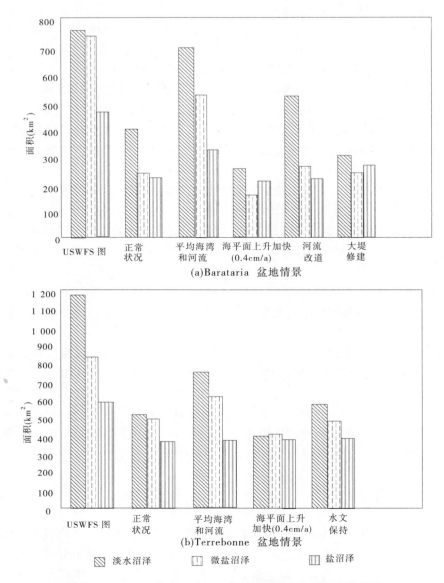

**图 5-9** Barataria 和 Terrebonne 盆地挑选的栖息地面积柱状图

# 5.7 结论

在时间和空间上综合考虑了水文动态和生物过程的区域模型被用于两个盆地。对于每个盆地进行的 10 年期限的校准运行表明,模拟的过程能够解释 1978～1988 年间栖息地分布变化的 85%。使用 1955～1990 年的数据验证 BTELSS 模型,模拟产生的土地损失比率与这一时期的历史趋势是相匹配的(栖息地的 $F_t = 75$)。

最重要的是,尽管没有包括小尺度的过程和特征,但是模型具有合理的区域一致性。

模型主要受区域过程的驱动,如下陷、沉积作用、有机土壤形成和海平面上升等。这些过程可以使土地和水面的相对位置随时间相互作用地演替。

BTELSS 模型预测了与作用力函数的变化程度并没有明显关系(比如,海湾与河流的平均排泄)的不同土地损失比率,并且预测的不同盆地的土地损失比率也不同。一个原因是每个盆地的栖息地分布和湿地区域历史上的海拔都不一样(Adams 等,1976;Adams 和 Baumann,1980;Dunbar 等,1992;Gagliano 等,1981;Wells,1996)。每个盆地的海拔下降到一定程度,植物就会对一段时期的平均高水位带来的压力比较脆弱(Reed 等,1997;Salinas 等,1986;Turner,1997;Turner 和 Rao,1990)。如果模型捕获了引起土地损失的驱动力,那么它就能独立于用于校准的时间间隔来模拟未来。

模型成功地模拟了 Barataria 盆地的河流改道计划和 Terrebonne 盆地内的水文保持状况。河流改道增加了盆地内的土地海拔,保护大面积的(113 km²)沼泽没有转换成开阔水域。在试图恢复三角洲的自然功能时,河流改道可以作为一种可行选择来减慢被遗弃的三角洲盆地的土地损失率。Terrebonne 的水文保持减少了盐度,增加了研究地区的海拔,适度减少了土地损失。微盐沼泽向开阔水域的转换证实了模型可以跨越空间和时间边界鉴别管理计划的影响。大堤计划的模拟阐明了模型的局限性并产生了不确定的结果。水文动态模块粗糙的空间分辨率没有完全地描绘出这些景观特征。因此,对于曼宁系数增加的水文动态单元内部的栖息地转换,不能区别究竟是实际的景观动态还是模拟方法实现的景观动态造成的。在 100 km² 的水文动态单元中通过增加曼宁系数模拟盆地中的线性大堤是一种尚有疑问的方法(Kadlec,1990)。

不作调整地模拟每个盆地,如正常状况(NC),得到的结果展示了连续的土地损失,30 年里每个盆地的土地损失都超过了 1 100 km²。这不仅证实了相对海平面上升在被遗弃的三角洲圆形突出部分中所占的主导作用,还证实了不管选择什么管理计划都只能减缓这些地区的土地损失率。因此,具有最大潜力的计划必须直接阻止海拔的损失,比如河流改道。

本研究的结果证明了在空间和时间上连接生态与物理过程的模型的价值,并证实了空间景观模型在预测环境系统对人类活动响应方面的效用。模型的机械和空间属性允许研究任何地方发生的区域过程的起因和效应。使用这类包括了不同模块之间反馈作用的机械模型可能只能揭示长期的效应。模型在整个模拟时期内保存了每种情景的假设和影响。这是使用这种方法代替当前趋势的外推(基于统计或专家经验)来评价自然过程的优点之一。

**致谢:**本研究由 Barataria - Terrebonne 国家河口项目(BTNEP)通过路易斯安那环境质量部提供基金支持。作者感谢 BTNEP 科学和技术委员会成员在评审项目早期成果方面提供的帮助。同时感谢 Phillip Atkinson、Hassan Mashriqui 和 James Hyfield 长时间的协作和对项目最终成果的加工处理。

# 参 考 文 献

［1］Adams R D,Baumann R H .1980. Land Building in Coastal Louisiana:Emergence of the Atchafalaya Bay Delta. Louisiana State University. Baton Rouge, LA.

［2］Adams R D, Barrett B B, Blackmon J H, et al. 1976. Barataria Basin: Geologic Processes and Framework (Sea Grant Publication No. LSU－T－76－006.). Louisiana State University Center for Wetland Resources. Baton Rouge, LA

［3］Bass A S, Turner R E.1997. Relationships between salt marsh loss and dredged canals in three south Louisiana estuaries. Journal of Coastal Research, 13(3): 895~903

［4］Baumann R H,Turner R E.1990. Direct impacts of outer continental shelf activities on wetland loss in the central Gulf of Mexico. Environmental, Geological and Water Resources, 15: 189~198

［5］Baumann R H,Day J W , Miller C A. 1986. Mississippi Deltaic Wetland Survival: Sedimentation Versus Coastal Submergence. Science: 224: 1093~1095

［6］Boesch D F,Josselyn M N , MehtaA J,etal. Scientific assessment of coastal wetland loss, restoration and management in Louisiana. Journal of Coastal Research(20, Special Issue): 103

［7］Boumans R M J, Day J W. 1993. Effects of two Louisiana marsh management plans on water and material flux and short－term sedimentation. Wetlands, 14(4): 247~261

［8］Cahoon D R. 1994. Recent accretion in two managedmarsh impoundments in coastal Louisiana. Ecological Applications, 4: 166~176

［9］Cahoon, D. R, Turner R E . 1989. Accretion and canal impacts in a rapidly subsiding wetland. II. Feldspar marker horizon technique. Estuaries, 12: 260~268

［10］Cahoon D R, Reed D J, Day J W. 1995. Estimating Shallow Subsidence in Microtidal Salt Marshes of the Southeastern United States: Kaye and Barghoorn Revisited. Marine Geology, 128: 1~9

［11］Chabreck R H. 1972. Vegetation, water and soil characterisitics of the Louisiana coastal region. Louisiana Agricltural Experiment Station Bulletin No. 664. Baton Rouge, LA

［12］Chabreck R H, Condrey R E . 1979. Common vascular plants of the Louisiana marsh. Louisiana Sea Grant College Program. Baton Rouge, LA

［13］Chmura G L,Costanza R ,Kosters E C.1992. Modelling coastal marsh stability in response to sea level rise: a case study in coatal Louisiana, USA. Ecological Modelling, 64: 47~64

［14］Coleman J M. 1988. Dynamic changes and processes in the Mississippi River delta. Geological Society of America Bulletin, 100: 999~1015

［15］Coleman J M,Roberts H H,Stone G W. 1998. Mississippi River delta: An overview. Journal of Coastal Research, 14: 698~716

［16］Conner W H, Day J W, Gosselink J. G, et al. 1987. Vegetation: composition and production. In The Ecology of Barataria Basin, Louisiana: An estuarine profile. Conner, W.H. and J.W. Day, Eds. Biological Report 85, US F&WS, Washington, D.C. pp.31~47

［17］Costanza R. 1989. Model Goodness of Fit: a multiple resolution procedure. Ecological Modelling, 47: 199~215

［18］Costanza R,Sklar F H , White M L. 1990. Modeling Coastal Landscape Dynamics. BioScience, 40 (2): 91~107

[19] Dale V H, Rauscher H M. 1994. Assessing impacts of climate change on forests: The state of biological modeling. Climatic Change, 28: 65~90

[20] Day J W, Templet P H. 1989. Consequences of Sea Level Rise: implications from the Mississippi Delta. Coastal Management, 17: 241~257

[21] Day J W, Martin J F, Cardoch L C, et al. 1997. System functioning as a basis for sustainable management of deltaic ecosystems. Coastal Management, 25: 115~153

[22] Deegan L A, Thompson B A. 1985. The ecology of fish communities in the Mississippi river deltaic plain. In Community Ecology in Estuaries and Coastal Lagoons: Towards an Ecosystem Integration. Ya? ez–Arancibia, A. Ed., UNAM Press: Mexico City, Mexico. 35~56

[23] Deegan L A, Kennedy H M, Neill C. 1984. Natural factors and human modifications contributing to marsh loss in Louisiana's Mississippi River deltaic plain. Environmental Management, 8: 519~528

[24] Delaune R D, Baumann R H, Gosselink J G. 1983. Relationshipsamong vertical accretion, coastal submergence, and erosion in a Louisiana Gulf Coast marsh. Journal of Sedimentary Petrology, 53: 147~157

[25] Dunbar J B, Britsch L D, Kemp E B I. 1992. Land Loss Rates; Report 3, Louisiana Coastal Plain (No. GL–90–2). U.S. Army Corps of Engineers: New Orleans, LA

[26] Emery K O, Aubrey D G. 1991. Sea levels, land levels and tide gauges. Springer–Verlag. New York, NY

[27] Fitz C H, Costanza R, DeBellevue E, et al. 1996. Development of a general ecosystem model for a range of scales and ecosystems. Ecological Modelling, 88: 263~295

[28] Gagliano S M. 1989. Controlled diversions in the Mississippi River Deltaic Plain. In Proceedings of the international symposium of wetlands and river corridor management, July 5~9, 1989. J. A. Kusler and S. Daly Eds. Associaton of Wetland Managers. Charleston, SC. pp.257~268

[29] Gagliano S M, Meyer–Arendt, K J, Wicker K M. 1981. Land loss in the Mississippi River deltaic plain. Transactions of the Gulf Coast Association of the Geological Societies, 31: 295~300

[30] Gornitz V. 1995. Sea–level rise: a review of recent past and near–future trends. Earth Surface Processes and Landforms, 20: 7~20

[31] Gornitz V, Lebedeff S, Hansen J. 1982. Global sea–level trend in the past century. Science, 215: 1611~1614

[32] Hatton R S, DeLaune R D, Patrick W H. 1983. Sedimentation, accretion, and subsidence in marshes of Barataria Basin, Louisiana. Limnology and Oceanography, 28: 494~502

[33] Hoffman J S. 1984. Estimates of Future Sea Level Rise. In Greenhouse Effect and Sea Level Rise: a challenge for this generation. Barth, M.C. and J.C. Titus, Eds. Van Nostrand Reinhold Co: New York, pp. 79~103

[34] Justic D, Rabalais N N, Turner R E. 1996. Effects of climate change on hypoxia in coastal waters: a doubled $CO_2$ scenario for the northern Gulf of Mexico. Limnology and Oceanography, 41(5): 992~1003

[35] Kadlec R H. 1990. Overland flow in wetlands: vegetation resistance. Journal of Hydraulic Engineering, 116: 691~706

[36] Latif M, Barnett T P. 1994. Causes of Decadal Climate Variability over the North Pacific and North America. Science, 266: 634~637

[37] Martin J F, Reddy K R. 1997. Interaction and Spatial Distribution of Wetlad Nitrogen Processes. Eco-

logical Modelling, 105: 1~21

[38] Martin J F, White M L, Reyes E, et al. 2000. Evaluation of coastal management plans with a spatial model: Mississippi Delta, Louisiana, USA. Environmental Management. 26(2): 117~129

[39] Mendelssohn I A, McKee K L, Patrick W H. 1981. Oxygen deficiency in Spartina alterniflora roots: metabolic adaptation to anoxia. Science, 214: 439~441

[40] Miller J R, Russell G L. 1992. The impact of global warming on river runoff. Journal of Geophysical Research, 97: 2757~2764

[41] Mossa J. 1996. Sediment dynamics in the lowermost Mississippi River. Engineering Geology, 45: 457~479

[42] Nyman J A, DeLaune R D, Patrick W H. 1990. Wetland soil formation in the rapidly subsiding Mississippi River deltaic plain: mineral and organic matter relationships. Estuarine, Coastal and Shelf Science, 30: 1~13

[43] Paille R. 1997. Lower Atchafalaya Basin Re-Evaluation Study: planning aid report on freshwater inflows to the Terrebonne Basin. U.S. Fish & Wildlife Service: Lafayette, LA

[44] Penland S, Ramsey K E. 1990. Relative sea-level rise in Louisiana and the Gulf of Mexico: 1908-1988. Journal of Coastal Research, 6(2): 323~342

[45] Penland S, Boyd R, Suter J R. 1988. Transgressive depositional systems of the Mississippi delta plain: a model for barrier shoreline and shelf sand development. Journal of Sedimentary Petrology, 58: 932~949

[46] Perret W S, Barret B B, Latapie W R. 1971. Cooperative Gulf ofMexico estuarine inventory and study. Louisiana, Phase 1, Area Description. Wildlife and Fisheries Commission: Baton Rouge, LA., pp. 31~175

[47] Reed D J. 1995. Status and Trends of Hydrologic Modification, Reduction in Sediment Availability, and Habitat Loss/Modification in the Barataria-Terrebonne Estuarine System. Barataria-Terrebonne National Estuary Program, Thibodaux, LA

[48] Reed D, de Luca N, Foote A L. 1997. Effect of hydrologic management onmarsh surface sedimentation deposition in coastal Louisiana. Estuaries, 20(2): 301~311

[49] Reyes E, White M L, Martin J F, et al. 2000. Landscape Modeling of Coastal Habitat Change in the Mississippi Delta. Ecology 81(8): 2331~2349

[50] Roberts H H. 1997. Dynamic changes of the Holocene Mississippi River delta plain: the delta cycle. Journal of Coastal Research, 13: 605~627

[51] Roberts H H, Bailey A, Kuecher G J. 1994. Subsidence in the Mississippi River Delta-Important Influences on Valley Filling by Cyclic Deposition, Primary Consolidation Phenomenon, and Early Diagenesis. Transactions of the Gulf Coast Association of Geological Societies, 44: 619~629

[52] Ruth M, Pieper F. 1994. Modeling spatial dynamics of sea-level rise in a coastal area. System Dynamics Review, 10: 375~389

[53] Salinas L M, DeLaune R D, Patrick Jr W H. 1986. Changes Occurring Along A Rapidly Submerging Coastal Area: Louisiana, USA. Journal of Coastal Research, 2(3): 269~284

[54] Scaife W W, Turner R E, Costanza R. 1983. Coastal Louisiana recent land loss and canal impacts. Environmental Management, 7(5): 433~442

[55] Sklar F H, Browder J A. 1998. Coastal Environmental Impacts Brought About by Alterations to Freshwater Flow in the Gulf of Mexico. Environmental Management, 22: 547~562

[56] Sklar F H, Costanza R. 1991. The Development of Dynamic Spatial Models for Landscape Ecology: a review and prognosis. In Quantitative Methods in Landscape Ecology. M. G. Turner and R. H. Gardner Eds. Springer-Verlag, New York, NY. pp. 239~288

[57] Swenson E M, Turner R E. 1987. Spoil Banks: effects on coastal marsh water-level regime. Estuarine, Coastal and Shelf Science, 24: 599~609

[58] Templet P H, Meyer-Arendt K J. 1988. Louisiana wetland loss: a regionalwater management approach to the problem. Environmental Management, 12: 181~192

[59] Thomson D J. 1995. The Seasons, Global Temperature, and Precession. Science, 268: 59~68

[60] Tiner R W. 1993. Field Guide to Coastal Wetland Plants of the Southeastern United States. The University of Massachusetts Press, Amherst, MA

[61] Turner R E. 1997. Wetland loss in the northern Gulf of Mexico: multiple working hypotheses. Estuaries, 20: 1~13

[62] Turner R E. Rao T S. 1990. Relationships between wetland fragmentation and recent hydrologic changes in a deltaic coast. Estuaries, 13(2): 272~281

[63] Visser J M, Sasser C E, Chabreck R H, et al. 1996. Marsh Vegetation-Types of Barataria and Terrebonne Estuaries. Barataria-Terrebonne National Estuary Program: Thibodaux, LA

[64] Warne A G, Stanley D J. 1993. Late Quaternary evolution of the northwest Nile Delta and adjacent coast in the Alexandria region, Egypt. Journal of Coastal Research, 9: 26~64

[65] Wells J T. 1996. Subsidence, sea-level rise, and wetland loss in the lower Mississippi river delta. In Sea-level Rise and Coastal Subsidence. Milliman, J.D. and B.U. Haq, Eds. Kluwer Academic Publishers: Amsterdam. pp.281~311

[66] Wells J T, Coleman J M. 1987. Wetland loss and the subdelta life cycle. Estuarine, Coastal and Shelf Science, 25: 111~125

[67] White M L, Martin J F, Reyes E et al. 1997. Landscape Simulation Model Upgrading: spatial-ecological modeling of the wetlands of Barataria-Terrebonne (BTNEP Final Report No. 31). Barataria-Terrebonne National Estuary Program, Thibodaux, LA

# 第 6 章　Everglades 景观模型的开发和应用 *

## 6.1　引言

　　佛罗里达州(USA)南部的 Everglades 地区目前是一个属于新热带区的河口、湿地和丘陵巨系统,该系统散布于农业和城市用地之中。20 世纪早期,人们曾尝试延长运河渠道来排干相对原始的 Everglades 发展农业。但在 1947 年大洪水后,开始实施了中南佛罗里达和南佛罗里达(C&SF)工程。在这个工程壮举中,美国陆军工程兵团(U.S. Army Corps of Engineers)建造了复杂的渠系网络、河堤和控水建筑物来改善区域洪水控制及水供应状况(Light 和 Dineen,1994)。最终,这些措施对水管理的目的来说是非常有效的,加强了该地区城市和农业部门的发展。在 20 世纪里,这样的土地利用方式显著增加,到 70 年代中期 Everglades"自然"系统的空间范围明显减少。直到现在,农业和城市仍然在继续发展,尤其是 Everglades 北部和走廊东部地带。C&SF 计划导致 Everglades 空间范围减少,同时使曾经连续的 Everglades 湿地变得破碎,形成了一系列大的蓄水区。

　　历史上,水从北部地区流入,并且主要以片流的形式通过该区域。这种水流机制已变为在抽水泵和堤堰等水控制点上的释放形式。管理水流的操作标准表明流入 Everglades 和 Everglades 内部分配水的时间与数量,会进一步改变 Everglades 的水文状况。由于农业和城市的发展,许多入流水量同时给原本贫营养的 Everglades 带来了高营养荷载。破碎的流域内,水流分布状况和时间的改变,与 Everglades 内增加的营养荷载一起改变了镶嵌式的栖息地环境。越来越多的公众与科学团体开始担心这个受国内和国际保护的景观的生态结构及功能会继续下降。20 世纪后期,要求修改 C&SF 计划的基础设施和运转来制止生态进一步退化的呼声越来越高,联邦和州机构(USACE 和 SFWMD,1998)开发了一个恢复 Everglades 的计划。经过几年的努力,大约提前两年开发了一个综合的 Everglades 恢复计划(CERP),它是一个 30 年的工程,用于解决南佛罗里达将来的生态问题——同时在 2050 年区域人口预期翻一番的情况下可以提高城市和农业的水供应。

　　在 Everglades,现存的管理基础设施把区域分割为一系列蓄水区或水保护区域(WCAs)。Everglades 国家公园位于 WCAs 南部,大柏树国家保护区(Big Cypress National Preserve)位于 WCAs 西部(见图 6-1)。农业用地只在 Everglades 北部占主导地位,而广大的城市用地在沿着 Everglades 的东部边界占支配地位。作为历史上 Everglades 北部沼泽边界的 Okeechobee 湖现在通过运河与沼泽连在一起。

　　农业管理实践使 Everglades 发生了人类活动引起的富营养化,在较小的程度上,城市径流也起作用。由于营养荷载对自然贫营养系统存在显著的负面影响,Everglades 北部

---

　　*　作者:Carl Fitz, Fred Sklar, T. waring, Alexey Voinov, Robert Costanza, Thomas Maxwell。

外围地区出现了一系列湿地。这些暴雨缓冲区域(STAs)意味着具有自然营养过滤器的功能,可将流入 Everglades 的水流中的营养物(主要是磷)排除。建立的第一个湿地有效地减少了磷的浓度,达到了 50 $\mu$g/L 以下(Chimney 等,2000;Nungesser 等,2001),其他的磷排除机制辅助把流入的浓度减少到阈值水平,预计为 10 $\mu$g/L。

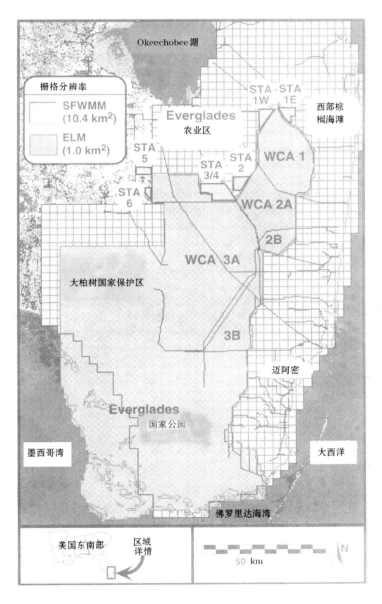

图 6-1　南佛罗里达的主要区域以及 Everglades 景观模型(ELM)和南佛罗里达
水管理模型(SFWMM)的范围

　　尽管历史上的水流来自于北部的 Kissimmee 河与 Okeechobee 湖,流向南部并且稍偏东,但管理系统可以提供多样的水流分配。整个系统在洪水控制、供水和环境方面的运作受一系列复杂规则的支配,这些规则由南佛罗里达水管理局与美国陆军工程兵团制定并随时间调整。对这个系统的控制是通过管理许多抽水泵、堤堰以及把水输送到渠系和湿地的引水道,根据需要分配给区域系统各个部分来实现的。因此,Everglades 的不同区域具有不同的水文机制,这通常对湿地生态系统带来损害。在 CERP 中,Everglades 的防洪堤蓄水部分将会有显著的分隔作用,增加地上和地下储存,改变流经南佛罗里达景观的水流(USACE 和 SFWMD,1998)。

　　CERP 中改变水文和营养物管理预期可以在一定程度上恢复 Everglades 系统。然而,潜在的生态响应存在很大的不确定性。为了尽量减少一些这方面的不确定性,预测性的模拟模型被用于精炼计划并实施大量的监测和适应性评价程序(CERP Team,2001)。目前使用的主要模拟工具是南佛罗里达水管理模型(SFWMM),它基于规则地管理从 Okeechobee 湖到 Everglades 南部(见图 6-1)的整个南佛罗里达地区的水流和水位(HSM,1999)。Everglades 的大部分恢复目标来自于自然系统模型。SFWMM 水文上的伴随模型,实质上就是一个不考虑水管理的基础设施、不考虑排水努力、只是调整各种数据来尝试模拟区域水文的 SFWMM(SFWMD,1998)。Everglades 景观模型(ELM)是区域尺度的、面向过程的模拟工具,设计它的目的是理解较大的 Everglades 景观上生态的相互作用。对于组成 Everglades 的异质镶嵌式栖息地,ELM 集成了生态系统中的水文、生物地球化学和生物过程模块。

　　ELM 被作为一种研究工具来更好地理解 Everglades 的动态,通过用公式表达假设并予以验证。这是一个关键的、实时的模型应用。然而,这个模拟项目的一个主要目标是,评价替代管理情景的相对生态性能。本章的目的是回顾模型开发的过程,通过校准和情景评价验证模型的性能,并且讨论模型在 Everglades 恢复计划中现在和将来的应用。

# 6.2　模型开发

　　ELM 结构的核心是把景观分割为正方形的栅格单元,以数字化形式描述景观。目前,ELM 模型假设每个栅格单元的属性是同质的。附加在这个栅格之上的是定义水文盆地并提供穿过管理系统的快速水流的运河/河堤矢量。模型考虑的范围是从 WCAs 到大柏树国家保护区,直至 Everglades 国家公园(见图 6-1),覆盖了整个 Everglades,ELM 在 10 394 $km^2$ 的范围内采用的栅格单元分辨率是 1.0 $km^2$。模型的设计在空间上是可升级的,对于特定的目标已经采用过更好的分辨率。围绕整个 ELM 领域,对于现有的序列版本而言,水文模块计算的复杂性往往将栅格单元的分辨率限制为 1.0 $km^2$。

　　为了捕获一般的生态系统动态,我们明确地融合了系统动态中的物理、化学、生物过程和反馈作用(Fitz 等,1996)。我们把这应用于一个空间框架,已经能够对描述景观内各种栖息地类型的生态系统功能的各种生态动态做出有用的预测。Everglades 的两个主要景观驱动力是水文和营养动态。通过适当地模拟 Everglades 的物理和生物地球化学动态,我们模拟了大型植物和水生附着生物的响应,包括它们对系统物理学和化学的反馈。在模拟中通过植物演替进化的景观强烈地依靠这些动态。

　　生态过程中垂直的溶解模块是建立模型的最基本模块,用于模拟一个栅格单元内重要的生物、化学和物理过程的时间动态(Fitz 等,1996)。大型植物和水生附着生物群落的生长对营养、水、阳光和温度做出响应。反过来,模型中的水文通过曼宁(Manning)粗糙系数和蒸腾损失(Fitz 和 Sklar,1999)之类的连接直接对植物做出响应。磷循环包括提取、矿化、吸附、扩散和有机土壤损失/获得。不同植物的栖息地具有独特的参数值,但是所有的栖息地具有相同的生态垂直动态。

## 6.2.1　模型结构调整

自从 20 世纪 90 年代初期 ELM 被概念化和开发以来,我们一直在不断地评价和改进它(Costanza 等,1992;Fitz 等,1993)。从 WCA－2A 中的空间应用开始(Fitz 和 Sklar,1999),几次大的修改大幅度地调整了最初的生态模块成分。评价 WCA－2A 版本的模型后,我们发现有必要加强磷的生物地球化学动态研究,以捕获大范围内的存量和变化率行为。从版本 1.0 到 2.1 的代码修改主要包括:①在所有追踪有机物质的模块中,对变量 C:P 进行化学计量;②融入了一个动态的、高度易变的絮状土壤层;③增强程序的执行效率。图 6-2 展示了更新的版本中 ELM 内通用生态系统模型(GEM)(Fitz 等,1996)概念基础的变化,显示了模型状态变量之间的主要相互作用。

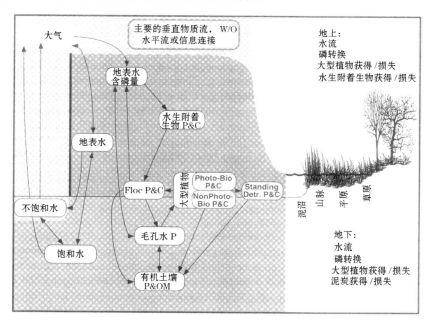

**图 6-2　Everglades 景观模型的概念模型**
椭圆内是状态变量,由变量之间的主要流动路径相连。
缩写:P＝磷;C＝碳;OM＝有机物;Photo－Bio＝大型植物的光合作用生物量;
NonPhoto－Bio＝大型植物的非光合作用生物量;Standing Detr.＝直立的死残余物;Floc＝土壤中/上的絮状层

利用一种有限差分法解决了栅格单元地表水和地下水流的问题,利用交替方向显式差分(Altering Direction Explicit,ADE)技术,解决了空间上水和水传播要素(比如盐分和营养)的传播问题。尽管还可以使用别的技术描述更大的时间步长内跨越多个单元格的地表水蔓延(Voinov 等,1998),但是考虑到结合运河/堤岸矢量和清晰的地表－地下水相互作用的需要,标准的 ADE 技术更具有优越性。地下水(水平)径流在个别水传导率远大于 10 000 m/d 的子区域内十分重要。版本 2.1 中,地表水和地下水的相互作用在地下水模块中计算,使用增强的质量平衡方法(an enhanced mass balance approach)在计算地上和地下的水径流之后评价了容量。

运河及相关堤岸由一组与具体的栅格景观单元相互作用的矢量对象表示(见图 6-3(a))。这允许水和溶解物在单位时间步长内流动较长距离(沿着多栅格单元)。水控制设施内的径流由日径流数据驱动,或者采用历史上的观测数据(用于校准运行),或者采用 SFWMM 模型管理情景的输出。在每条运河的河道内,水和溶解物是沿着整个河道均匀分布的,利用运河沿线的栅格单元之间相互交换信息的一个迭代程序,可以发现栅格单元和运河河道之间的交换率可以达到平衡。对于一些非常长的运河,河道被"虚的"结构分割成子河道,在单位时间步长内平衡它们的水头。这些虚的结构允许与运河上游部分的栅格单元交换溶解物,阻止整个运河上新输入的营养或其他溶解物浓度达到即时平衡,而在没有此类分割的情况下是会发生这种情况的。

空间建模环境(SME)(Maxwell 和 Costanza,1995)集成了所有空间和非空间的解决方案,整理了 ELM 中的输入/输出。我们用的 SME 是早期(C 语言)SME v.2 代码的修正版本,主要变化包括多种新的输入和输出程序、垂直溶解模块的先后顺序和集成、用户输入选项和期望 ELM 执行的其他定制。添加到版本 2.1 中的这些修正计算了模型范围内用户定义的区域中水和磷物质的累积量。这些模块决定了每个区域内所有的输入和输出,同时还检验出这些变量中没有物质平衡的误差积累。

空间显式的数据比如栖息地类型、海拔和运河矢量保存在地理信息系统(GIS)层中。其他相关的数据库存储时间序列输入数据(比如降雨)和随栖息地变化的参数(比如生长率)。数据结构将信息组织起来,减轻了评估不同管理情景的效果时重新编译模型代码的工作量。当模型用于不同尺度的多个项目和测试数目众多的可供选择的结果时,这成为模型的一个重要特征。

## 6.2.2　模型输入

在适当的地方,ELM 使用 SFWMM 初始化输入数据:①高程图从 SFWMM 栅格单元的中点数据中内插得到;②降雨量直接从历史的日时空序列数据输入 SFWMM(不需要重新标度);③饱和导水率从 SFWMM 使用的透射率和蓄水层深度的空间数据中计算得到,然后使用内插程序标度数据以符合 ELM 的格网分辨率。

### 6.2.2.1　校准输入假设

假设初始的(1979)土壤磷(P)浓度、容积密度和有机物比例与 20 世纪 90 年代早期到中期 Everglades 的一些观测数据在模式上(但不是数量)是相似的(DeBusk 等,1994;Newman 等 1997;Stober 等,1998)。这些研究发现最高的土壤磷浓度出现在 WCA－2A 东北

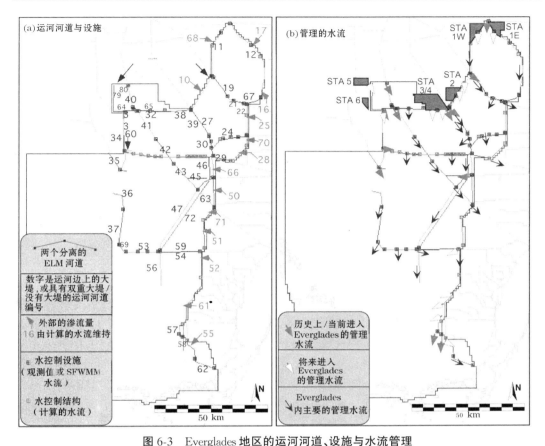

**图 6-3　Everglades 地区的运河河道、设施与水流管理**

(a)ELM 中水控制设施的位置和运河河段,在模型应用中对河段进行了数字编码。

(b)管理系统中基础设施及主要流向的示意图。STAs 用阴影多边形表示

部。1975 年有人采过这个区域点位置的样本,得到的数值是 $420 \sim 440$ mg/kg(Davis, 1989)。在这些历史数据基础上,我们成比例地减少 20 世纪 90 年代中期土壤中磷浓度的数值,降到了最低的背景值和最大值 450 mg/kg 之间。

每天流入 ELM 研究范围的磷浓度是以半个月或一个月为频度的数值。为了补充模型需要的日浓度缺失数据,需要使用线性插值法(Walker,个人交流)。流入 ELM 研究范围的径流浓度可以利用模型计算。指定降雨的浓度为 20 $\mu$g/L,从而得到年大气沉积磷总量大约为 27 mg/($\text{m}^2 \cdot \text{a}$)。

## 6.2.2.2　情景输入假设

我们评价了两种基本的情景条件。"1995 基准"(或当前基准)代表现在使用的水资源管理基础设施和操作。"2050 基准"(或未来基准)模拟了将来计划的水管理操作。设计基准情景是为了利用观测到的 $1965 \sim 1995$ 年的气候数据预测区域系统对推荐的管理操作的响应。基准模拟综合了关于管理系统结构和操作的大量水文假设(USACE 和 SF-WMD,1998)。ELM 中控水设施管理的径流受 SFWMM(v.3.5)1995 基准和 2050 基准

运行输出的日数据驱动(USACE 和 SFWMD,1998)。

Everglades 北部正在建造的 STAs 是为了改善流入 Everglades 的水质。图 6-3(b)展示了管理系统内部 STAs 的位置和示意性的自然径流。情景模拟的目标是对比有无 1965年开始的 STAs 的情况下系统的潜在响应,模型的初始化使用了相对贫营养的土壤和植物单位生产量。

对来自于 STAs 的减少的入流磷浓度,在模拟景观对它的长期响应时,做出了多种生态假设。1995 基准中,穿过边界设施的入境水流磷浓度采用的是固定的长期观测(1979~1995 年)平均值,不同设施之间在 $10.8 \sim 170 \ \mu g/L$ 之间变化。对于 2050 基准,假定 STAs 以不同的效率去除磷。固定浓度 $50 \ \mu g/L$ 被赋予 2050 基准的所有边界入境流,称为 50 $\mu g/L$ 情景。类似地,固定浓度 $10 \ \mu g/L$ 被赋予 2050 基准的所有边界入境流,称为 10 $\mu g/L$ 情景。

# 6.3　模型校准

开发和精炼这种复杂程度的景观模型远不是一步就能到位的。ELM 开发和精炼的第一步涉及一些单元或非空间的模拟系统的模型成分。确定合适的算法集合,如开发过程中需包含和忽略特定的生态模块或算法,这需要付出很大的努力。我们关注的一个重点(以后还会继续关注)是模型算法的最优化,捕获基本的生态系统响应,同时避免算法的扩展(太远地)超过现有的生态知识(比如数据)。作为结果的 GEM(Fitz 等,1996)能够用于多种生态系统类型。由于建立的这些基本模块被更好地精炼,并且对不同的栖息地类型展示了恰当的生态系统动态,因此我们的工作重心就是集成这些非空间和空间模块。尽管通常需要在一个空间框架内工作来全面评价和校准 ELM,但是我们继续采用一个独立的单元模型来开发/测试算法和最优化参数。

在 ELM 的早期应用中,能够近似模拟 Everglades 景观上一些基本的生态系统动态。模型模拟了短期(几年)的水深和地表水的磷浓度,比较模拟结果与通常的观测,表明空间模式是合理的(Fitz 等,1995a)。而且,其他模块的动态,比如活的大型植物,对于变化的条件作出了适当的响应,并且保持在合理的动态范围内。这个"活动领域"或者"水平 1"的校准对展示模型的潜在效用非常有用——并指明模型改进的方向。

在测试整个 ELM 的同时,我们还在 Everglades 一个小的子区域内应用了 ELM 代码,主要是为了加深对模型的理解。这个保护区景观模型(CALM)在栖息地分布上具有较小的复杂性,相对整个 ELM 而言具有较为简单的水管理基础设施,据此我们能更好地洞察空间显式的生态相互作用。在这一点上,我们对模拟系统进行了严格的敏感性分析,采用了三个水平上的空间复杂性:①单元模型;②CALM:利用两个编码的栖息地类型和少许内部的水管理基础设施;③ELM:(在那时)利用了 11 种栖息地类型和复杂的水管理基础设施。Fitz 等(1995b)的分析表明可以在生态系统水平上检验数目众多的参数敏感性,然后在空间复杂性增加的情况下评价它们对景观的影响。有许多参数,比如植物对磷的吸收率和先前的土壤营养浓度,具有很大的不确定性但是对单元模型和景观模型的结果影响显著。进一步理解模型和支撑数据的弱点后,下一步将利用更多的观测数据,并提高模型算法来改善模型性能。

　　在开发过程中,田间和中型实验生态系统研究已经扩展到了 Everglades 系统动态中信息明显充足的地方。特别地,磷阈值计划,沿着 WCA－2A 中现有的磷梯度融入了生态系统过程试验和概要性的测量,改善了 ELM 磷循环的模拟。在这一点上,模型的开发集中于更好地模拟 WCA－2A 中生态对于观测到的营养梯度的响应(见图 6-4)。尽管这是 Everglades 中一个"小的"(433km²)子区域,但是很多生态过程可以推广到 Eerglades 大部分区域。这里假设在评价的时候,Everglades 其他子区域的数据是可以得到的。尽管非常清楚 Everglades 内部的差异,但是 CALM 证明它是可以被利用到其他区域的,虽然有一定的局限性。在很多重要方面,WCA－2A 可以被看做 Everglades 很多栖息地的代表。比如,与具有类似前提条件的其他区域相比,WCA－2A 中的 sawgrass 对于水深或营养荷载的变化具有相似的响应,同样,WCA－2A 的土壤对干旱也具有相似的响应。特别有价值的是 WCA－2A 区域富营养作用的梯度数值截然不同,沿着这个梯度我们可以精炼模型来捕获生态响应的变化。

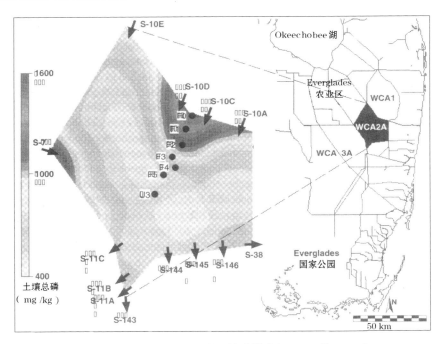

**图 6-4　1991 年观测的土壤磷梯度**(DeBusk 等,1994)
沿着一个梯度选取采样点,并且水控制设施在 WCA－2A 内(以 DeBusk 等(1994)的数据为基础)

## 6.3.1　版本 1.0

　　我们从水位、地表和毛孔水含磷量、泥炭聚集、大型植物和水生生物单位产量、大型植物和水生附着生物演替等方面评价了模型在 WCA－2A 执行的性能(比如 CALM)。通常,与获得的观测数据相比模型能够捕获变量的主要变化(Fitz 和 Sklar,1999)。栅格模型相对精细的尺度(0.25 km²)能够捕获沿着北—南高程梯度的山脊和泥沼异质性。较深的泥沼散布于高的山脊中,景观上山脊的海拔缓慢减少了 1.5 m。图 6-5(a)展示了水文模型对这些特征的响应,阻塞的地表水深和积水期(或者每年有积水的天数)沿着山脊与泥沼地形分布,并随着北—南地形梯度的下降而递增。

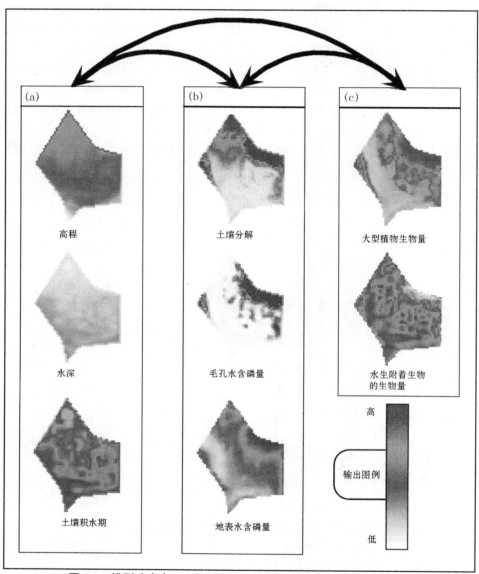

(a) 高程　水深　土壤积水期

(b) 土壤分解　毛孔水含磷量　地表水含磷量

(c) 大型植物生物量　水生附着生物的生物量

高　输出图例　低

**图 6-5　模型响应在 WCA-2A 中的空间关系(校准运行,版本 1.0)**

模型输出是 10 年模拟的月均值。随书附带的 CD 中有彩图

　　WCA-2A 中 S-10 设施下游(见图 6-4)在模拟中具有明显的富营养梯度。在水流入境区域附近地表水含磷量、毛孔水含磷量和微生物活动(土壤分解)具有很高的水平,朝WCA-2A 内部显著减少(见图 6-5(b))。微生物活动造成的土壤分解使下游入境流中磷的迁移量增加(因此增加了土壤中磷的可获得性)。同样明显的是在具有较短土壤积水期

的区域内,沿着高海拔的山脊和蓄水区北部,土壤矿化作用增强。

在富营养梯度的上部,大型植物随着土壤毛孔水含磷量的增加而显著增加(见图 6-5(c))。模型还模拟了沿着一些山脊土壤磷增加(有机磷矿化增加)而导致的大型植物生产量的增加。模型中贫营养的水生附着生物群落,正如实际观测的那样,一般遍布在大部分区域,但是由于与低海拔地区相比土壤积水期较短,高海拔和山脊地区具有较低的密度。与大型植物相比,水生附着生物群落在营养梯度上部生物产量减少。正如野外观测的那样(McCormick 和 O'Dell,1996),模拟的水生附着生物群落随地表水磷的增加而出现负响应,同时大型植物遮蔽了可获得的阳光并且明显地限制了其生长。

使用 WCA - 2A 中心地区一个观测站点 17 年的水位观测记录,我们能够近似地逼近观测到的发生在极端干旱和极端降雨时急剧变化的水位(Fitz 和 Sklar,1999)。生态上,沿营养梯度的变化可与模拟期(1995～1996 年)后一部分观测的数据比较。尽管观测数据具有实质变化,随着与运河 S-10 流入设施的距离增大,模型和观测数据同样显示了地表水磷浓度的减少(见图 6-6(a))。毛孔水磷的急剧下降在数量上近似于观测数据(Newman,个人交流,1998),在超过下游 6 km 处下降为背景浓度(图 6-6(b))。模拟的泥炭增加率沿营养梯度的下降(图 6-6(c)),类似于 Reddy 等(1993)和 Craft 与 Richardson(1993)观测的长期[137]Cs 增加数据。最后,sawgrass 和 cattail 大型植物群落的生物量随离运河距离的增加而减少(图 6-6(d)),变化量类似于观测数据(Miao 和 Sklar,1998)。

大型植物植被演替是另一个我们期望能用充分的现实捕获的重要景观动态。然而驱

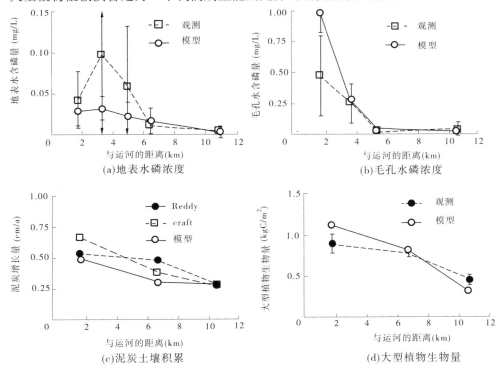

**图 6-6　运河与 S-10 设施(见图 6-4)下游沿着 WCA - 2A 富营养梯度的模型(版本 1.0)校准结果**

观测和模拟的数据范围是 1994～1996 年

动演替的过程有很多,从 sawgrass 转化为 cattail 的一个主要驱动因素是土壤营养含量的升高。模型能够匹配在 WCA－2A 观测的(Reddy 等,1991)毛孔水磷的模式和数量,除了在山脊栖息地下游,因土壤积水期较短、磷浓度较高引起矿化作用增加外,邻近 S-10 水流设施显示出具有高浓度模式(见图 6-7(a))。大型植物群落在 17 年里从 sawgrass 转化成 cattail,很大程度上是响应可获得磷的增加(见图 6-7(b)和图 6-7(c))。模拟的 cattail 覆盖面积从 1991 年的 44 km² 增加到 1995 年的 117 km²,相应的观测值是 53 km² 和 95 km²(Rutchey 和 Vilchek,1995)。

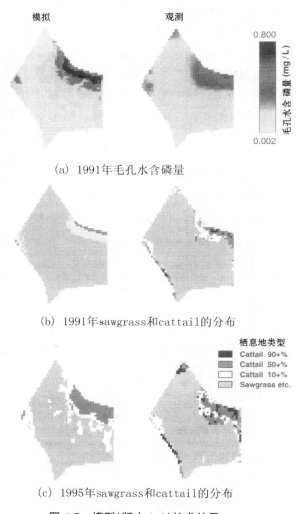

(a) 1991年毛孔水含磷量

(b) 1991年sawgrass和cattail的分布

(c) 1995年sawgrass和cattail的分布

**图 6-7　模型(版本 1.0)校准结果**

## 6.3.2　版本 2.1

尽管版本 1.0 的模型动态地捕获了关键生态系统动态的许多模式和量值,但是我们还希望提高模型的某些性能。尽管没有全面评价和校准整个区域的所有生态动态,但是它们的动态相比早期版本得到了改善,而且充分地校准了水文和地表水质的模型(关于总磷量),以便该模型在整个 ELM 范围内应用。这一部分,我们回顾水文和地表水质校准分析的一个子集。当前校准(v.2.1,May 2001)的其他数据存档在 ELM 站点的模型结果部分(Fitz,2001)。

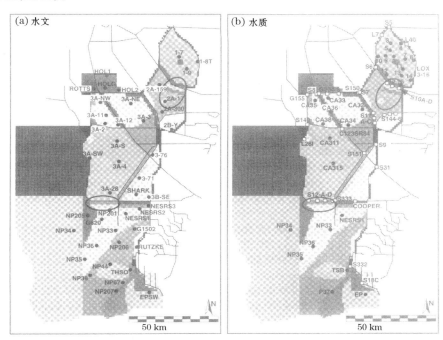

**图 6-8　Everglades 中的观测站点和水质**
圆形指示区域被用于模型情景运行的示例分析

### 6.3.2.1　水文

保证 ELM 的水文与野外观测和 SFWMM 的输出具有可比性是很有必要的。因此,我们将 ELM 模拟水位与野外观测数据和 SFWMM 模拟结果做了对比。我们采用了分布在 Everglades 景观内的 40 个观测站的数据校准 ELM 模型(见图 6-8(a)),对比模拟数据和每隔 7 天的日水位观测数据。模拟使用的 17 年记录包含了极端降雨(1994~1995 年)和极端干旱(1989~1990 年)期。所有观测站点 ELM 的输出和观测数据回归分析的拟合优度($R^2$)的平均值是 0.65,均方根误差(RMSE)是 15 cm。图 6-9 显示的是统计相关性较小($R^2 = 0.5$)的两个站点的水位图。NP-206 量器位于 Everglades 国家公园土壤积水期较短的泥灰土草原栖息地中,NP-36 量器位于 Shark 河泥沼 12 英里以西土壤积水期较长的泥沼栖息地中。尽管这些例子具有较低的 $R^2$,但是观测和模拟的水位波动非常近似。因为时间序列数据中有许多部分与模型匹配的很好,ELM 和 SFWMM 似乎在这两种水文机制下执行的都非常有效。尽管两种模型能很好地预测其他类似量级的干旱事件,但是它们以相似的模式错误地预测了观测站记录的极端干旱事件。

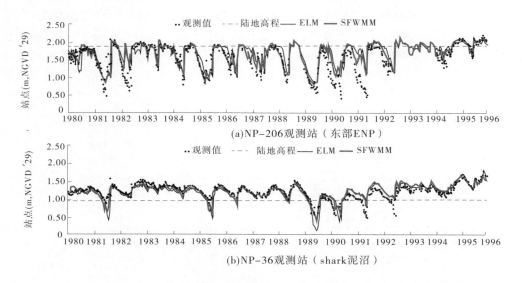

图 6-9　水文模型(版本 2.1)的校准结果

显示的是 NP－206 观测站和 NP－36 观测站的模拟 ELM、模拟 SFWMM 和观测站点高度。

其他位置(和其他生态变量)的校准结果见 www.sfwmd.gov/org/wrp/elm

我们对比了主要集水盆地中 ELM 和 SFWMM 的水文累积量,评价了两个模型中地表和亚地表输入、输出的一致程度。水文累积量量化了与主要集水盆地(如蓄满水的 WCAs)有关的入境流和出境流,提供了有用的水文检验。由于两个模型之间存在显著的尺度差异(ELM 的栅格分辨率是 SFWMM 的 10 倍),当分割不规则的盆地时,会出现模型之间集水盆地地表区域的差异。为了更好地标准化这些尺度差异,用径流深来表示穿过模型集水盆地的径流。以一年为基础,在 WCA－3A 地区,两个模型输出的 30 天平均径流的差异小于 1 cm(见图 6-10),代表了一个合理的和谐度。要知道即使两个模型使用同样的降雨输入,由于模型盆地定义的地表范围的差异,在降雨累积量方面还是会有一些差异(有 0.84 cm 那么多)。地表出境水流的差异(通过 WCA－3A 西部防洪堤的缺口)预示着 ELM 计算的 1994 年和 1995 年的数据有些偏高。其他 5 个主要集水盆地的累积量对比归档在 ELM 站点。

## 6.3.2.2　水质

在模型和 Everglades 中,地表水迁移与磷的归宿由水文径流和生态响应驱动。尽管我们没有全面评价和校准 Everglades 土壤与栖息地范围所有的生态变量,它们的响应已经显示比 ELM 版本 1.0 有所改善。地表水质校准采用了分布在 Everglades 景观内的 40 多个观测站的数据(见图 6-8(b)),比较了模型 30 天的平均值与月平均观测值(虽然每个月的观测通常不超过两次)。模型捕获了从 Everglades 北部到南部浓度的普遍下降趋势(见图 6-11)。系统北部 S-11 设施点,地表水总磷量(TP)观测的平均值是 40 $\mu g/L \pm 38$ (SD)$\mu g/L$,在 S-12 设施点流入 Everglades 国家公园的平均值较低,为 17 $\mu g/L \pm 20$ $\mu g/L$。S-11 处模型预测的平均值是 30 $\mu g/L \pm 29$ $\mu g/L$,S-12 处的平均值是 13 $\mu g/L \pm 13$ $\mu g/L$。模型通常能够捕获短期内磷浓度的增加和减少,磷浓度动态波动时能保持在适当的范围内。

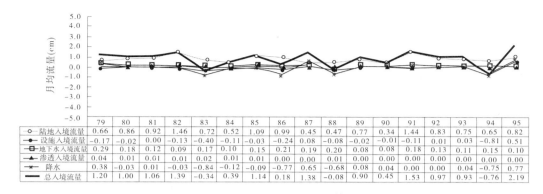

| | 79 | 80 | 81 | 82 | 83 | 84 | 85 | 86 | 87 | 88 | 89 | 90 | 91 | 92 | 93 | 94 | 95 |
|---|---|---|---|---|---|---|---|---|---|---|---|---|---|---|---|---|---|
| ○ 陆地入境流量 | 0.66 | 0.86 | 0.92 | 1.46 | 0.72 | 0.52 | 1.09 | 0.99 | 0.45 | 0.47 | 0.77 | 0.34 | 1.44 | 0.83 | 0.75 | 0.65 | 0.82 |
| ● 设施入境流量 | -0.17 | -0.02 | 0.00 | -0.13 | -0.40 | -0.11 | -0.03 | -0.24 | 0.08 | -0.08 | -0.02 | -0.01 | -0.11 | 0.01 | 0.03 | -0.81 | 0.51 |
| □ 地下水入境流量 | 0.29 | 0.18 | 0.12 | 0.09 | 0.17 | 0.10 | | 0.15 | 0.21 | 0.19 | 0.20 | 0.08 | 0.08 | 0.18 | 0.13 | 0.11 | 0.15 | 0.10 |
| ▲ 渗透入境流量 | 0.04 | 0.01 | 0.01 | 0.01 | 0.02 | 0.01 | 0.01 | 0.01 | 0.00 | 0.01 | 0.00 | 0.00 | 0.00 | 0.00 | 0.00 | 0.00 | 0.00 |
| ✳ 降水 | 0.38 | -0.03 | 0.01 | -0.03 | -0.84 | -0.12 | -0.09 | -0.77 | 0.65 | -0.68 | 0.08 | 0.04 | 0.00 | 0.00 | 0.04 | -0.75 | 0.77 |
| ━ 总入境流量 | 1.20 | 1.00 | 1.06 | 1.39 | -0.34 | 0.39 | 1.14 | 0.18 | 1.38 | -0.08 | 0.90 | 0.45 | 1.53 | 0.97 | 0.93 | -0.76 | 2.19 |

(a)WCA-3A:ELM-SFWMM 入境流的差异

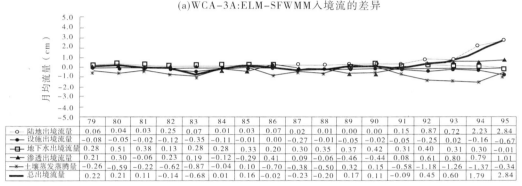

| | 79 | 80 | 81 | 82 | 83 | 84 | 85 | 86 | 87 | 88 | 89 | 90 | 91 | 92 | 93 | 94 | 95 |
|---|---|---|---|---|---|---|---|---|---|---|---|---|---|---|---|---|---|
| ○ 陆地出境流量 | 0.06 | 0.04 | 0.03 | 0.25 | 0.07 | 0.01 | 0.03 | 0.07 | 0.02 | 0.01 | 0.00 | 0.00 | 0.15 | 0.87 | 0.72 | 2.23 | 2.84 |
| ● 设施出境流量 | -0.08 | -0.05 | -0.02 | -0.12 | -0.35 | -0.11 | -0.01 | 0.00 | -0.27 | -0.01 | -0.05 | -0.02 | -0.05 | -0.25 | 0.02 | -0.16 | -0.67 |
| □ 地下水出境流量 | 0.28 | 0.51 | 0.38 | 0.13 | 0.28 | 0.28 | 0.33 | 0.20 | 0.30 | 0.35 | 0.37 | 0.42 | 0.31 | 0.04 | 0.31 | 0.30 | -0.01 |
| ▲ 渗透出境流量 | 0.21 | 0.30 | -0.06 | 0.23 | 0.19 | -0.12 | -0.29 | 0.41 | 0.09 | -0.06 | -0.46 | -0.44 | 0.08 | 0.61 | 0.80 | 0.79 | 1.01 |
| ✳ 土壤蒸发蒸腾量 | -0.26 | -0.59 | -0.22 | -0.62 | -0.87 | -0.04 | 0.10 | -0.70 | -0.38 | -0.50 | 0.32 | 0.15 | -0.58 | -1.18 | -1.26 | -1.37 | -0.34 |
| ━ 总出境流量 | 0.22 | 0.21 | 0.11 | -0.14 | -0.68 | 0.01 | 0.16 | -0.02 | -0.23 | -0.20 | 0.17 | 0.11 | -0.09 | 0.45 | 0.60 | 1.79 | 2.84 |

(b)WCA-3A:ELM-SFWMM 出境流的差异

**图 6-10　水文模型(版本 2.1)的校准结果**

显示了 WCA-3A 集水盆地 ELM 和 SFWMM 模拟的径流差异(1979~1995 年)

比如,在 S-11 处 1985 年中期的浓度大约是 100 $\mu g/L$,后半年下降到低于 25 $\mu g/L$。模拟捕获了这一动态。同样,1986 年中期,模型预测的峰值大约是 200 $\mu g/L$,与观测结果一致。S-12 处的浓度偏移量很少超过 10~20 $\mu g/L$ 的范围,1985 年中期的最大值大于 100 $\mu g/L$,1989 年和 1990 年扩展的偏移量达到 40~50 $\mu g/L$,这些信息模型都捕获的相当好。水文校准与其他模型和观测数据的比较一起收录在 ELM 的网站上。

　　模拟的地表水质在景观上的分布见图 6-12,图中突出显示了 Everglades 北部主要的磷输入地带。相对高浓度的磷分布在运河系统沿线,由于土壤和植被的截留,流过沼泽时稀释了磷的浓度。尽管 Everglades 国家公园内 WCAs 地区南部的磷浓度相比北部的很多地区都较低,但还是有相对广阔的地区具有高的磷浓度。或许可以用这样的事实解释,这些地区(东北—西南向的 Shark 河湿地沿线)海拔相当高,较短的土壤积水期增加了土壤矿化作用。由于西南的红树林地区(SFWMM 的研究范围外,见图 6-1)缺乏足够的地形和水文资料,在现有的模型动态中没有充分捕获这些信息。

# 6.4　模型应用

　　本次 ELM 的应用中,我们评价了有和没有 STAs 时景观的磷动态。情景模拟反映了

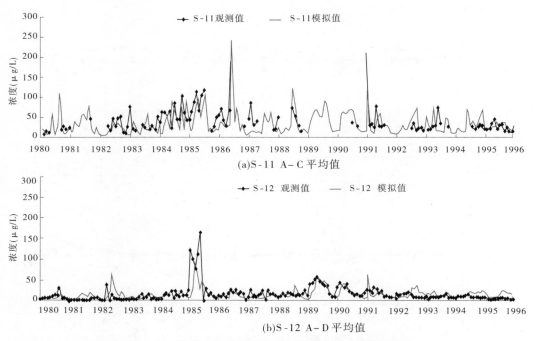

**图 6-11　地表水中总磷浓度的模型(版本 2.1)校准结果**

显示的是 S-11 设施和 S-12 设施中模拟和观测的月均浓度(见图 6-8(b))

1965～1995 气候年间,系统对采用不同的管理措施的响应情况。1995 基准,假定是"当前的"操作,入境流不经过 STAs 的一些生态过滤器处理时会导致 Everglades 发生富营养作用。2050(将来的)基准由修改的水管理措施驱动,在适当的位置设置了 STAs 来消除流入 Everglades 的地表水径流中的磷。在 WCA-2A 地区紧靠 S-10 入境流设施南部(0～2 km)的指示区域,ELM 显示大型植物生物量从 1965 年到模拟终期(1995 年)是增加的。快速增加的磷提取指示了这种增长,这种增长比 2050 基准中 20 世纪 80 年代和 90 年代的增长更快(见图 6-13(a))。由于地表水的高磷浓度和增加的大型植物遮蔽作用的有害组合效应,1995 基准和 2050 基准相比具有较低的贫营养水生附着植物生产力,入境流的磷浓度是 10 $\mu$g/L(见图 6-13(b))。在模拟的前期,1995 基准条件下水生附着植物群落存在,但是比 2050 基准的生产力水平低。1995 基准由于大型植物的生产力和生物量增加,水生附着植物被逐渐遮蔽并消失。2050 基准生产力继续动态地响应变化的低水平营养物输入和水位。

生物群落的响应沿营养梯度变化,营养梯度依赖于模拟的营养荷载以及与磷流入区域位置的接近程度。我们对比 1995 基准和 2050 基准的两种执行:入境水流磷浓度一种是 10 $\mu$g/L,另一种是 50 $\mu$g/L。我们分析了两个梯度区域,已在图 6-8 中圈出。WCA-2A 内 S-10 设施南部的指示区域非常接近贫营养荷载,而 Everglades 国家公园(ENP)内 S-12 设施南部的指示区域更间接地受系统北部磷荷载的影响。31 年的地表水磷浓度平均值和最大值随着与 WCA-2A 地区 1995 基准模拟入境流距离的增大而显著降低,然而 ENP 地区的降梯度变化较小(见图 6-14(a))。2050 基准也没有证明平均浓度沿着任意空

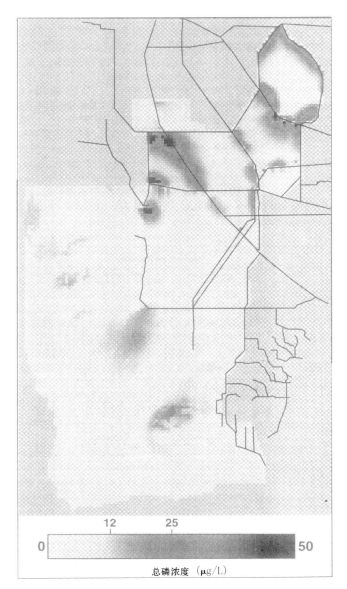

**图 6-12　地表水中总磷浓度的模型(版本 2.1)校准结果**

显示的是景观上 17 年的平均值分布。随书附带的 CD 中有彩图

间梯度的显著变化,尽管最大月平均浓度沿着 2050 基准的梯度(WCA－2A 地区是 50
μg/L)下降了。那些数量的差异非常小。所有的情形中,1995 基准比 2050 基准的磷浓度
高很多。在那些特殊的指示区域,2050 基准都导致接近背景值,贫营养的地表水磷浓度
为 5 μg/L。

　　指示区内土壤和生物区系中的磷积累通常反映了地表水浓度模式,沿着情景中的空
间梯度显示了相似的趋势(见图 6-14(b))。然而,磷积累(和荷载)也指示富营养化,这是
用长期的平均地表水浓度表示有些模糊的地方。离 WCA－2A 地区最远的下游(U3),有

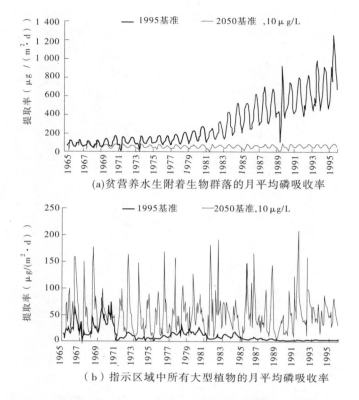

(a)贫营养水生附着生物群落的月平均磷吸收率

（b）指示区域中所有大型植物的月平均磷吸收率

图 6-13　指示区域中 S-10 设施下游模型的(版本 2.1)情景模拟结果

些人认为它相对地未受人类活动排放的营养物的影响,比 ENP 南部的梯度区域积累了较多的磷。相对于大气源输入系统中的大约 27 mg /(m²·a),1995 基准中所有的指示区域都受陆上磷荷载的影响。只有当入境流磷浓度减少到 10 $\mu$g /L 时(2050 基准,10 $\mu$g /L),所有指示区域的总净累积量才接近大气源的输入。

## 6.5　讨论

　　ELM 的开发包括一个在不同的尺度和子模块对象中迭代评价模型性能的程序。一些最早期的应用展示模型以合理的方式模拟了生态过程的一般空间模式,表明了模型算法的一般概念的适用性。ELM 的基本结构还是类似于早期开发的版本。然而,有些模块被简化,有些模块被复杂化。总而言之,尽管模型的复杂性有所增加,但是计算效率显著提高(在高级 Unix 工作站上 31 年的模拟运行了 12 小时)。我们正在设计多种进一步的改进方法,这会稍微增加模型的复杂性,但可以更现实地增加我们解决研究问题和管理问题的能力。为了最好地捕获 Everglades 地区变化的栖息地分布情况,预期的修改包括多栅格分辨率和增强的植被演替算法。

　　已经开发了一个简单模型模拟地表水磷浓度对 Everglades 地区径流变化的响应(Raghunathan 等,2001)。这个模型使用了 SFWMM 计算的径流量和径流深,在系统边界上

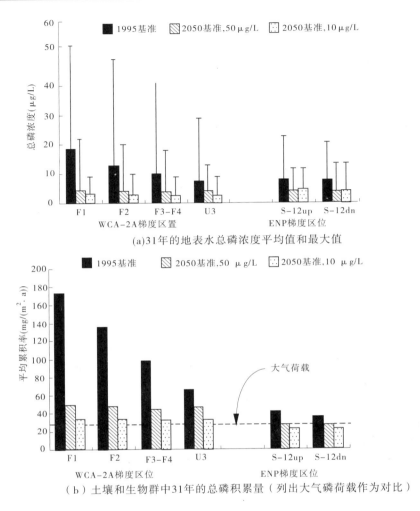

(a)31年的地表水总磷浓度平均值和最大值

(b)土壤和生物群中31年的总磷积累量(列出大气磷荷载作为对比)

图 6-14　WCA－2A 和 ENP 的指示区域中梯度的模型(版本 2.1)情景结果

磷被引入,模拟系统中磷的损失是通过净磷沉淀方程和流出区域的地表径流来表征的。认为净沉淀率在水文集水盆地内是同质的(比如 WCAs),一个经过校准的统计参数代表物理沉淀、植物提取和所有影响地表水含磷量的其他生物过程。没有明确地考虑土壤释放,比如积水期减少引起的土壤氧化作用增加。对一些区域模型在集水盆地水平的尺度上进行了校准,但是不能充分地在一些大的集水盆地上校准,比如 WCA－3A(Raghu-nathan 等,2001)。尽管如此,使用校准的 SFWMM 水文模块提供了一种估计磷流量的方式。

　　Everglades 另一个相对简单的景观模型利用了转换概率的方法估计了 WCA－2A 中cattail 蔓延的情况(Wu 等,1997)。没有考虑动态的水文变化,但是模型非常有效地模拟了 1973～1991 年 cattail 的空间分布对变化的土壤含磷量的响应。由于假定磷荷载和增长是常数,不考虑磷的迁移机制和植物土壤的相互作用,相继发现该模型高估了 cattail 的蔓延。模型的一个主要价值是提供了土壤含磷量的一个数值,该数值与从 sawgrass 到

cattail 的栖息地转变相关,尤其与栖息地破碎后的模式分析有关。

ELM 在大的 Everglades 内关注生态系统动态,明确地融合了定义景观的水文、其他生态过程之间的反馈。ELM 假定存在影响系统动态的重要生态系统相互作用,并采用简单的基于过程的算法描述土壤和植被对动态环境条件的响应。当在特定的区域从一套全新的环境制度开始考虑 Everglades 的恢复行动时,过程基础的方法的作用是明显的,统计基础的模型由于依赖于历史上观测条件的连续性而很难发挥作用。

在 ELM 的首次应用中(Fitz 和 Sklar,1999),我们在 10 多年的时间尺度上逼真地校准了景观模型的动态。模型的优点之一是具有评价生态过程之间相互作用的能力。尽管图 6-5 是这些相互作用的一个静态指示,但是它提供了水文、营养荷载对土壤和植物属性累积及集成影响的证据。同样重要的是生物群落之间的相互作用,比如水生附着生物和大型植物。贫营养的或含钙的水生附着生物群落类型对磷浓度的提高有负反应(模型和自然中)(McCormick 和 O'Dell,1996)。水生附着生物在短时间尺度上"扣押"(sequester)磷,而大型植物群落吸收磷(主要从毛孔水中),并且一般观察到富营养地带的生物量增加。水生附着生物的生物量较低是因为被大型植物遮蔽了阳光,加剧了局部生物量的减少。虽然版本 1.0 对许多景观变量已经校准得相当好,但是版本 2.1 提高了模型处理更宽泛变量行为的能力。

使用 ELM 版本 2.1,我们评价了湿地系统中两个最重要景观驱动力的校准:水文和水质。由 40 多个地区观测数据和模型数据的相关性决定,模型的水文性能适合应用于大 Everglades 地区。在 10 多年的时间尺度上和广泛变化的环境输入条件下,地表水质输出与观测数据匹配良好,因此我们可以使用 ELM 评价地表水质对管理变化的响应。

ELM 版本 2.1 展示了进入 Everglades 的减少的营养物浓度可以为较低的磷积累和空间变化生态响应所证实。与整个区域范围相比,现在受影响的区域(可论证地)相对较小:图 6-12 显示了区域内地表水磷含量 17 年模拟期的平均分布情况,最高的浓度分布在运河沿线和管理系统的排出点。具有减少的土壤积水期的区域比背景区域或贫营养地区浓度稍高一些,但需注意的是有些这样的信号实际是水深较浅的浓度效应。由于进入地表水的磷快速消退(和循环),随时间变化的浓度分析并不能确定区域的浓度状态。除了单一的浓度,磷荷载或者净磷积累量(土壤和生物区中)是评价系统内部任意区域(指示区域)营养状态的有信息的度量。

在模型情景中沿着现有的(或潜在的)富营养梯度评价磷积累时,经 STA 处理从而减少 Everglades 的加载量时,我们能够识别改变的磷动态中细微但关键的方面。然而,管理者最终没有建立一套方法(Chimney 等,2000;Nungesser 等,2001)把建造在湿地出境点上的磷浓度减少到 10 $\mu g/L$。评价了几个变化的磷荷载减少情景,模拟证明随着与入境点的距离增大磷浓度(期望的)减少。当地表水浓度显示是磷荷载时,它不一定是区域富营养数量的反映。在这一点上有趣的是 WCA−2A 中部的 U3 站,具有较低的长期平均磷浓度但是在 1995 基准情景中展示了轻微的富营养作用(见图 6-14(a)和图 6-14(b))。因为较低的背景磷浓度,这个区域通常被认为是贫营养的"参考"点(McCormick 和 O'Dell,1996)。然而,相比远离运河排出点和高营养浓度的区域,1995 基准中 U3 处的磷积累相当高($>60$ mg /$(m^2 \cdot a)$),以至于引起某些水平上的生态变化。Daoust(1998)发现大型植物群落对荷载率的响应低到 40 mg /(m² · a)。只有 STA 出境磷浓度(2050 基准)是 10 μg /L 的模型情景在所选择的指示区域中导致磷积累率水平接近背景的条件。

ELM 提供了一种工具帮助确定改变 Everglades 入境流的空间影响程度。尽管在模型领域内,该地区的分析只是少数几个例子,但是这些结果对管理应用具有重要意义。恢复计划已经形成,将评价系统内减少的磷流量和荷载的空间分布大小,把结果以可获得的方式放在网站上。我们可以以这样的方式告诉区域管理者,在不同的情景下哪些是景观上变化的磷入境浓度和径流分布对磷有高影响的区域。尽管入境磷浓度减少到大约 50 μg/L 将减小系统内大面积的富营养水平。模拟表明,要达到从连续的磷污染中进一步减少生态影响的目的,有必要进一步减少磷浓度。

现有精炼和校准 ELM 的水平主要是聚焦于重要的水质及水文景观驱动力。然而,模型的早期实现中(在 WCA – 2A),我们的全面目标是在管理和环境输入变化时理解生态系统动态的整个频谱。现在,多数系统中的很多生态动态被很好地模拟,但是有些与土壤和栖息地对驱动力响应相关的不确定性需要更好地刻画和分析。ELM 使用的模型算法和数据结构似乎能够充分捕获多数的动态,我们正在利用最近得到的景观属性数据,以此建立一个最终的 ELM 校准版本。接下来的几年里 CERP 还会继续进行,发布在 ELM 网站(Fitz,2001)上的结果将帮助我们评价 Everglades 对修订的恢复替代情景的生态响应。

# 参 考 文 献

[1] CERP-Team. 2001. RECOVER (REstoration COordination & VERification). Available from http://www.evergladesplan.org, accessed on January 1, 2002

[2] Chimney M J, Nungesser M K, Newman J, et al. 2000. Stormwater Treatment Areas—Status of research and monitoring to optimize effectiveness of nutrient removal and annual report on operational compliance, in Everglades Consolidated Report. South Florida Water Management District, West Palm Beach, FL, pp. 6 – 1 – 6 – 127. Available from http://www.sfwmd.gov, accessed on January 1, 2002

[3] Costanza R, Fitz H C, Bartholomew J A, et al. 1992. The Everglades Landscape Model (ELM): Summary Report of Task 1, Model Feasibility Assessment. Report to the South Florida Water Management District, West Palm Beach, FL

[4] Craft C B, Richardson C J. 1993. Peat accretion and N, P, and organic C accumulation in nutrient – enriched and unenriched Everglades peatlands. Ecological Applications 3: 446~458

[5] Daoust R J. 1998. Investigating how phosphorus controls structure and function in two Everglades wetland plant communities. Masters thesis. Florida International University: Miami, FL

[6] Davis S M. 1989. Sawgrass and cattail production in relation to nutrient supply in the Everglades, in Freshwater Wetlands and Wildlife (Sharitz, R.R. and J.W. Gibbons, eds.). DOE Symposium Series No. 61. USDOE Office of Scientific and Technical Information, Oak Ridge, TN, pp. 325~341

[7] DeBusk W F, Reddy K R, Koch M S. 1994. Spatial distribution of soil nutrients in a northern Everglades marsh: Water Conservation Area 2A. Soil Science Society of America Journal 58: 543~552

[8] Fitz H C. 2001. Everglades Landscape Modeling. SFWMD. Available from http://www.sfwmd.gov/org/wrp/elm/, accessed on February 28, 2002

［9］ Fitz H C, F H Sklar. 1999. Ecosystem analysis of phosphorus impacts and altered hydrology in the Everglades: a landscape modeling approach, in Phosphorus Biogeochemistry in Subtropical Ecosystems (Reddy, K.R., G.A. O'Connor, and C.L. Schelske, eds.). Lewis Publishers, Boca Raton, FL, pp. 585~620

［10］ Fitz H C, Costanza R, Reyes E. 1993. The Everglades Landscape Model (ELM): Summary Report of Task 2, Model Development. Report to South Florida Water Management District, West Palm Beach, FL

［11］ Fitz H C, DeBellevue E B Costanza R, et al. 1996. Development of a general ecosystem model for a range of scales and ecosystems. Ecological Modelling 88: 263~295

［12］ Fitz H C, Voinov A A, Costanza R. 1995a. The Everglades Landscape Model: Calibration Analysis Report. Report to South Florida Water Management District, West Palm Beach, FL

［13］ Fitz H C, Voinov A A, Costanza R. 1995b. The Everglades Landscape Model: Multiscale sensitivity analysis. Report to South Florida Water Management District, Everglades Systems Research Division

［14］ HSM. 1999. A primer to the South Florida Water Management Model (Version 3.5). Hydrologic Systems Modeling Division, South Florida Water Management District. West Palm Beach, FL

［15］ Light S S, Dineen J W. 1994. Water control in the Everglades: A historical perspective, in Everglades: The Ecosystem and its Restoration. (Davis, S.M. and J.C. Ogden, eds.). St. Lucie Press, Delray Beach, FL, pp. 47~84

［16］ Maxwell T, Costanza R. 1995. Distributed modular spatial ecosystem modelling. International Journal of Computer Simulation 5: 247~262; Special Issue on Advanced Simulation Methodologies

［17］ McCormick P V, O'Dell M B.1996. Quantifying periphytonresponses to phosphorus in the Florida Everglades: A synoptic－experimental approach. Journal of the North American Benthological Society 15: 450~468

［18］ Miao S L, Sklar F H. 1998. Biomass and nutrient allocation of sawgrassand cattail along a nutrient gradient in the Florida Everglades. Wetlands Ecology and Management 5:245~263

［19］ Newman S, Reddy K R, DeBusk W F, et al. 1997. Spatial distribution of soil nutrients in a northern Everglades marsh: Water Conservation Area 1. Soil Science Society of America Journal 61: 1275~1283

［20］ Nungesser M K, Majer Newman J, Combs C, et al. 2001. Optimization research for the Stormwater Treatment Areas. in Everglades Consolidated Report. South Florida Water Management District, West Palm Beach, FL, pp. 6－1－6－44. Available from http://www.sfwmd.gov. Accessed on Jan 1, 2002

［21］ Raghunathan R, Slawecki T, Fontaine T, et al. 2001. Exploring the dynamics and fate of total phosphorus in the Florida Everglades using a calibrated mass balance model. Ecological Modelling 142: 247~259

［22］ Reddy K, DeBusk W, Wang Y, et al. 1991. Physico－chemical properties of soils in the Water Conservation Area 2 of the Everglades. Soil Science Department, University of Florida: Gainesville, FL

［23］ Reddy K R, Delaune R D, Debusk W F, Koch M S. 1993. Long－term nutrient accumulation rates in the Everglades. Soil Science Society of America Journal 57: 1147~1155

［24］ Rutchey K, Vilchek L. 1999. Air photointerpretation and satellite imagery analysis techniques for mapping cattail coverage in a northern Everglades impoundment. Journal of Photogrammetric Engineering and Remote Sensing 65: 185~191

［25］ SFWMD. 1998. Natural Systems Model version 4.5 Documentation. South Florida Water Management

District, West Palm Beach, FL

[26] Stober J, Scheidt D, Jones R. 1998. South Florida ecosystem assessment. Monitoring for adaptive management: Implications for ecosystem restoration. Vols I and II. Final Technical Report, Phase 1. U.S. EPA, Athens, GA.

[27] USACE, SFWMD. 1998. Central and Southern Florida Project Comprehensive Review Study: Draft Integrated Feasibility Report and Programmatic Environmental Impact Statement. U.S. Army Corps of Engineers and South Florida Water Management District. Available from http://www.evergladesplan.org/, accessed on January 1, 2002

[28] Voinov A A, Fitz H C, Costanza R. 1998. Surface water flow in landscape models: 1. Everglades case study. Ecological Modelling 108: 131 − 144

[29] Wu Y, Sklar F H, Rutchey K. 1997. Analysis and simulations of fragmentation patterns in the Everglades. Ecological Applications 7: 268 ∼ 276

# 第7章　新罕布什尔州大海湾鳗草分布的空间模拟 *

## 7.1　引言

在整个美国,许多沿海地带正在经历着日益增加的发展压力,导致沿海河口的营养物荷载显著增加(Kemp 等,1983;Short 等,1993;Short 和 Burdick,1996;Twilley 等,1985)。营养物荷载导致大量有害藻类增加、水中的溶解氧减少、贝类和鱼类大批死亡以及河口系统结构和功能的其他诸多变化(Valiela 等,1991)。沿海河口的水下水生植物,例如鳗草(Zostera marina L.),非常容易受营养物荷载增加的影响(Kemp 等,1983;Buzzelli 等,1999;Short 和 Burdick,1995)。Short 等(1993)曾经阐述过,富营养化可以彻底破坏鳗草群落,并且使生态系统改变为浮游植物占优势的系统、大型藻类占优势的系统或附生藻类占优势的系统(见图 7-1)。每一个替代的系统都是藻类初级生产力增加的结果,初级生产力的增加又会有效地遮蔽鳗草层,并减少幸存的鳗草所必需的光线。

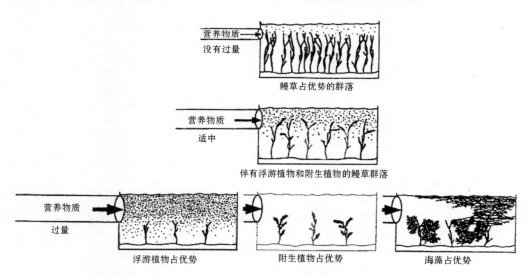

图 7-1　富营养化对于鳗草层密度的可能影响(Short 等,1993)

围绕鳗草栖息地的持续丧失问题有相当多的研究,因为对于整个海湾和河口的健康而言,鳗草的健康既是一个因子,也是一个指标(Short,1992)。因此,由鳗草占优势的系统改变为上述三种系统中的一种,说明的不只是鳗草栖息地的丧失,而且还是一种功能和服务的丧失(Costanza 等,1998;de Groot 等,2002)。例如,鳗草层通常是鱼类及其他无脊椎动物的繁殖地、避难所和苗圃(Short,1992)。因此,鳗草层还支撑着以日益丰富的小型

＊　作者:Pamela Behm,Roelof M. J. Boumans,Frederick T. Short。

河口生物为食或直接地依赖于鳗草本身(如鹅和鸭)的一系列大型河口生物(Bach,1993;Connolly,1994)。鳗草的叶子对水的运动起着抑制作用(Short,1992),这可以促进底部沉积物的稳定性,也可以促进悬浮物的沉淀(Davis 和 Short,1997),并且对海岸线提供一种低成本的保护作用。通过鳗草叶子对营养物的吸收作用,鳗草草场还可以降低水柱中的溶解营养物浓度(Short,1992;Short 和 Short,1984)。

因为这些服务具有非常高的价值,所以当前进行着深入细致的努力来恢复鳗草栖息地。这些努力的代价非常大,而其结果充其量只能说是褒贬不一(Carter 和 Rybicki,1985;Davis 和 Short,1997;Orth 等,1999)。这种相对不成功的部分原因在于研究地点对于鳗草的支撑潜力信息不足。波浪作用、光的可利用率、沉积物的类型、营养物荷载等因素都使研究地点的选择变得非常困难(Short 等,2000a;van Katwijk 和 Hermus,2000;Zimmerman 等,1995)。栖息地的恢复重建是一个相对较新的科学问题,过去的失败至少可以为提高恢复重建鳗草栖息地的成功率提供有用的经验教训(Orth 等,1999)。

开发的生态系统水平的空间模型提供了一个集成的评价工具,它便于决策者科学地做出管理决策,从而更好地保护现存的鳗草种群及其所提供的栖息地。模型的概念框图如图 7-2 所示。模拟模型提供了一个独特的工具,在实际执行管理之前,可以调查各种管理选择对于鳗草生存状况的影响,从而减少人类发展对现有鳗草草场的整体影响。新罕布什尔州大海湾河口(见图 7-3)在历史上就以其鳗草草场而闻名于世,因此选择这里作为空间模型的最初开发和实现场所。

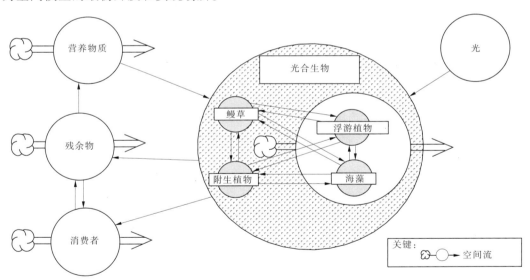

**图 7-2　包含空间流在内的大海湾空间模型概念框图**

开发模型的目的在于:①复查和修正模型结构、关键方程及参数(Short,1980);②利用大海湾的数据给出空间模型的基础运行分析;③应用模型检验营养物荷载对于鳗草和其他河口变量之间相互作用的影响。以下各部分将描述研究位置、模型结构、关键方程、模型校准以及各种营养物荷载情景对于鳗草分布和密度的影响。

## 7.2 位置描述

选择新罕布什尔州大海湾河口作为开发空间模型的研究区域。大海湾河口是一个被淹没的河谷,包括 Piscataqua 河(在 Portsmouth 港口注入 Maine 海湾)、小海湾和大海湾等部分(见图 7-3)。在本章余下的部分,"大海湾河口"将代表整个河口系统,而"大海湾"将仅仅指内海湾。在 Adam's Point,小海湾和大海湾连接在一起。大海湾受到通过 Adam's Point 而进入其中的海洋潮汐的支配。还有许多支流和小溪流入大海湾,包括 Crommet 小溪、Lubberland 小溪、Lamprey 河、Squamscott 河与 Winnicut 河(Short,1992)。大海湾本身是国家河口研究储备用地,其水域被保护起来用于研究和教育。

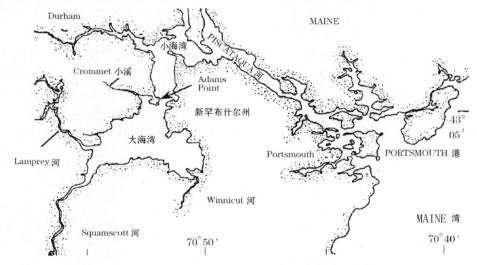

**图 7-3　大海湾河口的组成包括 Piscataqua 河、小海湾和大海湾**
图中包括了注入大海湾的主要支流和小溪(Commet 小溪、Lubberland 小溪、Lamprey 河、Squamscott 河与 Winnicut 河)

选择大海湾作为开展本研究的场所是由于其在历史上就负有盛名的丰富的鳗草草场,它提供了大海湾内最大的空间栖息地分布。然而,栖息地退化的早期警示信号,譬如贝类的消失和鳗草草场的减少,是与日益加强的海岸线开发联系在一起的,这就需要执行有效的管理实践以保护这片至关重要的栖息地(Short,1992)。大海湾河口鳗草层的显著衰退发生在 20 世纪 80 年代后期。从那时起就开始了重建工作(见图 7-4),然而,显而易见的是需要预测能力来评价水质对鳗草健康的影响以阻止鳗草在未来的衰退。

## 7.3 模型概述

大海湾模型是应用分等级的多层建模方法开发的,可以在不同细节层次下探讨鳗草生态系统(见图 7-5)。新罕布什尔州大学和马里兰大学的深入合作为每个层次水平的模型开发都做出了贡献。本研究的多级层次如下:①模拟叶子的生长量和长度(Boumans 等,未发表的数据);②单个芽以及相关根系的生长(Behm 和 Boumans,2002);③光线、营

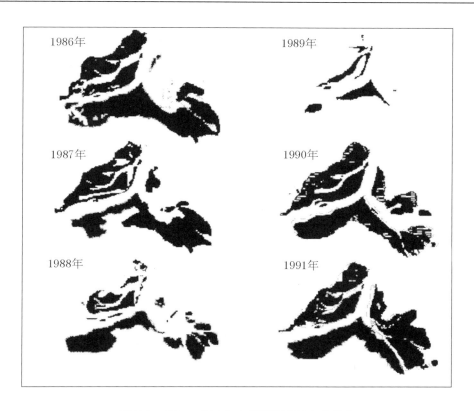

图 7-4　1986～1991 年大海湾鳗草的年度分布

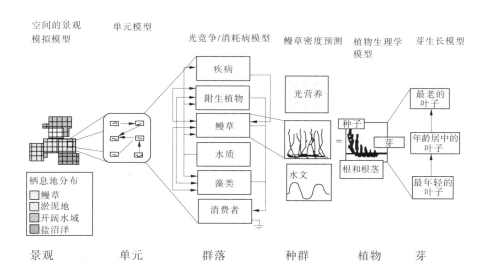

图 7-5　模型开发的层次结构

养物质和水的混浊度对于分枝增长和新芽生长的影响(未发表的数据);④融合了水质、鳗草、附生植物、消费者和大型藻类群落相互作用的单元模型(Boumans 等,2001;Fitz 等,1996;本章内容);⑤融合了鳗草生长与其他河口生物、水动力输入和环境变化相互作用的空间生态系统水平的模型(本章内容)。

开发大海湾模型的目的是模拟鳗草栖息地空间分布的动态,为完成这一任务,开展了以下工作:①建立一个单元模型(Short, 1980;Fitz 等,1996);②验证和检验单元模型(Boumans 等,2001);③运用空间建模环境(SME)软件包通过一幅大海湾地图来分布单元模型;④校准和检验空间模型;⑤设计和应用情景。

单元模型和前面分等级的多层模型是运用 STELLA™建模软件开发的,空间模型是运用空间建模环境开发的(SME;www. iee. umces. edu/SME3)。空间模型的构造采用了空间栅格结构,每一个栅格单元包含一个功能完整的单元模型。

## 7.3.1　单元模型

大海湾单元模型设计模拟了鳗草层生态系统里的碳流。对于鳗草植物体、鳗草残余物、附生藻类、浮游植物、海藻、消费者、光线、温度与溶解的无机氮和无机磷分别设计了子模型。所有的模型方程都收录在本书所附光盘的附录 A 中,关键参数如表 7-1 所示。

表 7-1　附录 A 中方程的参数和常量

| 子模型 | 变量 | 值 | 单位 | 描述 | 参考* |
|---|---|---|---|---|---|
| 消费者 | C Egest EFF | 0.6 | 无量纲 | 排粪效率 | BB |
| 消费者 | C Mort Rt | 4.00E−04 | $h^{-1}$ | 死亡率 | BB |
| 消费者 | C Resp Rt | 1.00E−04 | $h^{-1}$ | 呼吸率 | BB |
| 消费者 | Ingestion Rt | 1.75E−03 | $h^{-1}$ | 吸收率 | BB |
| 消费者 | Ep Pref | 6.0 | 无量纲 | 附生植物的相对偏好 | BB |
| 消费者 | Ph Pref | 7.0 | 无量纲 | 浮游植物的相对偏好 | BB |
| 消费者 | Rr Pref | 1.0 | 无量纲 | 根和根茎的相对偏好 | BB |
| 消费者 | Sh Pref | 2.0 | 无量纲 | 鳗草苗的相对偏好 | BB |
| 消费者 | Sw Pref | 4.0 | 无量纲 | 海藻的相对偏好 | BB |
| 消费者 | Wr Pref | 7.0 | 无量纲 | 残体的相对偏好 | BB |
| 消费者 | Travel Time | 1.25E−03 | $h^{-1}$ | 浮游到下一单元的平均时间 | BB |
| 鳗草 | Alpha PhBio | 0.43 | 无量纲 | 光合作用活性芽的估计值 | Short unpub |
| 鳗草 | L to R Limit | 30.0 | 无量纲 | 1kg 根能支撑的芽的最大生物量 | Short unpub |
| 鳗草 | Mac PP Rate | 0.096 | $h^{-1}$ | 最大初级生产率 | 校准 |
| 鳗草 | Max Litterfall Rate | 2.10E−03 | $h^{-1}$ | 最大落叶率 | Short unpub |
| 鳗草 | NphBio Resp Rate | 7.00E−03 | $h^{-1}$ | 根和根茎的最大呼吸率 | 校准 |
| 鳗草 | Perc NphBio | 0.3 | 无量纲 | 地上和地下生物量的相对比率 | Short unpub |
| 鳗草 | Phbio Resprate | 8.00E−05 | $h^{-1}$ | 鳗草芽的最大呼吸率 | 校准 |
| 鳗草 | PI Trans Rate | 0.01 | $h^{-1}$ | 最大易位速率 | Short unpub |

续表 7-1

| 子模型 | 变量 | 值 | 单位 | 描述 | 参考[*] |
|---|---|---|---|---|---|
| 鳗草残余物 | Seed Loss Rt | 5.80E−05 | h$^{-1}$ | 种子的最大掉落率 | 校准 |
| 鳗草残余物 | Seed Wgt | 1.00E−05 | C kg | 种子的平均重量 | 校准 |
| 鳗草残余物 | Sink Rt | 4.10E−03 | h$^{-1}$ | 最大沉速 | 校准 |
| 鳗草残余物 | Half Sat Air | 30.0 | ℃ | 半饱和衰退系数 | 校准 |
| 鳗草残余物 | Half Sat H$_2$O | 25.0 | ℃ | 半饱和衰退系数 | 校准 |
| 鳗草残余物 | Wind Wrack Factor | 0.05 | 无量纲 | 风对残体移动的附加影响 | 校准 |
| 附生植物 | Epi PP Rt | 3.05E−03 | h$^{-1}$ | 最大总初级生产率 | 校准 |
| 附生植物 | Epi Resp Rt | 1.55E−03 | h$^{-1}$ | 最大呼吸率 | 校准 |
| 附生植物 | Epi Sat N | 1.50E−03 | g/L | 无机氮半饱和常数 | 校准 |
| 附生植物 | Epi Sat P | 7.00E−05 | g/L | 无机磷半饱和常数 | 校准 |
| 附生植物 | Epi Seeding Rt | 1.00E−05 | kg/h | 最大播种率 | 校准 |
| 光线 | Ik Epi | 57.5 | $\mu$E/(m$^2$·s) | 附生植物的半饱和辐射常数 | BWM |
| 光线 | Ik Pht | 140.0 | $\mu$E/(m$^2$·s) | 浮游植物的半饱和辐射常数 | BWM |
| 光线 | Ik Shoot | 87.5 | $\mu$E/(m$^2$·s) | 鳗草芽的半饱和辐射常数 | 校准 |
| 光线 | Ik Sw | 140.0 | $\mu$E/(m$^2$·s) | 海藻的半饱和辐射常数 | BWM |
| 光线 | K Pht | 1.40E−05 | m$^{-1}$ | 浮游植物的 PAR 衰减系数 | 校准 |
| 光线 | K Water | 0.04 | m$^{-1}$ | 水的 PAR 衰减系数 | BWM |
| 光线 | Latitude | 41.3 | ° | 大海湾的位置 | Short1 |
| 光线 | Leaf Length | 1.0 | M | 芽的平均叶子长度 | 校准 |
| 光线 | Leaf Length Sw | 0.5 | M | 海藻的平均叶子长度 | 校准 |
| 浮游植物 | Ic Pht | 1.00E−03 | g/L | 初始浮游植物浓度 | 校准 |
| 浮游植物 | Pht Gross PP Rt | 2.93E−03 | h$^{-1}$ | 最大总初级生产率 | 校准 |
| 浮游植物 | Pht Mortality Rt | 5.00E−04 | h$^{-1}$ | 自然死亡率 | 校准 |
| 浮游植物 | Pht Resp Rt | 7.50E−04 | h$^{-1}$ | 最大呼吸率 | 校准 |
| 浮游植物 | Pht Sat N | 9.00E−04 | g/L | 无机氮半饱和常数 | 校准 |
| 浮游植物 | Pht Sat P | 6.00E−05 | g/L | 无机磷半饱和常数 | 校准 |
| 海藻 | Sw Mort Rt | 4.00E−04 | h$^{-1}$ | 自然死亡率 | 校准 |
| 海藻 | Sw Pp Rt | 2.20E−03 | h$^{-1}$ | 最大总初级生产率 | 校准 |
| 海藻 | Sw Resp Rt | 8.80E−04 | h$^{-1}$ | 最大呼吸率 | 校准 |
| 海藻 | Sw Sat N | 5.00E−04 | g/L | 无机氮半饱和常数 | 校准 |
| 海藻 | Sw Sat P | 1.00E−05 | g/L | 无机磷半饱和常数 | 校准 |
| 海藻 | Sw Seeding Rt | 1.00E−05 | kg/h | 最大播种率 | 校准 |

注: * 缩略语: BB = Behm 和 Boumans, 2001; BWM = Buzzelli 等, 1999; Short unpub = Short 未发表的成果; Short1 = Short, 1992。

鳗草植物体子模型包含的变量有：芽中的碳、根和根茎中的碳以及种子库的建立。鳗草芽的碳生物量通过初级生产力及营养物质从根和根茎向芽的传输而增加（Short，1980）。芽生物量通过营养物质向根和根茎的输送、呼吸作用、吸收作用、枝叶脱落及自然死亡而减少。芽的总初级生产力（GPP）与估计的光合作用活性植物面积的大小成比例，受到最大特定生产率的控制，并受最不适宜温度以及光和营养物质可利用率的限制。从芽的总初级生产力（GPP）中减去依赖于温度的呼吸作用就是芽的净初级生产力（NPP）。同时，鳗草子模型还考虑了碳在地下的根和根茎与地上的芽之间的迁移转化。从根和根茎向芽的季节性转移指标（见图 7-6（a））促使了新芽在春季的生长（Short，1975），同时伴有一定百分比的芽的净初级生产力从芽向根和根茎流动。鳗草芽生物量的更多损失是消耗和叶子脱落造成的。季节的限制（见图 7-6（b））导致叶子的脱落发生在夏末和秋季（Josselyn 和 Mathieson，1980）。自然死亡的芽与芽的总生物量成比例。依赖于温度的呼吸作用、恒定的自然死亡率及地下消费者的吸收导致了根和根茎的损失。模型考虑了种子的产量以及种子库的形成与积累。在种子库中种子通过脱落而增加并通过分解而减少。模型没有考虑种子萌发产生新株的能力。在模型中，种子的积累由种子生产的季节性指标控制（见图 7-6（c）），种子的分解用一定比例的种子总生物量估计。

鳗草残余物子模型考虑的是死的、自由漂浮的鳗草叶（称为残体），这些叶子每年向大海湾的残余物库提供数量相当可观的物质（Josselyn 和 Mathieson，1980）。在模型中，残体生物量产生于脱落的鳗草叶子，它们可以在整个海湾当中漂移。残体生物量的减少是由于消耗、分解和下沉到水柱以外造成的。以前对于大海湾的研究显示，残体沿海岸线的分解速度比在水中慢（Josselyn 和 Mathieson，1980）。因此，在模型中残体分解速度的半饱和率根据空间单元位置的不同（在海岸线上或在开阔水域中）而发生变化。残体的空间移动速度和方向，作为空间模型的附加函数，与风和水流的综合影响成比例。

浮游植物、海藻和附生植物子模型是用类似的方法实现的。碳生物量通过总初级生产力增加，受到特定生物体最大生产率的驱动，并且受温度、光和可利用的营养物质的限制。从总初级生产力中减去依赖于温度的呼吸作用就是净初级生产力（NPP）。碳生物量也由于消耗和自然死亡而减少。对于附生植物，它的死亡是鳗草芽死亡率（叶子脱落和自然死亡）以及附生植物和芽二者之间碳生物量比率的函数（Buzzelli 等，1999）。附生植物和海藻子模型都包括一个受季节性指标控制的随机再生产函数（Kilar 和 Mathieson，1978；Chock 和 Mathieson，1976；Niemeck 和 Mathieson，1976）。海藻子模型还包括一个在高流速条件下产生运动的空间机制（Josselyn 和 Mathieson，1980；Penniman 等，1986）。

消费者的生物量子模型考虑的是大海湾内摄取食物源的食草动物。它们的碳生物量通过摄取食物源而增加，包括芽和根、残余物、附生植物、浮游植物以及海藻等。消费者的吸收作用与消费者对食物的偏好相关，并且受限于最大吸收率和温度控制的新陈代谢活性。偏好是由研究鳗草种群，尤其是研究大海湾地区鳗草种群的各类专家一致确定的。一些参考文献提供了关于鳗草群落中各种消费者偏爱的食物类型方面的真知灼见（Fralick 等，1974；Hootsmans 和 Vermaat，1985；Kitting，1984；Owen，1972；Percival 等，1996；Thayer 等，1984；van Montfrans 等，1982；Zimmerman 等，1979）。被消费掉的食物产生的粪便和吸收总量成比例。消费者的生物量通过一个恒定的自然死亡函数和呼吸作用而减

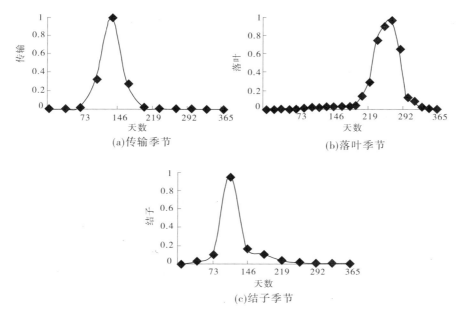

图 7-6　鳗草的作用力函数

少,这受控于消费者的新陈代谢活性。消费者子模型的空间动态允许消费者在海湾中活动,这是它们对食物的可利用性和竞争的反应(Behm 和 Boumans,2001)。

温度、光和营养物质的可利用性子模型在调节鳗草子模型和那三个藻类子模型的初级生产力方面起着非常重要的作用。水温(℃)和儒略历时间之间存在一种经验关系(Short,1975,1980)。温度对于鳗草初级生产力的限制是一个双指数函数,这一函数通过野外数据校准,它表明在高温和低温情况下光合作用的速率都比较慢(Short,1975,1980)。温度对于浮游植物和附生植物生长的影响,在不同的物种选择不同的温度这一假设前提下,遵循一条单指数曲线。

对光线通过水柱的衰减和光线在水柱中相对位置的模拟,决定了模型中光对于所有光合作用活性生物体的可利用性。水柱表面光合作用有效辐射(PAR)的数量综合考虑了太阳辐射和云覆盖的影响。使用 Beers - Lambert 光衰减定律计算生物体可利用的 PAR(Bach,1993;Buzzelli 等,1998,1999;Short,1980;Verhagen 和 Nienhuis,1983),它考虑了水和有机质对光分散的影响。浮游植物光的可利用性用水柱深度的一半来计算,这是因为浮游植物在大海湾的任何水深处都有发现。到达附生植物的 PAR 用总水深与芽叶长度(假定平均为 1 m)之差来计算。最后,到达芽叶表面的光用相同的深度来计算,但要结合附生植物对于芽叶遮荫的影响(Buzzelli 等,1999)。到达每一个有机体的 PAR 终值被用来计算光合作用的相对光极限。根据 Michaelis - Menten 公式,光极限是一个无量纲的比率,该比率等于 PAR 除以 PAR 与光合作用半饱和辐射度之和(Bach,1993;Buzzelli 等,1999;Verhagen 和 Nienhuis,1983)。

模型中包括了溶解的无机氮(DIN)和无机磷($PO_4$)的分布。营养物的空间分布基础是河流排泄的相对贡献(见图 7-7)。Michaelis - Menten 公式被用于确定营养物对初级生产力的限制。主要由于信息的缺乏,沉淀的营养物浓度被定为常量。

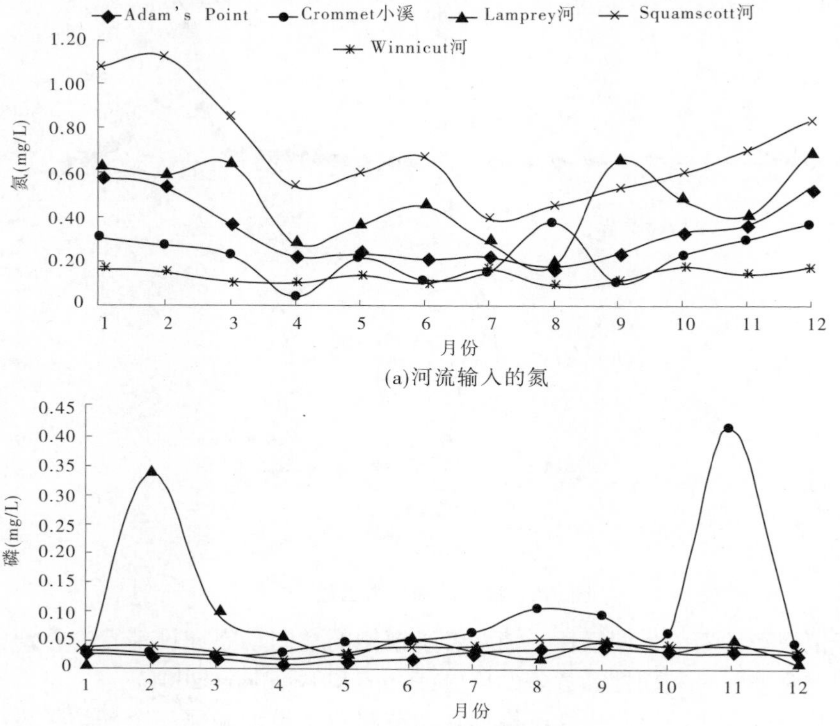

(a)河流输入的氮

(b)河流输入的磷

**图 7-7　河流输入到大海湾中的月均营养物质量**
由于数据缺失,Winnicut 河输入的 PO₄ 不包括在内

## 7.3.2　模型验证

　　通过对鳗草在每一个等级水平下生长发育的深入分析,对大海湾模型的框架结构进行了验证。鳗草生长发育的层次分析,为更好地理解导致鳗草层空间分布的相互作用过程提供了一个独特的、综合的方法。在分析的每一个水平下发现主要过程,并把这些过程聚合到更高的水平,最终就可以聚合成一个可以应用于空间背景的鳗草生长发育模型。例如,单元模型的鳗草子模型结合植物生理模型和鳗草密度模型(在较低的层次水平下开发)形成一个单一的结构体,可以表示芽以及根和根茎的生长、植物扩散的动态过程和物质在空间栅格之间的交换。

## 7.3.3　空间模型

　　基于栅格的空间模型的开发(Maxwell,1999;Maxwell 和 Costanza,1994,1997)为模拟遍及海湾的物质和能量流的动态提供了一种机制。代表 100 m×100 m 的空间栅格单元可以与东南西北四个方向的邻近单元进行物质能量交换(见第 1 章图 1-1)。

　　ADAM 模型是一个二维的、非线性、时间序列、有限元模型,这一模型由 Dartmouth 大学的 Lynch 和 Ip 开发(Ip 等,1998),新罕布什尔州大学海洋工程中心把它用于大海湾河口的研究(Ertürk 等,待刊,2002;Ip 等,1998)。基于此模型的输出结果,海湾中的营养物质和其他自由漂浮物在水的作用下通过单元边界。ADAM 模型还提供了流速、流向和水深等信息(见表 7-2)。平均潮高的最大水深如图 7-8 所示。

表 7-2　水文模型变量

| 变量名 | 描述 | 单位 |
| --- | --- | --- |
| E _ current _ vector | 向东的流速矢量 | m/s |
| N _ current _ vector | 向北的流速矢量 | m/s |
| S _ current _ vector | 向南的流速矢量 | m/s |
| W _ current _ vector | 向西的流速矢量 | m/s |
| sf _ wt _ X _ E | 向东输送的水柱 | $m^3/s$ |
| sf _ wt _ X _ N | 向北输送的水柱 | $m^3/s$ |
| sf _ wt _ X _ S | 向南输送的水柱 | $m^3/s$ |
| sf _ wt _ X _ W | 向西输送的水柱 | $m^3/s$ |
| water _ depth | 水柱深 | m |

　　鳗草监测数据提供了海湾内鳗草层的空间分布(Short 等,2000b)。用于驱动空间模型的其他数据包括浪区(海浪没有阻碍物时所经过的距离)(Short 等,1997)、河流排泄的营养物质量(Short 等,1997)以及气象数据如风向、风速、气温和降水量等(未发表的数据)。

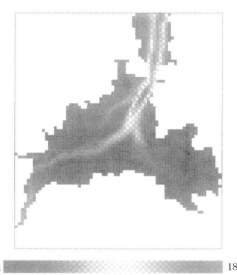

2.0 m　　　　　　　　　　　　　　　　　　　　18.6 m

图 7-8　平均潮高下的最大水深

## 7.3.4　校准

如表 7-1 所示,单元模型需要 60 多个参数。校准提供了一种方法,可以估计状态变量相对于参数范围的容许误差,还可以给那些在文献中找不到的参数赋值。由于空间动态在营养物浓度及其对初级生产力生产的相关效应方面所起的重要作用,在空间水平上的校准非常有效。对于鳗草而言,依据观测数据(见图 7-9)对空间模拟结果进行了初步校准,详细的讨论见以下部分。

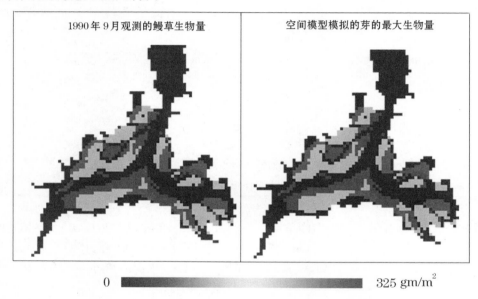

图 7-9　1990 年 9 月鳗草生物量的观测值和空间模拟结果的比较

# 7.4　结果

以下各部分给出了以 1 小时为时间步长的 2 年的动态空间模拟结果。为了得出营养富集对于鳗草层生长发育和分布的影响,模拟了 3 种情景:

(1)基本情景:采用的是河流排泄的平均营养物浓度;

(2)贫营养情景:平均营养物浓度减半;

(3)富营养情景:平均营养物浓度翻倍。

表 7-3 列出的是模拟结束时(第 730 天),基本情景和营养物荷载情景之间生物量平均百分比的变化。空间模拟的动画结果在本书所附的光盘中。

表 7-3　模拟的 730 天后基本情景与贫营养情景和富营养情景之间生物量变化的平均百分比

| 类型 | 贫营养 | 富营养 |
|---|---|---|
| 鳗草芽 | 7%（＋） | 25%（－） |
| 鳗草根和根茎 | 6%（＋） | 20%（－） |
| 鳗草残余物 | 6%（＋） | 19%（－） |
| 附生植物 | 96%（－） | 755%（＋） |
| 浮游植物 | 88%（－） | 281%（＋） |
| 光 | 9%（＋） | 27%（－） |

注:(＋)表示生物量增加,(－)表示减少。

## 7.4.1　基本情景[1]

　　基本情景下空间模型运行所使用的参数和配置见表 7-1。基本情景下一个完整海潮周期的无机氮和无机磷营养浓度如图 7-10 所示。两年间,芽、根和根茎的空间模拟结果见图 7-11(b)和图 7-12(b)。可以发现,在平均的营养物荷载条件下,芽、根和根茎的分布都变得稠密而均匀。如图 7-13(b)所示,鳗草残余物的模拟结果很好地表明了鳗草落叶和随后的残体腐败的季节性特征。残体最初在落叶期间产生,然后在风和水流的综合影响下被冲向海岸。这些残体在整个冬季都保留在海岸上,到春天时随着温度的升高而腐败分解。

　　附生植物、浮游植物和海藻具有季节性的生长周期。附生植物的生物量在夏末达到最大,此后由于鳗草芽的动态和温度的降低而降低(见图 7-14(b)和图 7-15(b))。浮游植物最大生物量的出现时间比附生植物晚(见图 7-15(b))。与第一年相比,这两种植物的生物量峰值在第二年的模拟结果中都呈现出增长趋势。

　　到达鳗草芽的表面光占的百分率减少了(到达芽的 PAR/到达水表面的 PAR),而这里的附生植物和浮游植物生物量却较高,这是由于水深、附生植物和浮游植物的生物量对于光透射的综合影响造成的(见图 7-16(b))。

## 7.4.2　贫营养情景

　　贫营养情景中,无机氮和无机磷的营养浓度降低了 50%。由于在水体表面的营养浓度极低的情况下,芽具有从沉积物中获取营养物质的能力(Kemp 等,1983),因此鳗草的生长和残体的产生并没有受营养物供给量减少太大的影响(见图 7-11(a)、图 7-12(a)和图 7-13(a))。

　　营养物供给量减少对附生植物和浮游植物产生了很大的影响(见图 7-14(a)和图 7-15(a))。这两种植物的生物量都明显降低,特别是在模拟的第二年。在这一情景下,附生植

---

　　[1]　图 7-10~图 7-16 是彩色动画,在随书附带的光盘中。

物的最大生物量相当于基本情景下的 1/5;而浮游植物的最大生物量则略高于平均荷载条件下的 1/3。

由于藻类生物体显著减少,到达鳗草芽的表面光占的百分率比基本情景和富营养情景下都要高(见图 7-16(a))。

### 7.4.3 富营养情景

富营养情景中,模型设置的无机氮和无机磷浓度是基本情景下的 2 倍。营养物供给的增加使得鳗草芽、根和根茎的生物量减少(见图 7-11(c)和图 7-12(c))。在模拟的第二年,与基本情景相比鳗草芽的生物量发生了比较大的空间变化。第二年末,海湾中的鳗草分布显著减少(见图 7-11(c),第 730 天)。假如进行更长时间的模拟,营养物对于鳗草层的影响可能会更为显著。由于鳗草芽生物量的减少,鳗草残余物也相应减少(见图 7-13(c))。

丰富的营养物质对于附生植物和浮游植物的影响非常明显(见图 7-14(c)和图 7-15(c))。这两种生物的空间规模和分布范围都增加了。在该情景下附生植物的最大生物量大约是基本情景下的 4.5 倍;浮游植物的最大生物量则是基本情景下的 3 倍多。

附生植物和浮游植物生物量的增加对于到达鳗草芽的表面光占的百分率的影响如图 7-16(c)所示。同基本情景相比,可利用的光明显减少(见图 7-16(b))。

## 7.5 讨论

本研究的目的是建立一个空间动态模型,此模型可以把流域的土地利用管理与影响河口生态系统特别是影响鳗草层生长发育的过程和相互作用连接起来。介绍的模型捕获了大海湾河口内河口生物群落这一复杂动态生态系统在空间和时间上的响应。可以论证基于鳗草层、附生植物、大型藻类和浮游植物的种群分布指标,是怎样被用来预测大海湾未来的生态健康的。设置的情景中包括一系列富营养情景,由于支流水系的管理实践,富营养化和悬浮沉积物水平增加是海湾内最有可能遭受的影响(Short 等,1993;Short,1992)。建立大海湾模型的过程中,成功耦合了在不同的时间步长及空间尺度下开发和校准的水文模型(ADAM)与生态系统模型。

### 7.5.1 大海湾河口生态系统对于各种营养条件的响应

#### 7.5.1.1 基本情景

在基本情景下,鳗草层生长发育的空间模拟结果显示了河口过程和生物体的相互作用对于空间分布模式的重要性。鳗草芽的生物量在 7 月底叶子开始脱落时(见图 7-6(b))达到最大(见图 7-11(b))。以前对于这一纬度地区的研究中(Short,1980,1992;Short 等,1993),已经发现了这种季节性模式。

　　基本情景下鳗草生物量的模拟结果显示,在平均的营养物荷载条件下,鳗草草场的分布变得稠密而均匀(见图 7-11(b)),而且最大生物量也逐年增加。然而,1990 年 9 月的鳗草空间监测数据表明,生物量发生了明显的空间变化(见图 7-9)。造成观测和模拟结果差异的可能原因是平均芽叶长度为一个常数(1 m)的假设。由于前些年的栖息地遭受了严重损失(见图 7-4),在 1990 年鳗草还处于恢复时期。这时的叶长度很可能短于 1 m,导致空间模型对于芽生物量的估计过高。由于叶长度同时也是水深的函数,因此导致了一些其他的变化(见图 7-8)(Jacobs,1979)。在环绕主海峡的深水中,相应于光的可利用性,叶子的长度要长一些。这将使深水中的生物量增加而浅水中的生物量减少,这是监测结果具有的模式。

　　根与根茎生长的空间模拟结果(见图 7-12(b))显示了鳗草的地上生物量与地下生物量之间很强的联系。在 7 月初出现生物量的一个峰值,此后由于温度的制约而减少。这种季节性模式与以前的研究是一致的(Verhagen 和 Nienhuis,1983)。然而,由于缺乏大海湾的根和根茎生物量时间序列数据,因此无法与模拟结果进行比较。

　　残体的空间模拟结果(见图 7-13(b))与河口区观测到的趋势是一致的(Josselyn 和 Mathieson,1980)。残体在 10 月初开始产生,在风和水流的作用下沉积在海岸线,并且整个冬天都保持原状。模拟结果显示残体在 5 月初完全分解,这再一次与观测的趋势相一致(Josselyn 和 Mathieson,1980)。

　　大海湾地区附生藻类生产力的数据非常少。然而,附生植物生物量的模拟结果表明了一种季节性信号和类似于芽的模拟结果的逐年增长趋势,这与以前的研究结果是一致的(Bezzelli 等,1998,1999)。附生藻类的空间分布受到营养物可利用率的强烈影响(见图 7-10),其最大生物量出现在营养物供给增加的区域。

　　浮游植物的模拟结果(见图 7-15(b))显示其最大生物量出现在 10 月初。在大海湾,关于浮游植物的种群组成、丰度以及产量的可用数据非常少(Short,1992)。以前估计的产量峰值通常出现在 6 月或 7 月。然而,峰值出现的时间有很大的差异(Short,1992)。或许在模型中低温对于产量的限制条件应该更严格一些,但是这需要的数据也更多。另外,空间运动并没有被引入到模型中,这一点前面已经做过解释。因此,空间分布和年产量的峰值很大程度上由营养物的分布决定。

　　与模拟时间为 2 年的基本情景下最大生物量出现的空间位置相比较,营养物的可利用率对于浮游植物的空间分布影响非常明显(见图 7-10)。假定浮游植物的初始浓度与水深成比例(见图 7-8),在主海峡内进行了最大生物量的初始估计(见图 7-15(b),第 0 天)。然而,随着时间的推移和营养物对初级生产力的限制作用,最大生物量的出现位置从主海峡内转移到了营养物浓度最大的位置(见图 7-15(b),第 655 天和 730 天)。

## 7.5.1.2　贫营养情景

　　贫营养情景中,由于光的可利用率增加(见图 7-16(a)),鳗草芽、根和根茎的生物量也略微增加(见图 7-11(a)和 7-12(a))。由于浮游植物和附生植物的生物量显著减少,光的衰减作用更大(见图 7-14(a)和 7-15(a))。对于这两种生物体而言,在模拟的第二年生物量显著减少,这表明营养物的供给不足以支撑其中的任何一个种群。模拟结果与图 7-1

中最上边那个面板的结果是一致的,该面板中也没提到有营养物剩余的情况(Short 等,1993)。在这种情况下,鳗草是起支配作用的生产者,大型藻类出现的数量很少。

### 7.5.1.3　富营养情景

富营养情景的模拟结果表明,长时期的营养富足将导致鳗草层的丰度和分布遭受损失(见图 7-11(c)和图 7-12(c))。营养物荷载导致附生植物和浮游植物种群呈现出季节性繁盛(见图 7-14(c)和图 7-15(c)),这导致鳗草芽的初级生产力对于光的可利用性显著降低(见图 7-16(c))。比较基本情景和富营养情景下光的可利用性(见图 7-16(b)和图 7-16(c)),可以清楚地发现直到模拟的第二年光线才发生显著减少。这主要是由于,在这一时期附生植物和浮游植物的生物量分别增加了 3 倍多(见图 7-14(c))和 2 倍多(见图 7-15(c))。结果,鳗草分布的损失直到第二年末才变得明显(见图 7-11(c))。如果模型的模拟期限延长为 35 年,其模拟结果可能会有助于更好地理解营养过度丰富对鳗草的影响。

这一结果与以前富营养化的实验结果是一致的,在实验中,增加营养物的供给可以导致大型藻类产量的增加和鳗草芽丰度的减少(Kemp 等,1983;Short 等,1991,1993,1995)。这些研究大部分是对中观环境进行的短期模拟(Kemp 等,1983;Short 等,1995),但是有足够的证据表明过多的营养物荷载对河口环境中的鳗草分布具有影响(Kemp 等,1983;Short 和 Burdick,1996;Short 等,1996)。

由于 ADAM 水文模型和大海湾生态模型是为不同的时间和空间尺度开发的,因此对两者进行耦合是一个挑战。ADAM 模型水文流的时间步长是 1 分钟,最大时间间隔是一个潮汐周期;而生物过程模型以天为时间步长,模拟周期是几年,这两者不能很好地匹配。从 ADAM 模型得出的每小时水流速度的平均值(Ertürk 等,待刊)决定着鳗草残余物、营养物质和浮游植物的运动。漂浮在水面上的残余物的运动用合成水流和风的速度与方向的办法来计算。但是营养物和浮游植物的运动完全取决于水的流速。对于浮游植物,可以肯定的是生物过程是影响其生物量的决定性因素,因此忽略了空间流。对于营养物质,可以肯定的是大海湾内的营养物浓度主要是通过河流输入的。为了解决这里的尺度问题,对模型作了修改,在最大的营养物荷载条件下(从图 7-7(a)和图 7-7(b)中决定),用 1分钟作为时间步长运行一个潮汐周期(大约是 13 个小时)。通过这一分析得到每小时的最大营养物浓度,然后转换成地图输入到现在的模型中。此后模型结构又变回到以 1 小时为时间步长,这样,输入的营养物地图都对应了潮汐周期的适当阶段。图 7-10 展示了一个潮汐周期的分析结果。确定了实际营养物荷载(基于图 7-7(a)和图 7-7(b))与最大营养物荷载之间的比率,模型使用它调整每一个时间步长下的相应营养物地图。

## 7.5.2　对于管理的意义

大海湾流域日益增长的发展压力意味着,由于缺乏可执行的管理行为,营养物荷载特别是非点源的营养物荷载还会增加(Short,1992)。大海湾模型富营养情景下的运行结果强调了监测和控制营养物排放量的必要性。这一情景的运行结果还表明,如果河口的营养物荷载加倍将会彻底改变河口的功能及其所提供的服务。控制河口营养物水平的建议如下：

(1)定期地监测排入到河口的营养物质；

(2)减少城市的非点源排放(即暴雨径流、污水渗漏和有害废弃物的处置等)(Short，1992)；

(3)通过发展和使用最佳土地管理实践减少农业的非点源排放(即施肥、使用杀虫剂和土壤侵蚀等)(Short，1992)；

(4)通过不断改进废水处理减少点源排放(Short 等，1991)。

在缺乏规则的制定和实施——这些规则包括了营养物荷载问题并致力于去解决它——的情况下，执行这些建议将是不可能的(Short 等，1991)。为整个大海湾流域建立一个管制勘漏委员会——该委员会具有权力制定和执行措施来减少营养物荷载——对于问题的全部解决非常必要。

## 7.5.3　进一步需要开展的工作

模型的进一步改进将包括消耗病部分。为整合消耗病，模型的改进应包括：①更加动态的叶子长度表示方法；②种子萌发以再生产。值得注意的是，由于缺乏数据，种子的萌发并没有结合到现在的鳗草子模型中。然而，研究表明疾病破坏鳗草种群后，其最基本的恢复机制是种子萌发(Olesen，1999；Short，1992)。

由于盐分通量和悬浮沉积物荷载影响消耗病的蔓延(Burdick 等，1993；Short，1992)，因此模型结构应该包括它们。然而，由于它们都依赖于水文过程，因此为了结合这两个变量，对 ADAM 模型和大海湾模型进行更有力的耦合是必需的。

最后，正如前面所讨论的，由于空间数据特别是营养物、附生藻类和浮游植物数据的缺乏，校准工作受到了阻碍。

# 7.6　结论

本研究的主要目标在于理解影响鳗草分布的因素，并预测人类活动的变化对于鳗草群落的影响。为实现这一目标，首先开发了单元模型(Short 等，未发表的数据)，该模型是编辑和组织信息的一个有力工具，这些信息是通过对不同细节水平下的鳗草进行透彻的层次分析后得到的。单元模型的验证表明模型是稳定和可靠的。然后，在平均的营养物荷载条件下把模型应用到空间尺度以检验模型的性能。空间模型的运行结果捕获了初级生产力和海岸线上残余物变迁的季节性特征。由于叶子平均长度的假定而导致了鳗草空间变化的失真。用外界因素的变化(改变营养物荷载)预测了鳗草分布受到的影响。丰富的营养物质可以导致附生植物和浮游植物的丰度增加，鳗草层的空间分布减少。

综观所做的工作，本研究提供了一种组织和评价现有知识的方法，更重要的是模拟结果和实际结果之间的差异使我们明白了什么是未知的，或者什么需要被引入模型以提高模拟结果的真实性。发现什么是不知道的往往比简单地编辑所知道的东西更有价值，因为这样才能了解哪里需要更多的研究工作。对于本模型，未来的改进应该包括以下内容：

①开发更加动态的方法估计芽叶长度；②为更进一步的校准收集空间数据；③更加密切地联系大海湾模型和 ADAM 模型；④纳入鳗草消耗病的动态机制。

　　本研究提供了一种开发工具的方法，这种工具可以用于任何基于鳗草的河口环境，也可以被土地管理者在实施土地管理之前用于模拟不同的管理选择对于鳗草层的影响。简单的情景，就像这里所讨论的，可以提供快速可靠的预测以帮助土地管理者作出未来的规划决策。鳗草层对于河口系统的健康是至关重要的，因此开发和实现这类工具对于更好地保护这些河口系统也是至关重要的。

　　**致谢**：本项目的资金（NA87OR0512）是由 NOAA/UNH 海岸与河口环境工程合作研究所（CICEET）提供给新罕布什尔州大学的 Short 博士的。有很多人参与了空间模型的开发，感谢他们所做的每一项工作。Thomas Maxwell 博士和生态经济研究所的其他成员开发了用于运行空间模型的空间建模环境。Thomas Maxwell 博士在我们遇到问题时，提供了现成的和详尽的帮助。感谢研究所的主任 Robert Costanza 博士，他担任了我们的顾问并大力宣传这一项目。

　　在新罕布什尔州大学，David Burdick 博士在开发每一层次水平的分析时都提供了帮助和许多有益的专家建议。Safak Nur Ertürk 博士提供了用于输入到空间模型中的 ADAM 模型的水文输出。Jamie Adams 先生在处理空间数据时提供了 GIS 方面的帮助。

# 参 考 文 献

[1] Bach H K. 1993. A Dynamic Model Describing the Seasonal Variations in Growth and the Distribution of Eelgrass (Zostera marina L. ). Ecological Modelling 65: 31 – 50

[2] Behm P M, Boumans R M J. 2001. Modeling Herbivorous Consumer Consumption in the Great Bay Estuary, New Hampshire. Ecosystem Modelling 143: 71~94

[3] Behm P M, Boumans R M J. 2002. Modeling Eelgrass (Zostera marina L. ) Distribution. In Dynamic Modeling for Marine Conservation(Ruth, M. and Lindholm, eds. ). Springer – Verlag, New York, pp. 164~190

[4] Boumans R M J, Villa F, Costanza R, et al. 2001. Non – spatial Calibrations of a General Unit Model for Ecosystem Simulations. Ecological Modelling 146: 17~32

[5] Burdick D M, Short F T, Wolf J. 1993. An index to assess and monitor the progression of wasting disease in eelgrass Zostera marina. Marine Ecology Progress Series 94: 83~90

[6] Buzzelli C P, Wetzel R L, Meyers M B. 1998. Dynamic Simulation of Littoral Zone Habitats in Lower Chesapeake Bay. II. Seagrass Habitat Primary Production and Water Quality Relationships. Estuaries 21 (4B): 673~689

[7] Buzzelli C P, Wetzel R L, Meyers M B. 1999. A Linked Physical and Biological Framework to Assess Biogeochemical Dynamics in a Shallow Estuarine Ecosystem. Estuarine, Coastal and Shelf Science 49: 1~23

[8] Carter V, Rybicki N B. 1985. The Effects of Grazers and Light Penetration on the Survival of Transplants of Vallisneria americana Michx in the Tidal Potomac River, Maryland. Aquatic Botany 23: 197~213

［9］ Chock J S, Mathieson A C. 1976. Ecological Studies of the Salt Marsh Ecad scorpioides (Horneman) Hauck of Ascophyllum nodosum (L.) Le Jolis. Journal of Experimental Marine Biology and Ecology 23: 171~190

［10］ Connolly R M. 1994. The Role of Seagrass as Preferred Habitat for Juvenile Sillaginodes punctata (Cuv. and Val.) (Sillaginidae, Pisces): Habitat selection for feeding? Journal of Experimental Marine Biology and Ecology 180: 39~47

［11］ Costanza R, d'Arge R, de Groot, et al. 1998. The value of the world's ecosystem services: putting the issues in perspective. Ecological Economics 25:67~72

［12］ Davis, R, Short F T. 1997. Restoring eelgrass, Zostera marina L., Habitat Using A New Transplanting Technique: The Horizontal Rhizome Method. Aquatic Botany 59:1~15

［13］ de Groot R S, Wilson M A, Boumans R M J. 2002. A typology for the classification, description, and valuation of ecosystem functions, goods and services. Special Issue: The Dynamics and Value of Ecosystem Services: Integrating Economic and Ecological Perspectives. Ecological Economics 41:3, 393~408

［14］ Ertürk S N, Short F T, Celikkol B. (in press) Modeling the Friction Effects of Eelgrass on Tidal Flow in Great Bay, NH. Submitted to Estuarine and Coastal Shelf Science

［15］ Ertürk S N, Bilgili A, Swift M R, et al, 2002. Simulation of the Great Bay Estuarine System: Tides with Tidal Flats Wetting and Drying. Journal of Geophysical Research Oceans, 7, C5, 6~1; 6~11

［16］ Fitz H C, DeBellevue E B, Costanza, R, et al. 1996. Development of a General Ecosystem Model for a Range of Scales and Ecosystems. Ecological Modelling 88: 263~295

［17］ Fralick R A, Turgeon K W, Mathieson A C. 1974. Destruction of Kelp Populations by Lacuna vincta (Montagu). The Nautilus 88(4): 112~114

［18］ Hootsmans M J M, Vermaat J E. 1985. The Effect of Periphyton – Grazing by Three Epifaunal Species on the Growth of Zostera marina L. Under Experimental Conditions. Aquatic Botany 22: 83~88

［19］ Ip J T C, Lynch D R, Friedrichs C T. 1998. Simulation of Estuarine Flooding and Dewatering with Application to Great Bay, New Hampshire. Estuarine Coastal and Shelf Science 47: 119~141

［20］ Jacobs R P W M. 1979. Distribution and aspects of the production and biomass of eelgrass, Zostera marina L., at Roscoff, France. Aquatic Botany 7: 151~172

［21］ Josselyn M N, Mathieson A C. 1980. Seasonal Influx and Decomposition of Autochthonous Macrophyte Litter in a North Temperate Estuary. Hydrobiologia 71: 197~208

［22］ Kemp W M, Twilley R R, Stevenson J C, et al. 1983. The Decline of Submerged Vascular Plants in Upper Chesapeake Bay: Summary of Results Concerning Possible Causes. Marine Technology Society Journal 17 (2): 78~89

［23］ Kilar J A, Mathieson A C. 1978. Ecological Studies of the Annual Red Alga Dumontia incrassata (O. F. Muller) Lamouroux. Botanica Marina 21: 423~437

［24］ Kitting C L. 1984. Selectivity by Dense Populations of Small Invertebrates Foraging Among Seagrass Blade Surfaces. Estuaries. 7(4A): 276~288

［25］ Maxwell T. 1999. A Parsi – Model Approach to Modular Simulation. Environmental Modeling and Software, 14, pp. 511~517

［26］ Maxwell T, Costanza R. 1994. Scaling spatial predictability. Environmental Toxicology and Chemistry, 13, 12

［27］ Maxwell T, Costanza R. 1997. An OpenGeographic Modeling Evvironment. Simulation Journal, 68, 3 pp. 175~185

[28] Niemeck R A,Mathieson A C. 1976. An Ecological Study of Fucus spiralis L. Journal of Experimental Marine Biology and Ecology. 24: 33~48

[29] Olesen B. 1999. Reproduction in Danish Eelgrass (Zostera marina L.) Stands: size-dependence and biomass partitioning. Aquatic Botany. 65: 209~219

[30] Orth R J, Harwell M C, Fishman J R. 1999. A Rapid and Simple Method for Transplanting Eelgrass Using Single, Unanchored Shoots. Aquatic Botany 64: 77~85

[31] Owen M. 1972. Some Factors Affecting Food Intake and Selection in White-Fronted Geese. Journal of Animal Ecology 41: 79~92

[32] Penniman C A, Mathieson A C,Penniman C E. 1986. Reproductive Phenology and Growth of Gracilaria tikvahiae McLachlan (Gigartinales, Rhodophyta) in the Great Bay Estuary, New Hampshire. Botanica Marina 29: 147~154

[33] Percival S M, Sutherland W J,Evans P R. 1996. A Spatial Depletion Model of the Responses of Grazing Wildfowl to the Availability of Intertidal Vegetation. Journal of Applied Ecology 33: 979~992

[34] Short F T. 1975. Eelgrass production in Charlestown Pond: an ecological analysis and numerical simulation model. M.S. Thesis, Grad. School Oceanogr. University of Rhode Island, Kingston.

[35] Short F T. 1980. A Simulation Model of the Seagrass Production System. In Handbook of Seagrass Biology: An Ecosystem Perspective (Phillips and C. P. McRoy , Eds.). New York: Garland STPM Press, pp. 275~295

[36] Short, F.T. 1992. (ed.) The Ecology of the Great Bay Estuary, New Hampshire and Maine: An Estuarine Profile and Bibliography. NOAA-Coastal Ocean Program Publication. NOAA: Washington, D.C

[37] Short F T,Burdick D M. 1996. Quantifying eelgrass habitat loss in relation to housing development and nitrogen loading in Waquoit Bay, Massachusetts. Estuaries 19: 730~739

[38] Short F T,Short C A. 1984. The Seagrass Filter: Purification of Estuarine and Coastal Waters. In The Estuary as a Filter (Kennedy, V.S. ed.). Academic Press, New York, pp. 395~413

[39] Short F T, Jones G E,Burdick D M. 1991. Seagrass Decline: Problems and Solutions. In NOAA: Washington, D. C. Proceedings of Seventh Symposium on Coastal and Ocean Management/ASCE. Long Beach, CA

[40] Short F T, Burdick D M, Wolf J,et al. 1993. Eelgrass in Estuarine Research Reserves Along the East Coast, U.S.A., Part I: Declines from Pollution and Disease; Part II: Management of Eelgrass Meadows. NOAA    Coastal Ocean Program Publication. NOAA: Washington, D.C

[41] Short F T, Burdick D M,Kaldy J E. 1995. Mesocosm Experiments Quantify the Effects of Eutrophication on Eelgrass, Zostera marina. Limnol. Oceanogr. 40(4): 740~749

[42] Short F T, Burdick D M, Granger S,et al. 1996. Long-term decline in eelgrass, Zostera marina L., linked to increased housing development. In Seagrass Biology: Proceedings of an International Workshop, Rottnest Island, Western Australia, 25~29 January 1996. (J. Kuo, R. C. Phillips, D. I. Walker, and H. Kirkman. Eds.) pp. 291~98

[43] Short F T,Congalton R G, Burdick D M,et al. 1997. Modelling eelgrass habitat change to link ecosystem processes with remote sensing. Final Report to NOAA Coastal Ocean Program and NOAA Coastal Change Analysis Program. NOAA: Washington, D.C.

[44] Short F T, Burdick D M, Short C A,et al. 2000a. Developing Success Criteria for Restored Eelgrass, Salt Marsh and Mud Flat Habitats. Ecological Engineering 15: 239~252

［45］ Short F T, Celikkol B, Costanza R, et al. 2000b. Spatial Modeling of Eelgrass Habitat Change in Great Bay National Estuarine Research Reserve, CICEET University of New Hempshire: Durban, NH Progress Report for the period 2/1/00 to 7/31/00.

［46］ Thayer G W, Bjorndal K A, Ogden J C, et al. 1984. Role of larger herbivores in seagrass communities. Estuaries 7(4A): 351~376

［47］ Twilley R R, Kemp W M, Staver K W. 1985. Nutrient Enrichment of Estuarine Submersed Vascular Plant Communities. 1. Algal growth and effects on production of plants and associated communities. Marine Ecology Progress Series 23: 179~191

［48］ Valiela I, Foreman K, LaMontagne M, et al. 1991. (1992). Couplings of Watersheds and Coastal Waters: Sources and Consequences of Nutrient Enrichment in Waquoit Bay, Massachusetts. Estuaries 15 (4): 443~457

［49］ van Katwijk M M, Hermus D C R. 2000. Effects of water dynamics on Zostera marina: transplantation experiments in the intertidal Dutch Wadden Sea. Marine Ecology Progress Series 208: 107~118

［50］ van Montfrans J, Orth R J, Vay S A. 1982. Preliminary Studies of Grazing by Bittium varium on Eelgrass Periphyton. Aquatic Botany 14: 75~89

［51］ Verhagen J H G, Nienhuis P H. 1983. A Simulation Model of Production, Seasonal Changes in Biomass and Distribution of Eelgrass (Zostera marina) in Lake Grevelingen. Marine Ecology Progress Series 10: 187~195

［52］ Zimmerman R, Gibson R, Harrington J. 1979. Herbivory and detritivory among gammaridean amphipods from a Florida seagrass community. Marine Biology 54: 41~47

［53］ Zimmerman R, Reguzzoni J, Alberte R. 1995. Eelgrass (Zostera marina L.) Transplants in San Francisco Bay; Role of Light Availability on Metabolism, Growth and Survival. Aquatic Botany. 51: 67~86

# 第 8 章　Patuxent 景观模型:一个流域的集成模型 *

## 8.1　引言

大的流域由很多小的集水盆地组成。每一个集水盆地都包含许多不同的土地利用类型,由于这些土地利用类型的组成和空间模式(结构)不同导致了营养保持等功能的不同。这种异质性引起的两个问题给研究人员和管理者提出了巨大的挑战。第一,这种结构和功能的差异使尝试联系景观功能与结构的田间集中研究的结果移植性很差。第二,流域内土地利用的差异使空间尺度上的直接外推非常困难。通常,可以根据地形把流域按层次分解为小的集水盆地,但由于集水盆地之间的差异和相邻集水盆地土地利用之间的相互作用,流域尺度的研究并不能简单通过线性累加广泛的小集水盆地的研究结果得到。对于大流域的水质管理,必须采用创新方法来解决这两个问题,通过综合许多小流域尺度上的实验研究数据,然后应用模型技术将普适性结论外推到大流域尺度。

Patuxent 景观模型(PLM)是一个系统分析工具,它以 Patuxent 流域的社会经济行为为条件,研究物理和生物动态之间的相互作用(Maryland, USA)(见图 8-1)。同时开发了一个反映土地利用动态变化的社会经济模型,并与 PLM 实现了有机连接。社会经济模型与 PLM 的有机融合为捕获生态和经济系统之间的反馈提供了一种途径(见图 8-2)。耦合社会经济模型和 PLM 并在它们之间交换信息与数据,我们就可以从系统的角度同时考察社会经济和生态的动态行为。在大多数生态系统模型中,社会经济发展都是以情景或作用力函数的形式输入模型的,而在耦合模型中,能够考察社会经济和生态之间的动态反馈,并根据生态扰动来调整社会经济的变化。

为了同步运行生态和经济模块,我们需要解释这两个模块的一些细节,如模块是怎样设计的;并做出一些假设如他们之间是怎样交换信息的。尤其是这两个模块的空间表达应该相匹配,从而能将一个模块内部的土地利用或土地覆被转化直接传送给另一个模块。在这种情况下,基于空间加总的方法来研究更大的单元时就非常困难,这些更大的单元可称为单元景观、单元流域、单元污染区域或单元山坡(Band 等,1991;Beven 和 Kirkby,1979;Krysanova 等,1989;Sasowsky 和 Gardner,1991),实践中这些基本的空间单元都需要考虑成均质的,它们是形成水文流动网络的基础。在这些模型里,空间单元的边界是固定的,并且在模拟的过程中不能修改。如果考虑景观由相对较小的均质单元栅格加总而成,并且每个单元格都需要进行基于过程的模拟,这种过程模拟简化了与邻近单元格之间物质流动的规则,这时候更机械的方法似乎更适合这种情形(Burke 等,1990;Costanza 等,

---

* 作者:Alexey Voinov,Robert Costanza,Roelo,Helena Voinov。

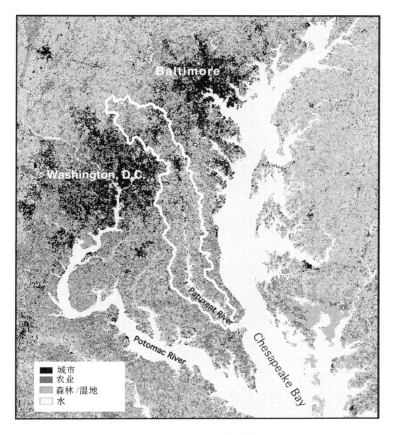

图 8-1　Patuxent 流域区位图

背景图基于 Chesapeake 海湾流域 1988/1989 年 NOAAC⁻-CAP 的土地覆被数据。分辨率是 30 m

1990；Engel 等，1993；Maxwell 和 Costanza，1995；Sklar 等，1985）。采用这种相当直接的方法需要根据计算机的存储和速度考虑广泛的空间数据集及很高的计算能力。但它为我们提供了对景观准连续的修正，在那里栖息地的边界会随着社会经济情况的变化而改变。

　　PLM 模型的经济模型在很多地方都已经介绍过（Bell 和 Bockstael，1997；Bockstael，1996；Bockstael 和 Bell，1997；Geoghegan 等，1997）。这一章我们主要描述生态模型及其各组分，特别注意模型中集成方式规定的那些方面。首先从空间、时间和结构组织方面描述整个模型的设计。接着，我们着眼于单元格（局部的）的生态过程。然后我们考虑模型的空间实现并讨论一些与尺度和分辨率有关的问题。最后在总结部分，回顾了模型结果并展望了模型的潜在应用。

# 8.2　模型结构

　　PLM 模型是首先开发的海岸生态系统景观空间模拟（CELSS）模型（Costanza 等，1990；Sklar 等，1985）的延伸，CELSS 后来应用于一系列湿地区域，Everglade 是其中最复杂的一个例子（见本书第 7 章；Fitz 和 Sklar，1999）。所模拟的景观被分割为很多正方形

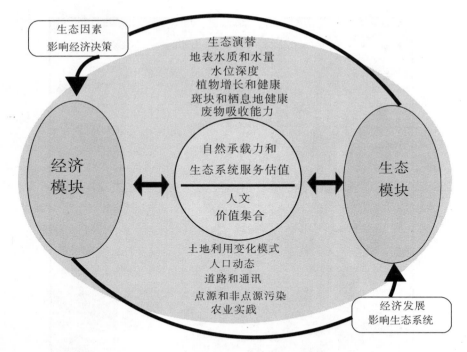

**图 8-2　经济和生态子模块之间的关联**

生态和经济模块提供了基本的反馈,有助于建立现实系统的价值以及学习衡量这些价值

的空间网格(本模型的应用范围是 2 352～58 950 个单元格)。模型在结构上是分等级和模块化的,融合了生态系统水平的单元模型,同时单元模型可以复制到每个单元格上来反映景观(第 1 章图 1-1)。用这种方法,模型建立在地理信息系统(GIS)栅格格式的基础上,用它可以存储模型中所有的空间参考数据。因此,这个模型可以看做是 GIS 分析功能的扩展,为 GIS 中存储的静态瞬态图添加了动力学和生态过程的知识。

尽管不同的单元格中运行着同样结构的单元模型,但不同单元格中的单元模型是按栖息地类型和地理参考信息参数化的。栖息地相关的信息被存储到参数数据库,其中包含了初始条件、比率参数和化学计量比等。通过与 GIS 文件的连接索引栖息地类型和其他与位置相关的特征。在这种意义上,PLM 是几个基于过程并准备应用在各种栖息地上的专门设计的生态模型中的一个。同类型的模型有 CENTURY(Parton 等,1988)、TEM(Vorosmarty 等,1989)和 BIOME－BGC(Running 和 Coughlan,1988)。通过对各种生态系统组成成分中初始存量和流量比率的参数化,所有这些模型都能够适应一个特定的位置。由于模型的复杂性和能力各有不同,致使对于某些具体应用而言,一个模型可能比其余的模型更合适。单凭经验,越是复杂的模型越能详细地解决问题,但是校准、运行和解译也更困难、更费时(Maxwell 和 Costanza,1994)。PLM 模型致力于中等尺度的复杂性,从而使它能够足够灵活地应用于各种生态系统,但又不至于麻烦到需要用一台巨型计算机来解决问题。

每个单元中的单元模型跨过空间交换物质和信息,并通过地面和地下水文的水平流量把单元模型连接起来。在现阶段,PLM 中考虑的流量仅是水及其附属物质,但理论上水平流的对象可以包括空气、动物、火或者潮汐波之类的能量运动。空间水文模块计算地表与饱和沉积层中水的流量。单元之间地表水和沉积层中的水头差异驱动了流量的产生,同时水流挟带溶解物和悬浮物。在单位时间步长内,单元模型首先根据垂直流量更新单元内的存量,然后再在单元间水平地传递流量物质,模拟流动并决定景观上的生态条件。

　　图 8-3 展示了在 PLM 内模拟时各种模型事件的分配。模型以天为时间步长,这样多数的生态变量可以按日更新,也有一些过程可以在更长或更短的时间步长上运行。例如,一些空间水文功能可能需要以小时为时间步长,而某些外部作用力函数需要以月或年为基础更新数据。

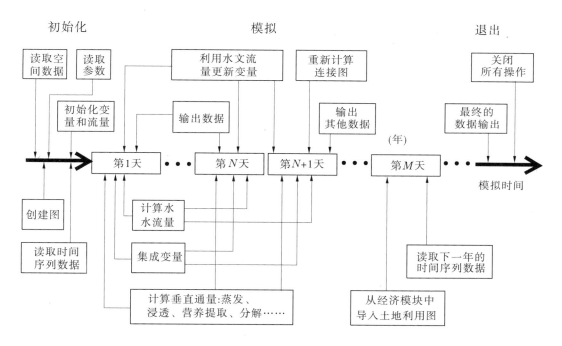

**图 8-3　PLM 中事件的时间进程**

SME 在安排模拟事件的时序方面提供了特定的灵活性。可以给不同的模块指定独立的时间步长

　　PLM 生态模块的设计在空间上的明确性和时间上的灵活性非常有助于与它伴随的经济模型相耦合,该经济模型预测了 Patuxent 流域内 7 个地区的土地利用变化的可能性(Bockstael,1996)。经济模型将人的决策模拟成经济和生态空间变量的函数。在实证估计参数的基础上,土地转化空间异质的可能性被模拟为预测的居住地、替代使用的土地价值和土地转化成本的函数。模拟的土地价值是本地和区域特征的函数。土地利用转化的预测模型提供了相关单元转化的可能性及最大开发压力下的空间模式。为预测居住地开发的绝对量,概率型的土地利用转化模型需要与区域增长压力模型相结合。最终产生一个新的土地利用图并输入到以年为基础的生态模型中。

## 8.3　地理和时间序列数据

建立和校准模型需要各种空间和时间分解的数据,在随书附带的 CD 光盘的数据部分对组装的数据库有部分描述。模型数据库中包含的数据,有的用于驱动模型作用力函数,有的用于参数化方程式,有的用于校准模型参数,有的用于检验输出和现实系统的差异。Patuxent 流域的数据库从政府机构、学术研究所和研究计划中搜集了广泛的资料(Brush 等,1980;Correll,1983;Correll 等,1992;Lichtenberg,1997;Peterjohn 和 Correll,1984)。其余区域一些合适的数据也可以作为现存的本区域数据的一个补充。

大部分可采用的数据,其时间和空间分辨率与我们所期望的数据格式不一致。因此,有时需要使用数据汇总或内插技术来校准数据。例如,作为模型驱动力的降水图,是通过对全区的 7 个气象站点的时间序列数据内插得到的。土地利用数据是对高分辨率图像进行聚类分析,去掉不需要的种类汇总得到的。另一个例子是,把高程数据(1∶100 000,垂直分辨率为 1 m)和河网数据(Maryland Office of Planning,1993)结合起来改进流域分界线和海岸线轮廓。

空间(GIS)数据包括几类数据集。一类图描述初始条件,像土地覆被、海拔、土壤类型、大水域的深度和地下水位情况。另外从遥感图像中得来的数据用于评价生态条件[如归一化植被指数(NDVI)](Jones,1996;Kidwell,1986)。流域分界线、坡向、方位和研究区域图是由 GRASS(地理资源分析支持系统)中的流域分析程序生成的(USACERL,1993)。图 8-4 显示了 PLM 中用到的基本空间层,一些衍生的图层对水文模块来说是非常基本的。流域模型中地表水的空间流动主要由高程梯度驱动。

除气象时间序列数据用于绘制每天的天气状况图外,时间序列数据还用于提供景观中具体点的其他信息。例如,点污染源在景观中具体的点输入物质。水文点的时间序列数据(河流流量、地表水和地下水水质)用于校准河流中非潮汐部分的数据。

具体的比例常数通常是空间或栖息地特征的函数,比如土壤或植被类型。依赖于栖息地的参数包括增长系数、提取率和季节性控制。大约一半这样的数据来自于 Patuxent 流域,其他的则来自于其他数据库或文献资料。

## 8.4　局地动态

在 PLM 的基本应用中,用基于修正的通用生态系统模型(GEM)(Fitz 等,1996),即 Pat - GEM(Boumans 等,2001)来呈现当地的景观动态。在运行空间模型时,很快就发现在空间背景下处理整个单元模型非常耗时并且很让人心烦。作为一个单元模型,Pat - GEM 就很复杂。在空间背景中的应用需要把它复制到几千个单元中,耗时和让人心烦的程度可想而知。

为了克服 GEM 的复杂性,我们开始尝试使用模块化的方法,这种方法不是模拟整个生态系统,而是集中于某些功能块,通过一批联系紧密和相互依赖性强的过程来反映这些功能。参考这种思路,我们设计了在第 3 章中描述的水文生态模块库(LHEM)。我们一

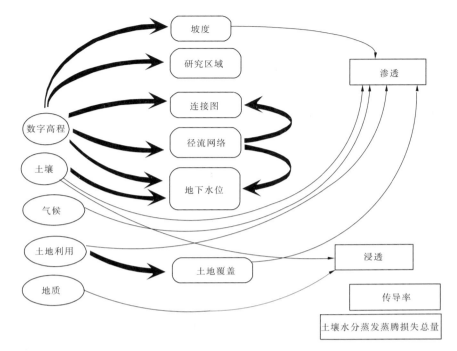

**图 8-4  PLM 的空间层**

这里有六个基本层。在模型预处理和初始化时创建另外的图。在模型运行时计算和更新其余的空间参数

直使用 STELLA 来设计模块,现在每个模块最多使用 5～6 个状态变量,比整个模型简单多了。在 SME3 随后的版本中,我们可以直接输入由这些模块产生的方程文件,并且任意组合所需要的模块。

可以独立设计和分析不同的模块。在很好地理解各模块的性能后,可以用分段的模式把他们连接起来。这个过程有助于模块的重复使用和在开发过程中的分工。明显地,模块之间有很强的相互依赖性。例如,营养物质的迁移在很大程度上依赖于水文的运输,而同时植物也消耗营养物质。把这些过程分开似乎十分困难。

利用 LHEM 中的不同模块,我们构建了 PLM 单元模型,这些不同的模块分别描述了水文、营养运动与循环、陆地与河口的初级生产力和死亡有机物的情况(见第 3 章图 3-1)。单元模型中的水文部分对模拟过程来说是最基本的,因为它能把气候作用力函数与化学、生物过程连结起来并允许各部分之间互相反馈信息。磷、氮通过植物吸收和有机物分解得到循环,在后面的模块模拟中用来描述沉积物/土壤动态。植物生长模块包括生长对环境约束(可利用的水和营养)的响应、林冠的变化(影响水分蒸腾)、死亡率和其他一些植物的基本动态。生物、化学和物理模型组件之间的反馈构成了栖息地并影响了生态系统对条件变化的响应。

## 8.5  空间应用

在考虑单元模型(对景观中的每个单元按时间步长进行计算)动态的基础上,空间模型增加了控制单元之间水与物质运动的空间流动。每一个单元格都产生自己的存量和流量值,用于提供输入或接受空间流量方程式的输出。

在空间应用中,我们正在测试的一个主要假设就是坡面漫流和河道流的模拟相似。传统上,模拟地表水的流动有两种独立的算法:一种是景观上的二维流,另一种是河道上的一维流。在 ANSWERS(Beasley 和 Huggins,1980)或 SHE(Abbott 等,1986b)这样的典型空间水文模型中使用的就是这种方法。然而考虑到 PLM 模型的时空尺度及其整体的复杂性,对这两种类型的流动我们使用了一个简化的水平衡算法。

给定模型单元格的大小(200 m 或 1 km),可以假定在每个单元内都有能够积水的小河或洼地存在。因此可以把整个区域看成是一个河道连接的网络,在河道网内每个单元格都包含一段注入相邻单元格河道的河道。河网由连接图产生,将单元格与它向下流动的单元格(从相邻的 8 个单元格中产生)连接起来。河岸植被通过改变河流单元格和下游单元格中的地表及地下水流影响模拟结果,这反映在模型的参数中。在 GEM 单元模型中,植被和营养通过土壤水分蒸发蒸腾损失及其他过程与水文紧密相连。

在由单元模型控制的垂直水流更改了栅格单元格中的水头后,基于正在测试的两种算法中的一个,地表水及其溶解物或悬浮物会在单元格之间流动。在简化的算法中,一个单元格中有一小部分水被排出并增补到下游的单元格中。这种运算不是一天迭代几次(10~20 次),以有效地形成更短的时间步长来允许河水的快速流动,就是根据给予单元格的水头大小来计算接收单元格的位置,这样在单位时间步长内,整个水量沿着连接地图决定的流动路径可以跨越好几个单元格。水文模块所需的迭代次数或流动路径的长度需要校准,以便水流速度和观测数据相匹配。

另一个算法检查两个相邻的单元格水头平衡时水运动是否已停止。我们在明渠中利用坡度－面积法(Boyer,1964)验证了相邻单元格间的流动,它与 St. Venant 动力方程的动力波近似。在这种情况下,实证分析得到的曼宁(Manning)方程被用来描述地表漫流的流量(m³/d)。Voinov 等(1998)对方程式进行了修正以确保在水头平衡时单元格之间不再存在水流,但使用 Voinov(1998)讨论的多单元扩散算法水流会加速。第一个算法对具有显著高程梯度的山麓地区效果很好,而第二个算法更适合于沿海平原地区,那里地势起伏小并存在潮汐能和回流。

对于饱和层的水,我们使用修正了的达西 (Darcy)方程式。对每个单元格而言,水流是渗透率和水头差异的函数,而水头差异指的是当前单元格与平均水头(相邻的 8 个单元格)之间的差异。同时假定有一个垂直的同质含水层与地表水发生相互作用。

## 8.6　经济土地利用转化模型

可以得到 Patuxent 流域 7 个县空间显式的土地售价数据和许多在空间上与之相邻的经济及生态特征数据。这样我们可以通过空间分解的方式实证模拟土地利用变化。经济土地利用转化(ELUC)模型可以估计 Patuxent 流域 7 个县内每个空间单元格中森林或农业用地转化为不同居住密度用地的概率(Bockstael,1996;Bockstael 和 Bell,1997;Bockstael 等,1995;Geoghegan 等,1997)。

整个经济土地利用转化模型分两个阶段。第一阶段估计不同用途地块的价值。任何建筑物的售价减去其相应估算值后可以得到居住用地的剩余价值。这种土地价值被作为因变量,描述区位特征的系列变量被用来解释土地价格的空间差异性,包括与就业中心的距离、公共基础设施的便利性(道路、娱乐设备、购物中心、下水道和自来水供应)和期望接近(比如海滨)与不期望接近(比如垃圾场)用地的距离,还包括一些描述地块周围土地利用性质的解释变量。所用的估计方法是最大似然估计法和广义矩法。后者用来处理模型中存在明显空间自相关的情况。

第二阶段估计历史上土地利用转化决策的"定性的因变量"模型(离散选择模型)。在这一阶段,历史上的决策指是否把农业或森林用地转化为居住用地,它被模拟为原始用地的价值、预测的作为居住用地的价值(从第一阶段获得)及相关转化成本的代理指标的函数。这一阶段的目的是确定影响土地利用转化的因素并估计转化函数的参数。

一旦这两个阶段中的模型参数都被估计出来,我们就能得出景观中不同地块转化的相对可能性。相对开发压力的空间模式是地块特征及其位置的函数。由于预测的居住地价值、替代利用价值以及转化成本等解释变量都是生态特征、人类基础设施和政府政策的函数,所以可以模拟这些变量变化所造成的影响。因此,区域内总的增长压力可以用来估计未来新居住地的开发模式。例如,为了产生本章中所用的情景,我们采用了从 1997～2003 年的 5 年内 Patuxent 流域 7 个县新增 28 000 所住房的规划。同样,我们可以分析其他可供选择的增长压力。但是,这好像是近期一致同意的观点。基于上述两阶段模拟的结果,新居住单元将分布在流域内"最具可能性的"位置。

## 8.7　校准与测试

开发一个过程基础的空间模型,大部分的时间都花在了依靠已有的历史数据或其他数据校准与测试模型行为上面(Costanza 等,1990)。为了充分测试模型的行为和缩减计算时间,我们在几种时空尺度上进行了模型的校准与测试,并且独立于整个空间模型校准、测试了单元模型。接下来的部分简单地描述了这些测试结果,并描述了使用校准模型模拟的不同情景及其最终结果。这些情景综合考虑了景观的基本行为和各种推荐管理选项的含义。校准模型采用了第 3 章中图 3-8 介绍的多层校准策略。

### 8.7.1　单元模型的校准

由于存在很强的空间依赖性,水文和营养动态模块的校准方式非常相似。这里我们的目的只是保证把变量维持在合理的水平状态下,即不要在储积层中存储过量的水,并且输入、输出和存储量之间要平衡。水文模块中依赖于土壤的参数采用的是 Patuxent 流域 STATSGO 数据库的均值。其他参数取自于已发表的文献和国际互联网(见随书光盘)。

Patuxent 流域占优势的植物群落是森林。LHEM 模型中植物生长模块的校准是基于美国东部 12 个森林野外观测站点的野外观测数据进行的(Johnson 和 Lindberg,1992)。这 12 个站点提供了输入和校准的平均流动速率及有机物营养成分数据。单元模型中的参数适用于平均单位面积（1 m²）。单位面积内的生物量和物种组成是通过森林调查与分析数据库（FIA）推导得出的（见随书光盘）。林业协会用来选择数据的样地是带 0.6% 松树的橡树－山胡桃树林。这一模块中有的参数继承于早期的 Pat－GEM 模型的校准（Boumans 等,2001）。在早期的 Pat－GEM 模型校准中,森林开发的校准分为三个不同的阶段。在第一个(年轻)阶段,森林中单位面积的生物量设定为单位面积内能够得到的最大生物量(FIA 确定的橡树－山胡桃树生物量的 75%)的 10%;第二个(中间)阶段设为单位面积内最大生物量的 50%;第三个(年老)阶段设为单位面积内最大生物量的 90%。最后将无机磷酸盐浓度($PO_4$)、溶解的无机硝酸盐浓度(DIN)、净初级生产量(NPP)(见表 8-1)、残余物和无生命的土壤有机物(NLOM)等 10 年的均值与 Patuxent 流域 FIA 数据库或温带森林相关文献中对应的数值进行了比较。

表 8-1　三种森林模型变量 10 年平均值与文献值的比较

| 阶段 | NPP (kg/(m²·a)) | | $PO_4^-$ ($\mu g/L$) | | DIN ($\mu g/L$) | |
|---|---|---|---|---|---|---|
| | 平均值 | 标准差 | 平均值 | 标准差 | 平均值 | 标准差 |
| 模型输出 | | | | | | |
| 年轻 | 0.039 | 0.006 | 0.017 | 0.004 | 4.1 | 5.5 |
| 中间 | 0.29 | 0.014 | 0.025 | 0.019 | 2.7 | 2.6 |
| 年老 | 0.497 | 0.014 | 0.031 | 0.027 | 4.2 | 3.5 |
| 所有年龄的森林 | 0.27 | 0.190 | 0.024 | 0.02 | 3.7 | 4.1 |
| 参考数据 | | | | | | |
| 所有年龄的森林 | 0.14[a] | 0.67 | 0.185[b] | 0.165 | 5[c] | 5 |

注:a. 从 FIA 数据库推导的 Patuxent 流域值;

　　b. Stevenson(1986)报道的沙质土壤的中点和最大偏差;

　　c. Aber(1986)报道的落叶林的中点和最大偏差。

对 Patuxent 流域典型作物进行了农业土地利用的模拟,并包括了休耕地、玉米、冬小麦和大豆之间的典型循环。作物产量的估计是根据已经得到广泛应用和校准的农业模型 EPIC(Erosion Productivity Impact Calculator)进行的。EPIC 能够提供运行 PLM 模型所需的 30% 的输入数据,并且能够提供用于比较的时间序列(以天为时间步长)输出数据。由于 EPIC 已被广泛测试,用其结果来代替本地详细的时间序列数据是一种"次优"的校准方法。

## 8.7.2　空间水文的校准

校准与运行一个如此复杂和高分辨率的水文模型需要采用多阶段的方法(Voinov 等,1999)。首先,需要确定模型运行的两种空间尺度:200 m 和 1 km 的分辨率。200 m 的分辨率更适合于捕捉与土地变化有关的生态过程,但是它太详细,而且需要太多的计算机处理时间来完成对整个流域众多模型的校准和情景评价。采用 1 km 的分辨率时,流域内模型的单元格数量由 58 905 个减少到了 2 352 个。

　　第二步确定子流域的等级。Patuxent 流域被划分为一组嵌套的子流域来执行三个尺度上的分析(见图 8-5)。Patuxent 流域北部山麓小的 Cattail Creek 子流域(23 km²)被作为起始点。另一个小的子流域 Hunting Creek 被用来校准沿海平原地区不同的水文－生态条件。另一个是位于 Patuxent 流域上半部分没有潮汐的较大的子流域(940 km²),它排水到美国地质调查局在 Bowie 的观测站。最后,我们检验了整个 Patuxent 流域(2 352 km²)。采用 200 m 的分辨率,模型单元格的数量从最初的 566 个增加到半个流域的 23 484 个,最后在整个研究区域增加到 58 905 个。

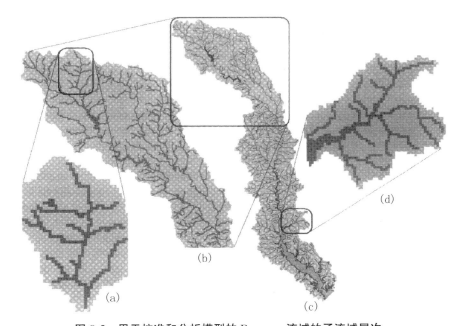

**图 8-5　用于校准和分析模型的 Patuxent 流域的子流域层次**

(a)23 km² 的 Cattail Creek 子流域;(b)940 km² 的排水到 Bowie 的 Patuxent 上半部分;

(c)2 352 km² 的整个研究区域;(d)70 km² 的 Hunting Creek 子流域

　　在校准阶段,我们仅运行了模型的水文部分,没有考虑植物和营养。尽管植物的蒸腾作用及营养物对植物生产力和蒸腾的影响都对水文有明显的重要影响,但在这一阶段都没有考虑它们,主要原因是:①为了简单;②为了与其他水文模型进行直接对比;③以后能测试考虑植物和营养物动态时的影响(见 8.7.3 节)。

　　在 Cattail Creek 流域做了一系列实验来验证地表水流动的敏感性。模型中采用的控制地表水流的三个决定性参数是:单元模型中的渗透率、水平传导率和单位时间步长内的迭代次数。河水流量的峰值主要取决于渗透率。传导率决定了暴雨间的河流水位,迭代次数改变了暴风雨峰值的宽度。

　　地表水流量的校准依据的是美国地质调查局 13 个观测站的数据,这些站点有与气候数据序列(1990～1996 年)对应一致的数据。Cattail 子流域(见图 8-5(a))的模拟结果与已有数据相当一致,因为在采用 1990 年的数据进行初始校准后再没有改变过参数,这或许可以证实局部模型的有效性。表 8-2 列出了一些径流统计量,在这个表中还包括了以前应用于 Patuxent 流域(AQUA TERRA,1994)的水文模拟程序(HSPF)的校准结果(Donigian 等,1984)。我们的模型与数据的拟合比 HSPF 模型更好。HSPF 模型更多的是基于经验,输入的数据时间分辨率高(如每小时的降雨数据),但是数据的空间分辨率较低(比如加总的子流域)。HSPF 模型中体现在参数中的行为比 PLM(使用土地利用模式驱动大多数的行为)更多。因此,用 HSPF 不能充分反映土地利用空间模式变化的影响,而这是我们要研究的主要问题之一。使用 HSPF 需要对新的土地利用模式重新校准,而针对这种假设的土地利用模式显然不存在实测的水文数据。

表 8-2　排放点在 Bowie 的 Unity **子流域、**Cattail Creek **子流域和半个子流域中**
PLM **与** HSPF **模型统计的测试和比较**

| 项目 | Cattail | | | | Unity | | | | Bowie | | | |
|---|---|---|---|---|---|---|---|---|---|---|---|---|
| | 数据 | 模型 | PLM | HSPF | 数据 | 模型 | PLM | HSPF | 数据 | 模型 | PLM | HSPF |
| 总流量 | 2 510.41 | 2 527.58 | 0.7 | 8.2 | 3 950.54 | 3 981.31 | 0.8 | -2.1 | 36 617.43 | 37 978.78 | 3.6 | 9.7 |
| 最大 10% | 930.2 | 925.79 | -0.5 | 4.9 | 1 410.15 | 2 148.13 | 41.5 | 2.3 | 12 497.58 | 16 546.7 | 27.9 | 15.1 |
| 最小 50% | 587.3 | 596.25 | 1.5 | -14.7 | 826.76 | 626.78 | -27.5 | -12.1 | 7 917.98 | 6 582.62 | -18.4 | 9 |
| 1986 | 326.16 | 282.24 | -15.6 | | 484.52 | 446.3 | -8.2 | | 4 752.94 | 4 352.84 | -8.8 | |
| 1987 | 472.83 | 469.25 | -0.8 | -0.7 | 816.48 | 942 | 14.3 | -11.6 | 6 446.08 | 7 041.22 | 8.8 | -2.6 |
| 1988 | 482.01 | 414.22 | -16.4 | | 819.3 | 792.1 | -3.4 | | 6 751.99 | 5 841.62 | -14.5 | |
| 1989 | 660.62 | 748.29 | 11.7 | 18.1 | 960.3 | 949.45 | -1.1 | 8 | 10 507.98 | 11 881.88 | 12.3 | 25.3 |
| 1990 | 568.78 | 611.31 | 6.9 | | 869.94 | 851.47 | -2.1 | | 8 158.45 | 8 861.23 | 8.3 | |

下面在空间尺度上进行了一次实验,改变模型的空间分辨率,主要观察改变空间分辨率而不是数据分辨率的效果。我们利用 GIS 集成了模型,把单元格分辨率由 200 m 转换到 1 km。使用 1 km 的分辨率运行的模型结果与分辨率为 200 m 时模型的结果十分接近。这一发现对整个生态经济模型中其他模块的分析尤为重要,因为绝大多数的水平空间动态由水文流量支配,粗糙的 1 km 的分辨率用于流域集成模型的空间分析已经足够。

总体来说,就像理论上预测的(Costanza 和 Maxwell,1994)那样,半个流域上(见图 8-5(b))运行的模型结果不如 Cattail 子流域的模型结果准确(见图 8-6)。表 8-2 总结了半个流域的校准统计结果。通常,模型空间范围的增加会增加更多的异质性,这在校准中不能完全进行解释,具体原因有:输入的气候数据的空间分辨率、该尺度上地下水流更大的复杂性(在模型中用一种非常简单的方法处理这个问题)和在更大的尺度上需要重新校准一些水文参数。

在子流域内,我们假定地下水动态与地表水流存在一致关系,而且地下水被限制在子流域范围内。即使是对 Cattail Creek 这样的小流域而言,这样处理可能也不准确。在更大的尺度上,地下水模式会更复杂,处理的方法需要进一步研究。

空间降雨和其他数据是从分布在研究区内的 7 个站每天的记录中内插得到的。Cattail 子流域的水文数据来自于一个气象观测站,空间范围为半个流域的模型使用了

3 个站的数据。由于缺乏反映空间和时间上气象资料真实变化的数据,这阻碍了模型精确地反映河流流量短期或局部响应的能力。尽管具有这些局限,模型仍然能够基于地形、土地利用和土壤类型,以空间方式考虑降水前土壤的湿度和产流区,还能够很好地捕获通常的水文趋势,并很好地把研究结果扩展到其他模块。

有兴趣的读者可以访问我们的网页:http://giee.uvm.edu/PLM,或者阅读随书附带的光盘,它对模型进行了进一步的描述。

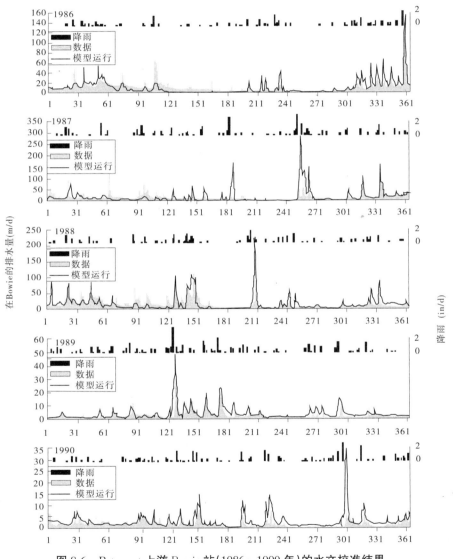

图 8-6　Patuxent 上游 Bowie 站(1986~1990 年)的水文校准结果

### 8.7.3　整个生态模型的校准

为了校准模型,使用历史气象资料作为输入,空间显式的整个生态模型需要运行好几年。实际的校准中,我们采用 1 km 的分辨率来运行模型。针对可得到的数据,我们采用两种方法来对比模型的性能。

某些模拟变量,或反映多个模型变量的综合指标被用来与河流流量、营养物浓度之类的点时间数据和区域中历史上的树轮数据进行比较。与早期报告的结果相比,考虑植物和营养物动态可以改善模型的水文性能。空间显式的植物和营养物动态改变了模型中的蒸发蒸腾及截留量,使模型更接近现实。考虑土地利用和覆被变化会改变流域内的水文流量,这对模型的情景运行而言是非常基本的。

图 8-7 展示的是在 Bowie 地区 Patuxent 河流校准以流量为权重加权的氮浓度的例子。利用这些数据集,可以校准运行时间更长的模型。通过观察两个图表,比较均值和总值,将模型的输出结果与野外资料进行了对比。沿海平原区域的小子流域 Hunting Creek,其氮动态的长期趋势与从数据中计算的年动态有较好的相关性。

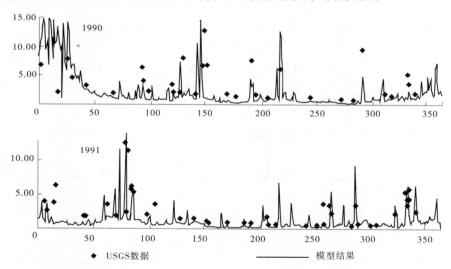

图 8-7　根据 1990 年和 1991 年 Bowie 站观测的 Patuxent 河流量加权的氮浓度校准结果

比较原始的空间数据非常困难,而且还缺乏该方面的分析程序。空间显式的数据原本就很少,而且很难与模型提供的空间尺度和分辨率相匹配。在本书所附的 CD 中,可以找到模型输出的植物初级生产力和其他结果。初级生产力表明了区域中季节性增长的典型模式,它通过蒸腾作用对水文过程产生显著影响。从 AVHRR 卫星图像推导的 NDVI 或"绿色"指标被用来校准整个模型对初级生产力年内效应的预测。从 NDVI 数据和模型输出结果中创立指标,来比较 NDVI 的时间和模式变化与 NPP 的时间与模式变化。对比结果表明模型输出和现有数据吻合得相当好。采用 FIA 数据(见表 8-1)校准长期的森林生长,同时对较小的 Cattail Creek 子流域(能够运行的更快些)运行了 50 年以检验长期趋势,这些结果与 FIA 数据吻合得也不错。

## 8.8　情景

开发集成生态经济模型的目的是检验不同的土地利用模式和管理效应。利用校准的模型可以讨论将来和历史上的许多情景。考虑县、州、联邦政府机构、当地利益团体和研究者等不同的对象,设立了不同的情景。实际考虑了下面这些初始情景:

(1)基于 Patuxent 流域 USGS 土地利用重建(Buchanan 等,1998)的一组历史情景:

①1650:发展前;绝大部分是森林,零排放。

②1850:农业发展期;几乎全是农业利用,传统肥料(泥灰土、河流泥浆、粪肥等),低排放。

③1950:农业面积和比例下降,开始重新造林和快速城市化。

④1972:最大规模的重新造林,密集型农业,高排放。

⑤基准情景。以 1990 年作为基准对比模拟结果。使用了 1990~1991 年的气候模式和营养物荷载量。

⑥1997 土地利用模式。该数据集刚发布,使用它与 1990~1991 年的作用力数据一起估计土地利用变化的效应。

⑦扩展情景。根据现有的区划规则,假定区域内所有可能的发展情况都发生,并考虑城市化及其相关负担,这可能是最坏的情景。

⑧最佳管理实践(BMP):1997 年具有较低施肥量、作物轮种的土地利用模式。在余下的情景中也假设采用的是这些管理实践。

(2)1997 年之后 5 年(也就是到 2003 年)的一组土地利用变化情景,建立在 Bockstael 的 ElUC 模型基础之上。

⑨照常发展。

⑩在适当的位置建设下水道系统工程。

⑪不再建设新的下水道,对邻近的 500 英亩森林予以更多的保护。

⑫在适当的位置建立所有的下水道并保护邻近的森林。

(3)以 1997 年的土地利用为起始点,研究土地利用模式显著变化的一组假设情景。设计这些情景来讨论专门的土地利用方式对当前系统行为的总贡献。

⑬把现有的所有农业用地转化为居住地。

⑭把现有的所有农业用地转化为森林用地。

⑮把现有的所有居住地转化为森林用地。

⑯把现有的所有森林用地转化为居住地。

(4)同样以 1997 年的土地利用为起始点,研究聚类效应的另一组假设情景。

⑰居住地聚类:把现有的所有低密度居住地转化为围绕三个主要中心的城市用地。

⑱居住地蔓延:把现有的所有高密度城市用地转化为流域内随机分布的居住地。

以上情景由土地利用图、下水道图、施肥模式、大气沉积物数量、居住单元的位置和数量驱动。由于模型是空间显式的和动态的,运行每个情景都会产生大量的输出。在这里只能进行简短的总结,仅对少数的关键指标列出其空间和时间的平均值。表 8-3 是不同

表 8-3

| 情景 | 森林 | 居住地 | 城市 | 农业 | 大气 | 肥料 | 分解物 | 化粪池 | N aver. | N max | N min | W max | W min | N gw.c. | NPP |
|---|---|---|---|---|---|---|---|---|---|---|---|---|---|---|---|
| | (单元格数量) | | | | (kg/(hm²·a)) | | | | (g/(m²·d)) | | | (m/a) | | (mg/L) | (kg/(m²·a)) |
| 1　1650 | 2386 | 0 | 0 | 56 | 3.00 | 0 | 162.00 | 0.00 | 3.14 | 11.97 | 0.05 | 101.059 | 34.557 | 0.023 | 2.185 |
| 2　1850 | 348 | 7 | 0 | 2087 | 5.00 | 106.00 | 63.00 | 0 | 7.17 | 46.61 | 0.22 | 147.979 | 22.227 | 0.25 | 0.333 |
| 3　1950 | 911 | 111 | 28 | 1391 | 96.00 | 110.00 | 99.00 | 7.00 | 11.79 | 42.34 | 0.70 | 128.076 | 18.976 | 0.284 | 1.119 |
| 4　1972 | 1252 | 223 | 83 | 884 | 86.00 | 145.00 | 119.00 | 7.00 | 13.68 | 60.63 | 0.76 | 126.974 | 19.947 | 0.281 | 1.72 |
| 5　1990 | 1315 | 311 | 92 | 724 | 86.00 | 101.00 | 113.00 | 13.00 | 10.18 | 40.42 | 1.09 | 138.486 | 18.473 | 0.265 | 1.654 |
| 6　1997 | 1195 | 460 | 115 | 672 | 91.00 | 94.00 | 105.00 | 18.00 | 11.09 | 55.73 | 0.34 | 147.909 | 18.312 | 0.289 | 1.569 |
| 7　扩展 | 312 | 729 | 216 | 1185 | 96.00 | 155.00 | 61.00 | 21.00 | 12.89 | 83.03 | 2.42 | 174.890 | 11.066 | 0.447 | 0.558 |
| 8　BMP | 1195 | 460 | 115 | 672 | 80.00 | 41.00 | 103.00 | 18.00 | 5.68 | 16.41 | 0.06 | 148.154 | 16.736 | 0.23 | 1.523 |
| 9　LUB1 | 1129 | 575 | 134 | 604 | 86.00 | 73.00 | 98.00 | 8.00 | 8.05 | 39.71 | 0.11 | 150.524 | 17.623 | 0.266 | 1.494 |
| 10　LUB2 | 1147 | 538 | 134 | 623 | 86.00 | 76.00 | 100.00 | 11.00 | 7.89 | 29.95 | 0.07 | 148.353 | 16.575 | 0.269 | 1.512 |
| 11　LUB3 | 1129 | 577 | 134 | 602 | 86.00 | 73.00 | 99.00 | 24.00 | 7.89 | 29.73 | 0.10 | 148.479 | 16.750 | 0.289 | 1.5 |
| 12　LUB4 | 1133 | 564 | 135 | 610 | 86.00 | 74.00 | 100.00 | 12.00 | 8.05 | 29.83 | 0.07 | 148.444 | 16.633 | 0.271 | 1.501 |
| 13　agro2res | 1195 | 1132 | 115 | 0 | 86.00 | 0 | 96.00 | 39.00 | 5.62 | 15.13 | 0.11 | 169.960 | 17.586 | 0.292 | 1.702 |
| 14　agro2frst | 1867 | 460 | 115 | 0 | 86.00 | 0 | 134.00 | 18.00 | 4.89 | 12.32 | 0.06 | 138.622 | 21.590 | 0.142 | 2.258 |
| 15　res2frst | 1655 | 0 | 115 | 672 | 86.00 | 82.00 | 130.00 | 7.00 | 7.58 | 23.50 | 0.10 | 120.771 | 20.276 | 0.18 | 1.95 |
| 16　frst2res | 0 | 1655 | 115 | 672 | 86.00 | 82.00 | 36.00 | 54.00 | 9.27 | 39.40 | 1.89 | 183.565 | 9.586 | 0.497 | 0.437 |
| 17　聚类 | 1 528 | 0 | 2176 | 638 | 86.00 | 78.00 | 121.00 | 17.00 | 7.64 | 25.32 | 0.09 | 166.724 | 17.484 | 0.216 | 1.792 |
| 18　蔓延 | 1 127 | 652 | 0 | 663 | 86.00 | 78.00 | 83.00 | 27.00 | 8.48 | 25.43 | 0.11 | 140.467 | 17.506 | 0.349 | 1.222 |

历史情景(1650~1972年)是在 USGS 估计基础上的重建。"扩展"情景是在现有区划图和平均人口密度基础上对于特定土地利用类型做的估计。"扩展"条件代表"最坏情形"情景。ELUC情景(LUB1-4)的模型是 N. Bockstael 的模型。其他的情景在文中有描述。表中列出了每种情景的土地利用分布。接下来是从大气、肥料、分解物和化粪池中获得的氮。然后是地表水中氮的平均值,最大值和最小值以及水流的最大流量,最小流量。Wmax 是以一年为周期的最大流量的 10%。这代表峰流。Wmin 是以一年为周期的最小流量的 50%。这是基流量的一个指标。N gw.c. 地下水中氮的平均浓度。由于地下水在模型中是一个十分不活跃的库,而且模型在试验执行中只有一年的松弛时间,对于这个变量设定不同的情景可能会不足以跟踪变化。总初级生产力(kg/(m²·a))代表整个流域植物生产力的平均水平。它反映了森林和农业土地利用类型的近似比例,比居住地土地利用具有较大的初级生产量。更多的细节见文中。

情景下模型的一些输出结果,氮浓度被作为反映 Patuxent 河水质、水文流动变化和景观 NPP 变化的指标。接下来的部分简单介绍了运行选择的情景产生的一些其他结果。

## 8.8.1　历史情景

这组情景中,我们试图重建历史上 Patuxent 流域的开发,从 1650 年欧洲移民前的情形开始。1850、1950 年和 1972 年的图(见图 8-8)是基于 Buchanan 等的数据(1998)。1650 年,流域几乎完全被森林所覆盖,只有低浓度的大气沉积氮,没有施用肥料,也不存在化粪池,河水中的氮浓度很低。1850 年,欧洲移民显著地改变了流域景观。几乎所有的森林都被砍伐掉,取而代之的是农业用地(见表 8-3)。那时的肥料仍然绝大部分是有机质(粪肥、河流泥浆、绿色肥料、植物要素和灰烬),仍然可以忽略大气沉积营养物,人口数量少,化粪池数量也很少。

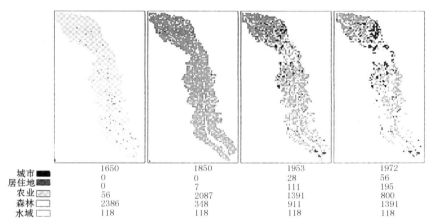

| 　 | 1650 | 1850 | 1953 | 1972 |
|---|---|---|---|---|
| 城市 | 0 | 0 | 28 | 56 |
| 居住地 | 0 | 7 | 111 | 195 |
| 农业 | 56 | 2087 | 1391 | 800 |
| 森林 | 2386 | 348 | 911 | 1391 |
| 水域 | 118 | 118 | 118 | 118 |

图 8-8　基于 USGS 的估计,近似重建 1650、1850、1953 年和 1972 年
Patuxent 流域的发展(Buchanan 等,1998)

1850 年之后,农业土地利用开始缩减,森林面积重新增加。到 1950 年,森林面积几乎翻番。同时城市化开始沿着华盛顿－巴尔的摩走廊快速发展。这些变化对 Patuxent 流域既有直接影响(从农业和森林用地到居住和商业用地的变化)也有间接影响(汽车占用土地和大气营养物的增加)。这一过程持续到 20 世纪 70 年代,重新造林达到顶峰。从那时起到现在,持续的城市化对农业和森林面积的影响大体相当,大气排放和施肥稳定增长,从工业化前的水平一直增长到现代的负荷水平。同时居住地内增加的人口数量持续地增加了化粪池内的排泄物。

## 8.8.2　1990 年的情景、1997 年的情景与扩展情景相互间的比较

对比 1990 年和 1997 年的模型输出,显示森林和农业面积明显减少,这可归因于居住地和城市面积的增加。相应地,施肥对流域内氮的贡献减少了,而化粪池对氮的贡献增加了(见表 8-3)。这些荷载总数也论证了流域内不同氮源的相对重要性。在现有的农业实

践中,肥料的角色仍然相当重要。大气沉积物贡献了出乎意料的高比例氮荷载。化粪池的角色似乎是次要的;然而,需要注意的是化粪池中的氮和肥料与大气氮的循环路径非常不同。当前的设计是将粪便直接导入到地下水中储藏,因而几乎全部不能被陆地植物吸收利用。

1990～1997 年,模型中的大多数土地利用变化是居住地取代森林用地。因此,我们没有观察到 Patuxent 河的水质下降(见表 8-3)。水文参数的变化与居住地替代森林和农业用地一起使流动模式具有更大的可变性;但中间的差异并不是太大。在这一时期,居住地类型遭受的破坏仍然小于农业用地,森林用地转化为居住地引起的环境质量下降可由相似的农业用地转化为居住地取得的净利润所补偿。

这些趋势在模型的扩展情形中是相反的。在某些地点,超过阈值之后,大部分的开发都会引起毁林,居住地和城市用地的这种效应对流域内的水质、水量变得非常有害。基流(最小径流值的 50%)几乎减少到了 1650 年开发前的一半;同时因为地表不能渗透的面积大大增加,洪峰变得非常高。相应地,河水中的氮含量增加也非常明显。

## 8.8.3　最佳管理实践

这个情景试图模拟最佳管理实践(BMPs)的各种可能效应。政府关心的主要事情是通过控制非点源污染和管理种植以减少营养物(MOP,1993),广泛的目标包括改善地下水、河流及河口水质以供饮用和居民使用。正在研究的非点源控制方法包括建立河流缓冲带、采用农业和城市的 BMPs、保护森林和湿地。城市 BMPs 或洪水管理同时包括了新的开发和改进旧的开发。种植管理包括聚类开发计划、保护敏感区域和谨慎扩张下水道。在马里兰,聚类开发被作为减少非点源和保护未开发土地的一种方式。

这里考虑的 BMPs 限制在减少施肥量上。轮作种植被假设为标准的耕作实践。另外,还根据由于流域内农民采用农田营养管理计划减少的营养物评价了 Patuxent 降低营养物的潜力。马里兰营养管理计划(NMP)鼓励农民使用各种技术降低施肥率,包括土壤测试、设定现实的产量目标、粪肥测试与储藏,来建立和完成营养管理计划。没有饲养动物的农民的最大收获通常来自于调整产量目标(Steinhilber,NMP 调整者,个人交流,1996)。从这个信息中,设定期望的营养物下降率为 10%～15%,这是 NMP 中典型的下降率(Simpson,马里兰农业部,个人交流,1996)。另一个施肥下降的主要原因是在计算营养物需求时考虑了大气沉积物。这在最近 MDA 的出版物中有所涉及。最终的结果是施肥荷载的变化非常明显,减少流域中农业用地不再是对河流水质有利的一项举措(见表 8-3)。

## 8.8.4　经济土地利用转化模型情景

假定知道 Patuxent 流域下水道的位置和实施森林保护策略,这组情景在 7 个县内分布 28 000 个居住单元(以 1997 年的情景为基础)。大部分的变化发生在 Patuxent 上游。正如从表 8-3 中看到的那样,土地利用变化不如 1990～1997 年间的变化显著。相应地,河流水质的变化非常小。相比 1997 年的情形,指标发生了不到 1% 的变化。然而,与以前相比,这些情景中值得注意的是大部分的土地利用变化是从农业用地到居住用地,而且农业荷载的减少比化粪池排泄物的增加更重要。与居住地相比,农业土地具有很高的初级生产力,这样的土地利用变化将导致平均 NPP 的下降,在模拟实验中也观察到了这种现象。显然,这些土地利用变化还没有到达阈值,对环境状况还未造成巨大的破坏。

## 8.8.5　假设情景

这组情景考虑土地利用模式的显著变化。尽管这些都不现实,但是可以据此估计主要的土地利用模式对现有系统行为的相对贡献。这对于评价模型全面的鲁棒性和估计模型可以容纳的变化范围也十分重要。比如,通过比较情景 14 和情景 15,能够发现即使是在 BMPs 之下,农业用地比居住用地对河流的营养荷载贡献更大。把所有的农业用地转化为居住用地,水质改观明显。和预料情形相反的是,聚类开发(情景 17)对水质的改善并不比居住地蔓延(情景 18)好多少。由于城市用地大部分不能渗透水,这一情景中的高峰流量显著增加。反过来,这又增加了集水盆地内被洗刷掉的营养物数量。聚类开发仅仅在以下情形中是有利的,即有效地管理下水道和暴雨、减少径流及提供足够的保持容量来把地表水引入地下水中储藏起来。然而,需要注意的是,定义的这些情景只是根据有限的分类类型对土地利用图进行了调整,并未考虑聚类开发、蔓延开发及基础设施(道路、通讯、下水道等)的变化。

把现有的森林面积全部转化为居住地(情景 16)几乎和扩展情景(情景 7)的效果同样差。然而,情景 16 中假设的作物轮种减少了施肥量,引起氮浓度全面下降。因为转化为居住地的假设没有考虑下水道的建设计划,导致这种情形下的排泄物荷载非常大。在扩展情景中,大多数居住和城市单元是建立在存在下水道或计划建下水道的区域。

## 8.8.6　情景结果总结

迄今,分析得到的一个主要结论是模型的性能很好,在作用力函数和土地利用模式显著变化的情况下提供了可接受的输出结果。因此,通过将变化的情景公式化,该空间模型可以作为分析和比较多种环境状况的手段。当获得额外的数据和信息时,还可以进一步研究和提炼模型。模型真正的强点在于它能够通过土地利用变化将空间水文、营养物、植物动态和经济行为连接起来。经济子模型融合了区划、土地利用规则、下水道和化粪池分布,提供了一种集成的方法来检验人类对规则变化的响应。基于推荐情景的土地利用变化预测,表明了景观上可能的新开发的分布方式,从而在生态模型中能够评价空间的生态要素。模型可以检验具体地点和区域的影响,从而使当地的水质和 Chesapeake 海湾的输入都可以被考虑到。

情景分析同样证实 Patuxent 流域系统是复杂的,它的行为在很多情况下与直觉不同。比如,1650 年全部被森林覆盖的流域,径流缓冲性非常好,表现为具有适当的峰值流量和相当高的基流。接下来的一个世纪,农业开发降低了峰值流量和基流。与人们期望相反的是,基流的降幅远大于峰值流量的降幅。很明显,现在的模型中各种作物高的土壤水分蒸发蒸腾率降低了峰值流量。比较各种土地利用变化情景对水质的效应（见图 8-9），发现流域营养物荷载和河流营养物浓度的关系非常复杂，很难对它们进行预料或总结。这些都证实我们需要一个复杂的、空间显式的模拟模型。

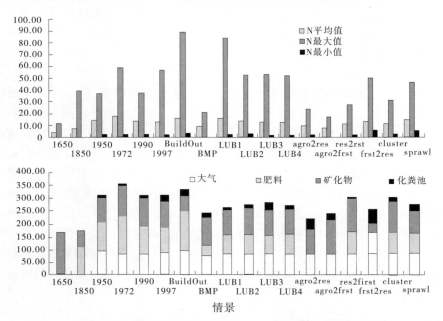

图 8-9　不同土地利用情景下 Patuxent 河的氮荷载和氮浓度

然而，情景结果的分析可以得到几个通常的模式：

（1）就像早期的观察那样（Krysanova，1999），临时分布荷载的影响不如基于事件的影响显著。比如，每年一两次的施肥增加了平均营养物的含量，尤其是最大营养物浓度的增加相当显著，但是大气沉积物的效应非常微弱。情景 1 和情景 3 的大气荷载几乎相差两个数量级，但即使增加其他来源的荷载，营养物响应也只是增加了 5～6 倍。与此相似，腐烂物的荷载效应也没有那么大。平均 N 浓度和总营养物荷载量间具有较好的相关性（$r=0.87$）。单个要素中肥料的效应最显著（$r=0.82$），其他的效应较小（腐烂物，$r=0.02$；分解物，$r=-0.40$；大气，$r=0.71$）。施肥率决定了最大营养物浓度（$r=0.76$），而且总营养物的输入也起了重要的作用（$r=0.55$）。尽管地下水营养物浓度和施肥量有关（$r=0.64$）；然而，排泄物荷载更加重要（$r=0.68$），甚至比总的 N 荷载还重要（$r=0.52$）。

（2）土地利用模式强烈地驱动水文响应。峰值流量（最大径流的 10%）由城市化程度决定（$r=0.61$）。基流（最小径流的 50%）和森林单元的数量高度相关（$r=0.78$）。需要注意的是，在这两种情形中显然还存在其他影响因素。

排除农业和城市区域，使用 NPP 作为诊断生态系统健康和生态系统服务的指标。NPP 主要由流域中的森林区域提供。无论是在时间（见图 8-9）还是空间（见图 8-10（a）和图 8-10（b））范围上，不同的土地利用模式都会产生差异悬殊的 NPP。1650 年开发前研究区具有最大的 NPP；扩展条件下具有最低的 NPP。有趣的是，就像从 NPP 空间分布变化中看到的那样（见图 8-11），现有的特定区域具有高于 1650 年的 NPP。这是由大气沉积物和附近农业区域施肥引起的营养效用增加造成的。

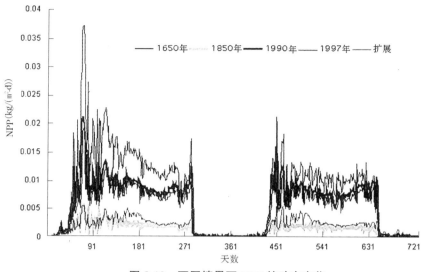

图 8-10　不同情景下 NPP 的动态变化

## 8.8.7　填补信息缺口

运行这些情景是为了外推超出现有数据时间范围的情况。校准模型的另一种方式是内插,以一种更详细和更典型的方式覆盖时间或空间范围。Boynton 等(1995)对整个Chesapeake 系统尤其是 Patuxent 河创建了一系列 N 和 P 累积量。这对澄清系统中营养物的来源、运输和迁移转化非常有用。然而对 Patuxent 来说,累计量只有在入海口(Bow-ie)和注入海湾的地方才有用。非点源营养物荷载怎样直接进入河口地带,流域部分贡献的数量是多少,对于这些问题还只有一个模糊的想法。

在整个 PLM 的空间框架内,景观的变化可以反映变化的水文、水质和相邻单元之间的物质流。最终,我们可以根据变化的大气荷载、施肥、土地利用模式和下水道排泄(包括化粪池),利用 PLM 计算任意空间位置的营养输入。对于累积量的计算,PLM 是一种产生与流域土地利用模式相关的空间显式荷载的工具,并且可以在更精细的时间分辨率上评价累积量。

比如,图 8-12 表明了 Patuxent 流域三种主要成分对整个河口氮荷载的贡献。我们校准了 Bowie 部分的累积量,并使用模型估计了流域其他部分对河口的贡献。正如人们所期望的,子流域面积和它贡献的 N 荷载数量高度相关。然而,这种关系每年都发生变化(见图 8-12(c)),表明各种荷载来源的效应和各种土地利用模式的效应差异很大。

## 8.9　结论

像 PLM 这样耦合的生态经济模型是处理流域尺度上土地利用变化问题的一种潜在

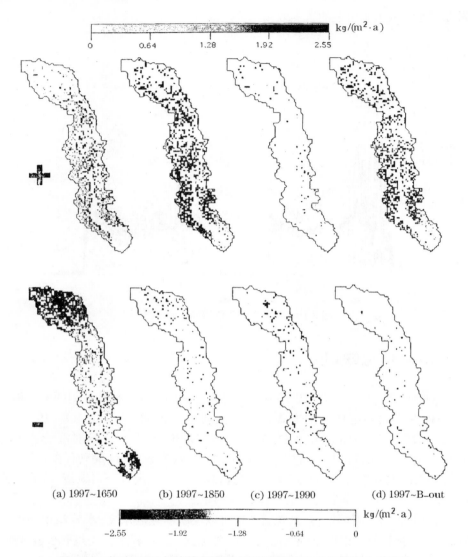

**图 8-11　相比 1997 年的基础情形，不同情景下 NPP 空间分布的变化**

上面的一组图中，基础情形的单元格中 NPP 较大。下面的一组中，基础情形的单元格中 NPP 较小

的重要工具。模型集成了点和景观尺度上对生态与经济过程的理解，可以估计空间显式的土地利用或土地管理变化效应。模型还突出了知识缺乏和需要进一步研究的领域。具体来说，PLM 模型在以下几方面具有领先意义：

（1）模型整合了地形学、水文学、营养物动态学和植物动态学，在相当高的时间（1 天）和空间（200 m）分辨率上反映了土地利用模式与长期的土地利用变化动态。据我们了解，在流域尺度的模型应用中它是最先进的。

（2）模型允许在大范围的生态指标内显式地评价土地利用空间模式的影响，为决策者和公众提供具体土地利用模式后果方面的信息。

（3）模型在几种时空尺度上进行了校准。在这样的尺度和复杂性上，很多模型因难以

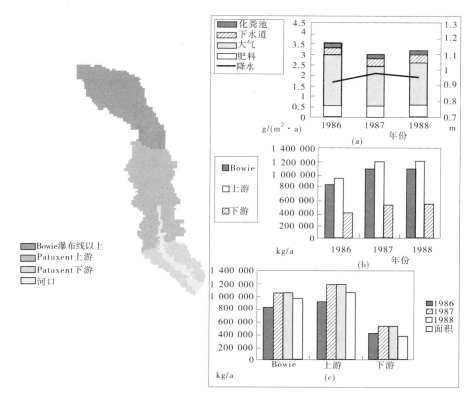

**图 8-12　Patuxent 流域不同部分对氮的贡献**

(a)三个子流域分别从化粪池、下水道、大气和肥料中得到的氮;(b)从三个子流域排入河口的氮数量;

(c)比较流域面积与对氮的贡献,尽管氮的贡献与面积有较好的相关性,但对不同的荷载量,

面积的效应是不同的

做到这一点,而经常忽略这方面的考虑。为达到这个目的,我们开发了基于多准则决策模型的新方法。

(4)包含所有单元模型的集成模型可以在多个尺度上同时运行,包括点(或单元模型)尺度和景观尺度。

(5)模型是基于过程的,处理过程上的变化比时间上的变化更具有优势。这使我们能更好地理解发生在景观上的基本现象。因此,可以更详细地预测土地利用变化和政策的可能后果。

(6)尽管模型的公式表达是确定性的,但大量的敏感性分析可以让我们理解其复杂的动态性,而不用求助于多重的随机复制。在整个空间模式中,当单元格上的土地利用从一种类型变为另一种类型时,将模拟分歧阈值,单元格中所有的参数值都随分歧阈值的变化而转变为新类型下的参数。

(7)模型高的数据要求和计算复杂性意味着模型的开发与应用是缓慢且昂贵的。然而,考虑到需要理解的许多问题,这种复杂性是必要的。我们试图在简单的、具有普适性的模型(最小化复杂性)和那种面向过程的、能为管理目的提供时空显式的有用信息的模型间找到一个平衡点(Costanza 和 Maxwell,1994)。

(8)越来越容易获得用于这类分析的空间数据,当前的模拟框架也能够有效地使用这些数据来模拟和管理景观。对于一个特殊的模型、流域或目标,人们也可以利用模型估计具体的数据收集投资的价值。

由于参数和过程的高度复杂性和巨大的不确定性,需要谨慎地使用模型产生的任何数字。高的数据要求和计算复杂性阻止了模型的开发与应用。我们将在可能的时候整理模型成分,在敏感性分析的基础上维护过程基础的普遍性和空间显式性。

只有特定的研究目标能证明采用某种模型方法的合理性。对于具有复杂、多样的生态系统动态和广泛数据要求的大流域,模型不可避免地需要精调以适应当地的生态过程特性和信息的可获得性。对于具有计算负担的这些模型,我们希望避免所有可能的冗余。因此,基于模拟系统和构造库的方法似乎更适合于流域模拟,能够从现有的功能块、模块库、函数和程序(Voinov 和 Akhremenkov,1990;Maxwell 和 Costanza,1997)中构建灵活的模型。

我们采用的模块化建模语言和 LHEM 方法,为我们提供了如下的前景:可以对细节程度不一的模型进行归档,并在开发新模型时能够相互交换,这样能方便大型模型的开发。然而,对一个特定区域应用模型时,可以基于当地的重要过程进行模块选择,在需要的地方可以选择使用具有详细细节的模块,在不需要的地方可以舍弃部分细节。改变模型空间、时间和结构尺度的灵活性允许我们建立一个分等级的模型组,根据研究的具体需要改变它们的分辨率和复杂性。对于选定的聚集水平和计划,我们可以观察其他层次框架内的输出来追踪我们的得失。

## 8.9.1　生态系统健康和服务

这类模型的一个主要目标就是对土地利用模式的影响进行评价。但是影响什么呢?水质是一个显然的目标,但它实际上是一个比较广泛的目标——很大程度上类似于全面的环境质量、"健康"或者环境"整体"——这很有趣(Costanza 等,1992;Rapport 等,1998)。在这个时候,问题变为:怎样评价全面的环境质量或"健康",怎样整合一系列指标和利益团体? 解决这一问题需要"生态系统服务"的概念,生态系统提供的这些功能直接或间接地支撑着人类的福利。这一概念引起了利益团体的共鸣,能够把生态和经济服务放在一个共同的标准上进行比较(Costanza 等,1997)。我们正在积极地探索如何将模型工作和生态健康与服务的评价及估值工作联系起来,这或许是最容易理解和最能综合评价区域景观性能的标准。

## 8.9.2　"巧妙增长"

PLM 模型能够用于分析具体开发和/或政策调整的影响。我们现在的几个情景就是用于直接处理这些问题的。比如,被提及的"巧妙增长"政策已经在几个州中被提倡使用,包括威斯康星州和马里兰州。在这种背景下,对景观上新居住地和商业活动的开发,"巧妙"往往意味着"聚类"而不是"蔓延"。情景 17(居住聚类)和情景 18(居住蔓延)假设对现有居住地采用聚类或蔓延开发，以考察其效应。聚类情景把现有的低密度居住地都转化为围绕三个主要城市中心的城市用地，其他部分保持基本情形。蔓延情景把现有的高密度城市用地转化为居住地，并随机分布在流域内。表 8-3 展示了这些情景的一些特征和效应。相比 1997 年的基线水平，相比转化前的 92 $km^2$ 的城市用地，聚类情景具有 276 $km^2$ 的城市用地，相比转化前的 311 $km^2$ 居住用地，聚类情景只有 0 $km^2$ 的居住用地。而蔓延情景下，具有 652 $km^2$ 的居住地和 0 $km^2$ 的城市用地。同时，相应地调整了森林、农业面积和营养物输入。比如，聚类情景中从化粪池输入的 N 平均为 17 $kg/(hm^2 \cdot a)$，基本情形下是 18 $kg/(hm^2 \cdot a)$，蔓延情景中是 27 $kg/(hm^2 \cdot a)$。蔓延情景下平均还有 N 肥输入 (101 $kg/(hm^2 \cdot a)$)，这比聚类情景(89 $kg/(hm^2 \cdot a)$)和基本情形(100 $kg/(hm^2 \cdot a)$)都大，这得益于草坪上额外的 N 输入。在河流中，按 N 来比较聚类情景较好，平均值(10.5 mg/L)和最大值(30.06 mg/L)都比基本情形低(12.37、56.00 mg/L)，但最小值几乎相同(1.33、1.37 $kg/(hm^2 \cdot a)$)。蔓延情景情况较差，相应的值是 13.5、45.14、3.55 $kg/(hm^2 \cdot a)$。聚类情景与基本情形水文特征的比较结果不太明确，具有较高的最大值和最小值。这是由于城市中暴雨径流量比居住区多造成的。通过充分的城市暴雨管理，这种效应可以得到改善——但在现有的情景运行中没有假设这一点。与基本情形相比，蔓延情景具有较低的最大值，最小值几乎相同，这是由于低密度的城市用地取代农业用地造成的。与基本情形相比，地下水中的 N 在聚类情景下较低而在蔓延情景下较高。最后，NPP 在聚类情景下(1.868 $kg/(m^2 \cdot a)$)明显高于基本情形(1.627 $kg/(m^2 \cdot a)$)，而在蔓延情景下较低 (1.271 $kg/(m^2 \cdot a)$)。通常，高的 NPP 与高的生态系统服务生产力和高的生活质量存在相关性。

## 8.9.3　模拟和决策

　　人类有两种截然不同但存在互补关系的方式来处理模型。第一，利益团体卷入模型的开发当中，能够利用模型阐明政策和管理问题。在这种模式下，人类的决策在模型之外，但是可以和模型发生迭代式的相互作用。模型受利益团体决策的影响，利益团体提供的信息可以影响建模者的决策，使建模者针对他们的需要运行一些新情景。

　　在第二种模式下，人类的决策内生在模型中。只有少数的模型试图完全集成生态系统动态和内生的人类决策(Carpenter 等，1999)，但没有一个模型具备空间显式性。这种模式下，人们试图模拟代理人对每个单元格条件变化和制造资本、人力资本及社会资本变化的响应。至今在 PLM 模型中，对人类决策的模拟限于前面讨论的经济土地利用转化模型。现在正在把当地的社会经济动态加入到单元模型中以进一步内生人类决策。

　　这两种模式是互补的，因为观察到人类如何利用模型做决策，并不能说明包括人类决策能够帮助我们理解和校准内生人类决策的模型。

　　至今我们已经相当成功地用第一种模式在几种尺度上使用了这个模型。很多马里兰的土地利用政策是在县级水平上制定的，我们一直和几个县(尤其是 Calvert 县)有联系，并利用我们的模型阐明了相应的土地利用政策。比如，我们为 Hunting Creek 子流域的

Calvert 县计划委员会作了一个详细的案例研究,阐明了土地利用对河流水质的影响(详见随书光盘和 http://giee.uvm.edu/PLM)。在联邦政府的水平上,美国环保署(EPA)和其他环境管理机构,正如我们在本章开始时所阐述的,更多地卷入了流域和景观水平上的分析及政策制定。对于这些机构来说,最感兴趣的不是 Patuxent 流域的具体结果,而是可以应用到整个流域的通用技术和结果。我们开发的景观模拟技术可以应用于任何流域,本章中我们提出的很多情景与 EPA 和其他环境管理机构关心的政策问题都有密切的关系。这些包括扩展影响(情景 7)、农业 BMPs(情景 8)、全面的农业影响(情景 14)和居住地开发(情景 15)、蔓延和聚类效应(情景 17 和情景 18)。像 PLM 这类模型是一种重要工具,能够在流域和景观尺度上改善我们依据信息调整政策的决策能力。

## 8.9.4　未来的工作

　　未来的工作需要考虑一系列增加的情景,包括气候变化情景(变化的暴风雨频率和强度与植物对 $CO_2$ 的吸收效应)和能够具体体现"巧妙增长"行动的开发模式。模型还将用于"设计模式"。计划举办一系列利益团体工作组会议,目的是就研究系统最关键的环境和经济问题取得广泛的一致。模型既可为这些讨论提供必要的信息,也可为达到期望目标提供最佳的方式。

　　我们还将开发利用空间景观指标(Turner,1989;O'Neill 等,1992)来连接模拟模型输出和生态系统过程的方法,这一点在生态模型中还没有进行空间上的模拟。土地利用模式可能影响种群丰度、多样性和恢复力,在景观水平上分析土地利用数据显示了这方面的工作前景(Geoghegan 等,1997)。Patuxent 区域的研究表明鸟的数量和物种多样性与土地利用特征(如破碎)相关(Flather 和 Sauer,1996)。其他的研究表明了增加种群距离与建设自然走廊如何影响灾难事件发生后植物和动物的恢复力(Detenbeck 等 1992;Gustafson 和 Gardner,1996;Hawkins 等,1988)。我们在沿海平原流域正在使用建立的经验模型计算几个空间模式指标,以连接种群特征和空间模式。这些经验模型可以应用于Patuxent 流域,更重要的是,正如 PLM 预测的那样,可以用于分析流域变化的影响。

　　将在以下几个方面继续模型的开发:①为了更好地了解空间、时间和复杂性分辨率与模型性能间的损益,需要在一系列尺度上进行反复试验;②添加空间显式的经济和社会成分到单元模型中,跟踪制造资本、人力资本和社会资本;③添加空间显式的动物种群模型(鹿、河狸和其他"景观建构性"物种)。

　　我们还计划继续开发软件,使空间显式的景观模拟更容易进行。我们开发的模块化建模语言(Maxwell 和 Costanza,1995)提供了一种很好的前景,详细程度不同的子模型或模块可以独立开发并在模型开发过程中相互交换信息。当用户在某个特定区域执行模型时,可以根据当地过程的相对重要性选择模块,还可以根据需要确定详细程度(见第 3章)。还有很多工作需要继续,如提炼模型、解决数据和模型尺度问题。

　　我们期望这些努力有助于进一步理解区域景观系统中生态、经济间微妙的和间接的联系,这样就能使复杂的"基于位置"的决定更加明智。

　　**感谢:**本研究的启动资金由美国环保署政策、规划和评价办公室（Coop. Agreement No. CR821925010；Michael Brody 和 Mary Jo Keely，项目官员）提供。美国 EPA/NSF 水和流域计划通过美国 EPA 研究和开发办公室（Grant No. R82 - 4766 - 010）提供的基金确保了研究工作的顺利进行。

　　衷心感谢那些与我们共享了数据和研究成果的研究者，其中经济模型组的建模人员有 Nancy Bockstael、Jacqueline Geoghegan、Elena Irwin、Kathleen Bell 和 Ivar Strand，其他研究人员有 Walter Boynton、Jim Hagy、Robert Gardner、Rich Hall、Debbie Weller、Joe Tassone、Joe Bachman、Randolph McFarland。值得感谢的还有马里兰自然资源部、马里兰环境部和马里兰大学环境研究中心的很多人。特别要感谢的是 Carl Fitz，他对模型的早期版本做出了主要的贡献。

# 参 考 文 献

［1］ Aber J D. 1992. Nitrogen Cycling and Nitrogen Saturation in Temperate Forest Eecosystems. Trends in ecology and evolution 7(7)：220~224

［2］ Abbott M B, Bathurst J C, Cunge J A, et al. 1986. An introduction to the European Hydrological Systems—Systeme Hydrologique Europeen, "SHE" 2：Structure of a physically‐based, distributed modeling system. Journal of Hydrology 87：61~77

［3］ AQUA TERRA M, USGS. 1994. Patuxent River Basin Watershed Model, 94

［4］ Band L E, Peterson D L, Running S W, et al. 1991. Forest ecosystem processes at the watershed scale：basis for distributed simulation. Ecological Modelling 56：171~196

［5］ Beasley D B, Huggins L F. 1980. ANSWERS (Areal Nonpoint Source Watershed Environment Response SImulation), User's Manual. Purdue University Press, West Lafayette, IN

［6］ Bell K P, Bockstael N E. 2000. Applying the Generalized Methods of Moments Approach to Spatial Problems Involving Micro‐Level Data. Review of Economics and Statistics, 82(1)：72~82, p.293

［7］ Beven K J, Kirkby M J. 1979. A physically‐based, variable contributing area model of basin hydrology. Hydrological Sciences Bulletin 24(1)：43~69

［8］ Bockstael N, Bell K. 1997. Land Use Patterns and Water Quality：The Effect of Differential Land Management Controls. In：Conflict and Cooperation on Trans‐Boundary Water Resources. E. Just. and S. Netanyahu, Eds. Boston：Kluwer Academic

［9］ Bockstael N E. 1996. "Economics and ecological modeling：The importance of a spatial perspective." American Journal of Agricultural Economics 78(5)：1168~1180

［10］ Boumans R M, Villa F, RCostanza R, et al. 2001. Non‐spatial calibrations of a general unit model for ecosystem simulations. Ecological Modelling 146：17~32

［11］ Boyer M C. 1964. Streamflow measurements. In：V. T. Chow, Ed., Handbook of Applied Hydrology. New York：McGraw‐Hill Book Company, 15.1~15.42

［12］ Boynton W R, Garber J H, Summers R, et al. 1995. Inputs, transformations, and transport of nitrogen and phosphorus in Chesapeake Bay and selected tributaries. Estuaries 18 (1B)：285~314

［13］ Brush G S, Lenk C, Smith J. 1980. The natural forests of Maryland：An explanation of the vegetation map of maryland. Ecological Monographs 50：77~92

[14] Buchanan J T, Acevedo W, Richards L R. 1998. Preliminary Assessment of Land Use Change and Its Effects on the Chesapeake Bay. Ames Research Center, USGS Science for a Changing World Poster

[15] Burke I C, Schimel D S, Yonker C M, et al. 1990. Regional modeling of grassland biogeochemistry using GIS. Landscape Ecology 4(1): 45~54

[16] Carpenter S, Brock W, Hanson P. 1999. Ecological and social dynamics in simple models of ecosystem management. Conservation Ecology 3:4. [online] URL: http://www.consecol.org/vol3/iss2/art4

[17] Correll D L. 1983. N and P in Soils and Runoff of Three Coastal Plain Land Uses. Smithsonian Institution, Chesapeake Bay Center for Environ. Stud. Special Pub. No. 23

[18] Correll D L, Jordan T J, W. D. E. 1992. nutrient flux in a landscape: Effects of coastal land use and terrestrial community mosaic on nutrient transport to coastal waters. Estuaries 15(4): 431~442

[19] Costanza R, Maxwell T. 1994. Resolution and predictability: An approach to the scaling problem. Landscape Ecology, 9: 47~57

[20] Costanza R, NortonB, Haskell B J (Eds.). 1992. Ecosystem Health: New Goals for Environmental Management. Island Press: Washington D C

[21] Costanza R, Ruth M. 1998. Dynamic systems modeling for scoping and consensus building, In: (Ed.) Integrated, Adaptive Ecological Economic Modeling and Assessment., SCOPE/UNESCO

[22] Costanza R, Sklar F H, White M L. 1990. Modeling coastal landscape dynamics. Bioscience 40(2): 91~107

[23] Costanza R, d'Arge R, de Groot R, et al. 1997. The value of the world's ecosystem services and natural capital. Nature 387: 253~260

[24] Detenbeck N E, DeVore P W, Niemi G J, et al. 1992. Recovery of temperate - stream fish communities from disturbance: A review of case studies and synthesis of theory. Environ. Managage. 16(1): 33~53

[25] Donigian A S, Imhoff J C, Bicknell B R, et al. 1984. Application Guide for Hydrological Simulation Program—FORTRAN (HSPF). Athens, GA: U.S. EPA, Environmental Research Laboratory

[26] Engel B A, Srinivasan R, Rewerts C. 1993. A Spatial Decision Support Systemor Modeling and Managing Agricultural Non - Point - Source Pollution, In Environmental Modeling with GIS. (Goodchild, B. O. P. M. F. and L. T. Steyaert, eds.). Oxford University Press, New York

[27] Flather C H, Sauer J R. 1996. Using landcape ecology to test hypotheses about large - scale abundance patterns in migratory birds. Ecology 77(1): 28~35

[28] Fitz H C, DeBellevue E, Costanza R, et al. 1996. Development of a general ecosystem model for a range of scales and ecosystems. Ecological Modelling 88(1/3): 263~295

[29] Fitz H C, Sklar F H. 1999. Ecosystem Analysis of Phosphorus Impacts in the Everglades: A Landscape Modeling Approach. In: K. R. Reddy, G. A. O'Connor, and C. L. Schelske, Eds. Phosphorus Biogeochemistry in Subtropical Ecosystems, Lewis Publishers: Boca Raton, FL

[30] Geoghegan J, Wainger L, Bockstael N. 1997. Spatial landscape indices in a hedonic framework: An ecological economics analysis using GIS. Ecological Economics 22(3): 251~264

[31] Grayson R B, Moore I D, McMahon T A. 1992. Physically based hydrologic modeling: 1. A Terrain - based model for investigative purposes. Water Resources Research 28(10): 2639~2658

[32] Gustafson E J, Gardner R H. 1996. The effect of landscape heterogeneity on the probability of patch colonization. Ecology 77(1): 94~107

[33] Hawkins C P, Gottschalk L J, Brown S S. 1988. Densities and habitat of tailed frogtadpoles in small

streams near Mt. St. Helens following the 1980 eruption. J. N. Am. Benthol. Soc. 7(3): 246~252

[34] Johnson D W, Lindberg S E. 1992. Atmospheric deposition and forest nutrient cycling: a synthesis of the integrated forest study. Springer－Verlag, New York

[35] Jones J. 1996. Normalized－Difference Vegetation Index. Research & Applications Group, USGS, Reston, Va

[36] Kidwell. 1986. AVHRR data acquisition, processing, and distribution at NOAA. In: Advances in the Use of NOAA AVHRR Data for Land Applications. D'Souza Cr. , Ed. Kluwer, p. 433~453

[37] Krysanova V, Meiner A, Roosaare J, et al. 1989. Simulation modelling of the coastal waters pollution from agricultural watershed. Ecological Modelling 49: 7~29

[38] Krysanova V P, Gerten D, Klocking B, et al. 1999. Factors affecting nitrogen export from diffuse sources: A modeling study in the Elbe basin. In: L. Heathwaite (Ed). Impact of Land－Use Change on Nutrient Loads from Diffuse Sources. IAHS Publication no. 257, p. 201~212

[39] Lichtenberg E, Shapiro L K. 1997. Agriculture and nitrate concentrations in mayrland community water system wells. J. Envir. Qual 26: 145~153

[40] Maxwell T, Costanza R. 1994. Spatial Ecosystem Modeling in a Distributed Computational Environment, in Toward Sustainable Development: Concepts, Methods, and Policy. (Bergh, J. v. d. and J. v. d. Straaten, eds. ). Island Press. Washington, D. C

[41] Maxwell T, Costanza R. 1995. Distributed Modular Spatial Ecosystem Modelling. International Journal of Computer Simulation: 5(3): 247~262; Special Issue on Advanced Simulation Methodologies.

[42] Maxwell T, Costanza R. 1997. A language for modular spatio－temporal simulation. Ecological modelling 103(2~3): 105~114

[43] MOP (Maryland Office of Planning and Maryland Dept. of the Environment). 1993. Nonpoint Source Assessment and Accounting System. Final Report for FFY '91 Section 319 Grant. September.

[44] O'Neill R V, Hunsaker C T, Levine D A. 1992. Monitoring challenges and innovative ideas. In: D. H. McKenzie, D. E. Hyatt, and V. J. McDonald (Eds). Ecological Indicators. Elsevier: London. 2: 1443~1460

[45] Parton W J, Stewart J W B, Cole C V. 1988. Dynamics of C, N, P, and S in grassland soils: A model. Biogeochemistry 5: 109~131

[46] Peterjohn W T, Correll D L. 1984. Nutrient dynamics in an agricultural watershed: Observations on the role of a riparian forest. Ecology 65(5): 1466~1475

[47] Rapport D, Costanza R, Epstein P, et al. 1998. Ecosystem Health. Blackwell Scientific: New York

[48] Running S W, Coughlan J C. 1988. General model of forest ecosystem processes for regional applications, I. Hydrologic balance, canopy gas exchange and primary production processes. Ecological Modelling 42: 125~154

[49] Sasowsky C K, Gardner T W. 1991. Watershed configuration and geographic information system parameterization for SPUR model hydrologic simulations. Water Resources Bulletin 27(1): 7~18

[50] Sklar F H, Costanza R, Day J W. 1985. Dynamic spatial simulation modeling od coastal wetland habitat succession. Ecological Modeling 29: 261~281

[51] Stevenson F J. 1986. Cycles of Soil; Carbon, Nitrogen, Phosphorus, Sulfer, Micronutrients. Wiley, New York

[52] Turner M G. 1989. Landscape ecology: The effect of pattern on process. Annu. Rev. Ecol. Syst. 20: 171~197

[53] USACERL. 1993. GRASS Version 4.1. User's Reference Manual. Open GRASS Foundation Center for Remote Sensing, Boston, MA: Boston University

[54] Voinov A, Akhremenkov A. 1990. Simulation modeling system for aquatic bodies. Ecological Modeling 52: 181~205

[55] Voinov A, Fitz C, Costanza R. 1998. Surface water flow in landscape models: 1. Everglades case study. Ecological Modelling 108(1~3): 131~144

[56] Voinov A, Voinov H, Costanza R. 1999. Surface water flow in landscape models: 2. Patuxent case study. Ecological Modelling 119: 211~230

[57] Vorosmarty C J, Moore B, Grace A L, et al. 1989. Continental scale model of water balance and fluvial transport: an application to south America. Global Biogeochemical Crcles 3: 241~265

# 第 9 章　Fort Hood 鸟类模拟模型－Ⅴ:两个濒危物种种群生存能力的空间显式模型 *

## 9.1　引言

Fort Hood 鸟类模拟模型(FHASM)是关于 Fort Hood——位于德克萨斯州中心的一个军事训练基地——两种濒危雀形目鸟的生态系统过程和种群动态的空间显式模型(Trame 等,1997)。FHASM 可以捕获并整合 Fort Hood 的环境参数,因此它有助于通过栖息地的规划和管理来保护黑顶绿鹃(Black－Capped Vireo;BCVI)和金颊莺(Golder－Cheeked Warbler;GCWA)种群。模型模拟了 100 年内(尽管更短或更长的时间也非常容易调控)基地(大约 88 000hm²)植被和鸟类种群的变化。用户为每一个模拟运行指定管理政策后,模型就可以生成输出图和其他数据,以此表示模拟的 BCVI 和 GCWA 种群。

为了保护鸟类的繁殖栖息地并降低燕八哥(cowbird)的寄生影响,自然资源管理者必须把尺度过程并入到管理决策中。使用实验方法在大尺度上研究物种对于土地利用政策和管理行为的响应是非常困难的,甚至是不可能的;实验的操作过程具有逻辑问题,而且重复这类实验的代价很高。为了克服这些限制,可以开发计算机模型来模拟大区域内随时间变化的过程。模型可以捕获并整合关于 Fort Hood 生态系统过程的信息,并为保护 BCVI 和 GCWA 种群的努力做出贡献。

在种群生存能力分析(PVA)程序中,FHASM 被用于生成不同情景下 Fort Hood 绿鹃和莺的种群灭绝概率。为达到这一目的,从 FHASM 中剔除了部分内容形成一个简化的模型,这一模型被命名为 FHASM－Ⅴ以示区别。这里对于 FHASM－Ⅴ模型介绍了两种应用。第一,把 FHASM－Ⅴ与被开发用于绿鹃和莺的 PVA 研究组的 1996 模型做了比较(Melton 等,2001)。FHASM－Ⅴ的种群统计变量尽可能多地匹配了 Melton 等开发的模型变量。这两种种群生存能力的评价方法存在差异,主要是因为模型的结构不同。例如,与 Melton 等的模型不同,FHASM－Ⅴ显式地包括了植被和栖息地质量等因子。第二,单独使用 FHASM－Ⅴ,比较了三种不同的栖息地保护政策下两个物种的预计长期存活概率。把这一结果和 1996 模型的结果做一个有趣的比较,可以提供关于 Fort Hood 两个濒危物种政策方面的补充信息(Melton 等,2001)。本章阐述了 FHASM－Ⅴ模型的设计与开发。

---

* 作者:Ann－Marie Trame Sharpiro,Steven J. Harper,James D. Westervelt。

## 9.2　生态和管理背景

Fort Hood 位于德克萨斯州的 Bell 和 Coryll 县,占地 87 890 hm$^2$。处在 Lampasas Cutplains 地形区的 Fort Hood 景观具有平坦河谷与石灰岩峭壁(高于平原可达 379 m)相间的地貌。漫长炎热的夏季和短暂温和的冬季是这一地区的典型特征。月均温可以从 1 月大约 8 ℃ 的低温变化到 7 月大约 29 ℃ 的高温。年均降水量是 810 mm(Tazik 等,1993)。

Fort Hood 为两个濒危物种金颊莺 (GCWA；Dendroica chrysoparia)和黑顶绿鹛(BC-VI；Vireo atricapillus)提供了繁殖栖息地。这两个物种对于繁殖栖息地的要求很苛刻,而且互相冲突。BCVI 要求早期演替的灌丛植被,而 GCWA 则要求成熟的橡树(Quercus spp)和刺柏属灌丛(Juniperus ashei)混交林。这两个物种要求的高质量栖息环境都发育于石灰岩峭壁,通常 20 年或更长的时间后 GCWA 的栖息环境会替代 BCVI 的栖息环境。景观上栖息地类型的相对丰度和空间模式对于保持这两个物种的种群数量具有重要意义。另外,BCVI 或许还有 GCWA 的繁殖量会受棕头燕八哥(Brown - Headed Cowbird；BHCO)(Molothrus ater)寄生的影响。BHCO 的分布和丰度在大尺度上会受土地利用政策,特别是家畜牧草和火灾扑灭的影响。

为了保护这片重要的栖息地并减少燕八哥的影响,自然资源管理者在整个 Fort Hood 实施了管理活动。目前,通常采用三种管理办法:①通过有计划的火烧或机械砍伐来更替植被以建造未来的 BCVI 栖息地;②通过有计划的火烧减少 GCWA 栖息地附近的燃料物质,从而避免栖息地受到意外破坏;③使用捕捉机和猎枪减少燕八哥的数量。对于 BCVI 和 GCWA 种群的监测表明,这些方法可以形成另外的繁殖环境并减少 BHCO 的寄生。通过优化 BHCO 捕捉机的位置和优化 BCVI 与 GCWA 适宜栖息地的位置及分布,可能还会取得更大的成果。

## 9.3　建模环境

开发 FHASM - V 模型使用的软件包括马里兰大学开发的空间建模环境(SME)(Maxwell,1998；Maxwell 和 Costanza,1993；见本书第 2 章)、GRASS GIS(www. baylor. edu/grass)和 STELLA(High Performance Systems, Inc. ,1994)(见图 9-1)。FHASM - V 通用模型是应用图形的、用户友好的 STELLA 程序在台式机上构建的。FHASM - V 通用模型在景观上的扩展是应用运行在单个 Unix 工作站上的 SME 软件实现的。SME 是一个基于栅格的景观模拟环境,它便于在任意数目的栅格单元中同时操作模型。模拟运行时,每个单元中的大部分模拟算法相互独立。某些情况下需要在多个单元之间交换信息。每个单元的图形化参数通过地理信息系统(GIS)图层初始化,非空间变量通过数学函数定义的常量初始化。从模拟的整个周期来看,需要把空间数据从 SME 导入 GRASS 执行几个 GIS 操作。然后把得到的 GIS 结果重新导入 SME 以更新特定的动态变量。GRASS 和 SME 输出结果的形式是 GRASS 地图和 ASCII 文本,可以使用可视化工具对它们进行分析和绘制图表。

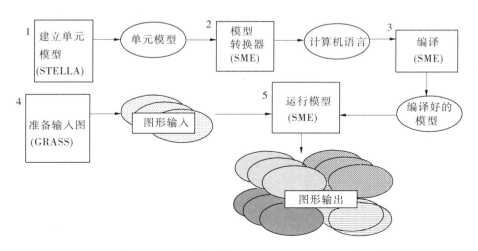

图 9-1　用于开发 FHASM－Ⅴ模型的 STELLA/SME/GRASS 相互作用关系的图形描述

## 9.4　模型概述

Fort Hood 景观被划分为 21 540 个正方形的栅格单元,每个栅格单元代表 4 hm² 的区域(200 m×200 m)。这一单元尺寸合理地代表了两个物种在 Fort Hood 繁殖地域的平均大小(Weinberg 等,1996;Jette 等,1998)。FHASM－Ⅴ的时间步长是一个季度(第一季度指 1~3 月;第二季度指 4~6 月;第三季度指 7~9 月;第四季度指 10~12 月)。这一时间步长允许使用描述整个繁殖季节内(与第二季度一致)由于小鸟繁殖而引起的增加量的概要统计数据。

FHASM 模拟了肯定会影响 BCVIs 和 GCWAs 种群的过程。模型提供了 4 个子模型之间的信息交换:栖息地子模型、鸟类子模型、地图输入子模型和模拟子模型。栖息地子模型模拟自然演替、训练活动以及家畜牧草引起的植被变化。该子模型的植物群落信息将合并到鸟类子模型。鸟类子模型计算会影响成年 BCVIs 和 GCWAs 的地域选择和再生产能力的繁殖栖息地质量。地图输入子模型提供空间显式参数的初始值。该子模型同时还存储可以用于管理情景的各种土地利用情景图。模拟子模型存储一次模拟运行中生成的每个时间步长的空间变量,这样 SME 就可以得到所需的动态空间变量。

## 9.5　鸟类子模型

### 9.5.1　一般方法

FHASM－Ⅴ是一个针对雌性鸟类的种群统计模型。关于可以得到的种群统计数据,如生育率和存活率,假定雄鸟和雌鸟是相等的(在某些情况下,只能得到雄鸟的野外观测数据)。假定雏鸟的性别比是 1:1。4 hm² 的单元尺寸代表了繁殖地域大小的一个合理近似值,这样在繁殖季节的开始,两个物种处于繁殖期的雌鸟最大值被放置在一个给定的单元中。对于特定的栖息地类型,两个物种可能会被放置到相同的单元。如果有足够的繁殖栖息地,假定迁徙回来的所有雌鸟都能够成功配对。假定在繁殖季节没有成年鸟死亡。在繁殖季节末期(第二季度),所有的雌鸟,不管是成年鸟还是雏鸟,都迁往越冬地。许多幸存者在下一年繁殖季节开始的时候会返回来并占据适当的栖息地。

## 9.5.2　栖息地质量的确定

FHASM - V 在两种水平下模拟了绿鹃和莺对于栖息地的要求:适宜性和质量。适宜性包括了栖息地的核心特征,即土壤因素(比如海拔、坡度、坡向、土壤类型和地质条件)和植物群落因素[比如群落类型和群落年龄(演替系列的阶段)]。适宜性的取值范围是 0(不适宜)～3(高度适宜)。栖息地质量合并了其他的影响,并在每年春天鸟迁徙到来时对其分布产生影响(见 9.5.3 节)。莺的栖息地质量是以栖息地的适宜性、单元的前期占领和栖息地斑块的大小为基础的,它们起着相同的和累加的作用。绿鹃的栖息地质量仅仅以栖息地的适宜性和单元的前期占领为基础。为了考虑连续的两年之间重现精度的影响,鸟类子模型跟踪了单元的前期占领信息。在上一个繁殖季节被占领的单元,在这一个繁殖季节被占领的可能性会更大。对于这两个物种都可以观察到重现精度和重复使用繁殖地的现象(Weinberg 等,1998;Jette 等,1998)。

## 9.5.3　春季返回的鸟对栖息地的占领

从越冬地迁徙回来的雌鸟数量是一个动态变量(见 9.5.6 节)。可以使用 GRASS 程序中的"r. birds"脚本命令,在每一次模拟的第一季度末期在每个单元中分布一只雌鸟。两岁以上的雌鸟(ASY)的分布优先于两岁的雌鸟(SY),而且金颊莺的分布优先于黑顶绿鹃,这与在 Fort Hood 观察到的情况一致(Jette,Oak Ridge Postgraduate Research Fellow,USA CERL,专业讨论,1996 年 10 月)。这种分布模式为年长的个体保护它们的最佳栖息地斑块提供了优势,也为 ASY 个体保护它们的最佳栖息地斑块提供了优势。"r. birds"程序考虑了当前的栖息地质量(见 9.5.2 节)和栖息地质量水平对于位置选择的相对重要性,因为在把鸟类个体分布到景观上时,它允许高质量的位置通常比低质量的位置先被占据。最终的分布被记录到 GRASS 地图中。

## 9.5.4　生产力的确定

使用不同的方法模拟了绿鹃和莺的生产力。另外,FHASM - V 模型和 Melton 等(2001)计算绿鹃生产力的方法不同。Melton 等使用了一个年龄组的雌绿鹃生育力的均值和方差。黑顶绿鹃的筑巢生态比较复杂。一对绿鹃可能打算哺育不止一窝的幼鸟,尤其是在由于捕食行为、天气原因或者燕八哥的寄生而造成损失的情况下。成功地再次筑巢的概率可能和旧巢的命运(被破坏没有? 被寄生没有? 成功地完成没有?)以及在筑巢季节一个新尝试开始的有多晚相关。收集了多数可得到的野外数据并分析了每一个筑巢尝试的概率(例如,每一个筑巢尝试的寄生率、每一个筑巢尝试的捕食率等)。以绿鹃的数据为例,Pease 和 Grzybowski(1995)使用这些概率数据计算了季节性生育力(每只处于繁殖期的雌鸟每年哺育的雏鸟数)。使用本模型提供给 1995 年 BCVI 种群和栖息地生存能力评价报告(USWFS,1996)的数据,建立了寄生率和栖息地质量与季节性生产力之间的联系。模型包括的常量有:

(1)未被寄生的巢的生产力(=3.1 个雏鸟);

(2)被寄生的巢的生产力(=0.2 个雏鸟)(因为某个巢中燕八哥的卵没有孵化而绿鹃的卵孵化了);

(3)筑巢周期的第一天,在这一天筑巢行为开始(第 68 天)。

取值范围都是 0~90% 的特定筑巢尝试的寄生率和捕食率会影响季节性生育力。Pease 和 Grzybowski(1995)把除了燕八哥寄生以外的其他任何原因造成的雏鸟损失统称为"毁坏",即使这些损失可能是由于被抛弃、父母的自然死亡、疾病或天气等原因造成的。FHASM - V 把毁坏率(与寄生无关的幼鸟损失)和用鸟类子模型的其他部分计算出来的栖息地质量水平联系起来。高等质量栖息地模拟中特定筑巢尝试的损失率是 20%,中等质量栖息地模拟中的是 50%,劣等质量栖息地模拟中的是 70%。使用 Statview 软件做的统计分析表明,在每一种栖息地质量水平下寄生率和生育力之间都具有很强的相关性(三种质量水平下都是 $R^2 > 0.98$)(Harper,未发表的数据)。这种方法允许把 Pease 和 Grzybowski 模型的结果直接合并到 FHASM - V 中,而不需要合并模型使用的具体方程。特定筑巢尝试的寄生率由燕八哥管理努力的模拟产生(见 9.5.5 节)。这些寄生率和栖息地质量水平将影响绿鹃领地的生育力赋值,这个赋值是在具有相同的栖息地质量水平,并且面对相同的寄生风险的所有领地内产生的雌性雏鸟的平均值。

金颊莺的筑巢生态决定了在 FHASM - V 中要用不同的方法模拟其生育力。由于研究人员很少发现莺巢,因此燕八哥对于莺的寄生并没有被很好地证实。然而,一个野生生物学家推荐使用 0.005 的恒定概率,并且推荐一个寄生事件导致一个莺后代的损失(L. Jette,个人交流)。可得到的莺繁殖数据仅仅包括三个重新筑巢事件。这意味着,莺的季节性生产力比绿鹃更容易计算。直接用野外观测记录计算雌性雏鸟的季节性繁殖总量是可行的。从野外研究中可以得到每一个年龄段的雌鸟生育力的差异,并且模型考虑了这些差异。除了寄生引起的小损失之外,这个方法与 Melton 等(2001)的 PVA 方法是可以比较的,事实上两个模型的大部分种群统计变量是同样地被参数化的。

## 9.5.5　燕八哥的控制

燕八哥寄生概率的计算是以 Fort Hood 的控制努力与寄生率之间的一个被证实的数学统计关系为基础的。1988 年以来,由于大型活物捕捉机的使用,Fort Hood 燕八哥的数量减少了。在 1988 年和 1989 年,绿鹃繁殖栖息地仅仅安装了少量的(分别是 3 个和 7

个)捕捉机。从 1991 年开始,为了捕捉更多的燕八哥,在燕八哥的觅食区也安装了捕捉机。除 1988 年以外,其他年份捕获的雌鸟全部被杀掉,而雄鸟幼鸟则被释放。

在 1989 年和 1991～1996 年,还利用录音机播放吸引雌鸟的叫声来诱杀雌性燕八哥。最初的几年里,射猎努力是即兴的,射猎活动没有做记录。从 1993 年开始,燕八哥的位置才被记录下来(Hayden 等,2000)。射杀活动目前集中在绿鹃的栖息地,目的是赶走对于这两种濒危鸟类的巢具有很高寄生概率的雌性燕八哥(Eckrich,燕八哥控制技术,Fort Hood,TX,个人交流,1996)。

研究人员也采取了一些措施减少燕八哥的寄生,包括弄坏、拿走或者杀死为了研究目的而监测的寄生巢中燕八哥的蛋或者雏鸟。通过减少巢所在的持久研究地区内全部筑巢尝试的寄生率,FHASM－Ⅴ 合并了这一管理活动。假定这反映了通过人为办法移走了燕八哥的寄生巢在所有巢中所占的比例。

本部分内容使用的控制和寄生数据来自于 Hayden 和 Tazik(1992)、Bolsinger 和 Hayden(1992,1994)、Tazik 和 Cornelius(1993)、Weinberg 和 Bolsinger 及 Hayden(1995)以及 Weinberg 等(1996)所做的工作。由于 1988～1995 年间燕八哥的控制努力和被捕杀的雌性燕八哥数量逐年增加,这一时期的寄生率从 1987 年的 90.91% 显著地下降到 1994 年的 12.59% 和 1995 年的 15.17%。控制努力(即整个时段中捕获和射杀的雌性燕八哥总数)被用于根据位置(基地内的“射猎区”和“非射猎区”对于射猎努力具有不同的可进入性)估计寄生概率。根据历史数据(1987～1988,1991～1995)的分析,发现非射猎区内绿鹃巢被寄生的百分率与被射杀的燕八哥雏鸟数($F = 59.591\ 3, \mathrm{d}f = 1, p < 0.001\ 5$)、捕捉机捕获的雌鸟数($F = 166.229\ 0, \mathrm{d}f = 1, p < 0.000\ 2$)以及二者的共同作用消灭的雌鸟数($F = 16.825\ 0, \mathrm{d}f = 1, p < 0.014\ 8$)密切相关(调整后的 $R^2 = 0.980\ 507$)。在射猎区,绿鹃巢被寄生的数量仅仅与捕捉机捕获的雌鸟数($F = 129.620\ 1, \mathrm{d}f = 1, p < 0$)密切相关(调整后的 $R^2 = 0.948\ 39$)。射猎区内的寄生行为与射杀的雌鸟数不相关,与射杀和捕捉的共同作用消灭的雌鸟数也不相关。

捕捉努力和功效的模拟使用了五个区域:西区、东区、射猎区、驻扎区和西 Fort Hood 区。由于控制活动、土地利用实践(包括军事训练)和地形的不同,这种区域划分在历史上就被 Fort Hood 的居民所认可(Hayden 等,2000)。

捕获和射杀的雌鸟数被模拟为控制努力和功效的函数。控制努力被定义为每一个模拟年份的第二季度(繁殖季节)设置捕捉机的天数或者射猎旅行的次数。功效被定义为每个捕捉机每天捕获的雌鸟数或者每次射猎旅行射杀的雌鸟数。使用这种衡量方法可以得到用于计算寄生百分率的被杀死的雌鸟数量。这种衡量方法在区域尺度上模拟捕捉机的行为,在时间尺度上模拟射杀行为,这些都是以可得到的数据为基础的。FHASM－Ⅴ 的参数化使用了 1995 年以来的捕捉努力值(Weinberg 等,1996)和 1995 年的射猎努力估计值(用 1989 年以来的数据进行线性回归计算)。由于在一些区域捕捉雌性燕八哥比在其他区域容易得多,因此捕捉功效在各个区域之间是不同的。FHASM－Ⅴ 的参数化使用了 1995 年以来的区域捕捉功效值。射猎功效等于 1989 年观察到的功效值。

## 9.5.6　从 Fort Hood 迁徙和越冬的损失

每个繁殖地域对于下一年种群数量的贡献,可以用前一繁殖季节末期雌性雏鸟和成年鸟的数量减去雏鸟和成年鸟不在 Fort Hood 期间死亡的数量(包括在迁徙的来回途中和在越冬地死亡的数量)表示。单个雏鸟或成年鸟返回 Fort Hood 的概率通过对两种鸟的再捕获研究来确定。并不清楚损失是由于自然死亡还是由于永久性地迁出基地引起的,因此在 FHASM－V 中利用了简化的假定:损失代表着死亡,而且迁入和迁出 Fort Hood 的量可以忽略不计。每只雏鸟和成年鸟不返回 Fort Hood 的概率是分开计算的。减去这些没有返回的量以相应地减少下一年的数量。这些结果被"r.birds"程序用于在下一年的景观上分配鸟类个体。

# 9.6　栖息地子模型

## 9.6.1　植被类型和演替系列的阶段

FHASM－V 的初始化使用了 Fort Hood 环境部门提供的 1987 年 GRASS 数据层格式的地物分析(植被)图。包括 15 种群落类型的输入地图被做了微小的改动。每一种植物群落类型用一个唯一的数字编码(1~15)识别。每个单元被赋予一个初始值来代表某一群落已经持续的年数,这样不同的演替系列就可以通过初始值的设定被包括进来。通过识别每一种群落在不同的土壤类型上持续的时间长度(不受扰动),然后在前面给定的范围内随机地赋一个值来生成演替系列图。为了模拟过去演替的斑块镶嵌图,模型通过为每个唯一的植物群落类型和土壤类型组合体计算一个新的随机值,打破了植物群落的空间块状分布。

## 9.6.2　植被动态

在自然演替、管理活动、土地利用政策和自然扰动的基础上,主要通过查阅文献以及与 Fort Hood 居民进行讨论,估计了植物群落的发展和变化。以土壤类型、植物群落的演替阶段和长期的土地利用制度(放牧和军事训练)为基础,长期的土地利用矩阵定义了植物群落类型的连续系列。Fort Hood 的土壤被划分为三组土壤联合体[以下信息来自美国农业部(USDA,1985)]。Eckrant－Real 岩土最常发育在山脊和山坡上,并与石灰岩基岩相联系。这类土壤一般比较干旱贫瘠,可以被刺柏属灌丛入侵,并在某些情况下被它们占据。在 FHASM－V 中,通过刺柏属灌丛对年幼植物群落的侵入和在不受扰动的条件下刺柏属灌丛覆盖度的增加,反映了 Eckrant－real Rock 岩土上刺柏属灌丛的盛行。第二组土壤联合体由一组广泛的草原土壤和洪积平原土壤(Nuff－Cho、Bosque－Frio－Lewis-ville、Doss－Real－Krum、Slidell 和 Topsey－Brackett)组成。估计了这些区域的不同演替模式,由于刺柏属灌丛在比较肥沃的土壤上不具有竞争优势,因此降低了它的重要性。Bastil - Minwells 土壤支持比其他群落更能抵制刺柏属灌丛入侵和占据的橡树草原群落(Eckrich 和 Trame Shapiro,个人观测,1996)。FHASM - V 中,发育在 Bastil - Minwells 土壤上的成熟橡树草原群落没有经历刺柏属灌丛的入侵。然而,其他的群落经历了刺柏属灌丛的侵入并发展成为混交林。土壤类型可以从一幅 GRASS 地图中获取,然后归类为这三种土壤类型。

植被动态受地形的影响。朝南的陡坡上发育着极其干旱的土壤,在这些土壤上有时发育着单纯的刺柏属灌丛或森林。因此,朝南的陡坡上植物群落的演替是独特的。

栖息地子模型中,长期的放牧和/或军事训练政策影响着演替模式。集中放牧降低了草的生物量,这加速了木本物种特别是刺柏属灌丛的入侵(Cornelius,野生生物学家,濒危物种部门,Fort Hood,TX,个人交流,1996)。经过一个比较长的时期,放牧可以显著减少或者消除硬质乔木的再生,并使群落类型发生变化(Dyksterhuis,1948;West,1988)。类似地,长时期的机械化训练也可以减少木本植被,并使林地转变为草地(Trame,1997)。FHASM - V 跟踪模拟了三种土地利用模式的影响:①中等或密集的军事训练,伴有任意水平的放牧;②中等或密集的放牧,伴有低强度的军事训练;③可以忽略的放牧和军事训练水平。在一次模拟中,军事训练和放牧模式被作为 GRASS 地图输入并保持不变。

对于每一种土壤类型和土地利用组合体,有唯一的一个转换矩阵根据可得到的生态信息定义植被类型的变化。

## 9.7　应用

Melton 等的 1996 PVA 是用利用了种群矩阵模型结构的 RAMAS/METAPOP 软件构建的。通过对每一个值做 1 000 次的迭代运算,评价了至少 11 种不同的承载力($K$)对于灭绝概率的影响(见图 9-2)(Melton 等,2001)。FHASM - V 的应用包括两个阶段。第一阶段去掉了所有空间显式的植被和栖息地信息,并简单地匹配 1996 PVA 的种群统计值(见表 9-1)。第一阶段的构建只使用了莺的数据,因为 FHASM - V 和 PVA 对于莺的模拟方法更加相似。第一阶段允许单独对比模型结构。模拟比较了原始的 PVA 结果关注的三种承载力水平($K$):$K = 50$、$500$、$2\ 000$ 对处于繁殖期的鸟。与 Melton 等(2001)的结果相比,FHASM - V 的初步结果显示莺在 100 年内灭绝的概率要小得多(见表 9-2)。这可能是由于输入数据的微小差异造成的,特别是对于方差的处理(见表 9-1),或者是由于两种模拟方法的结构差异造成的。

第二阶段利用了 FHASM - V 的空间能力,合并了植被变化以及栖息地质量随之变化的动态景观模拟。在不同的 $K$ 值之间不能进行对比,因为在动态植被模型中 $K$ 值不是常数。作为替代,对比了基地的三种栖息地保护政策:①1998 年以前关于军事训练的政策;②1998 年濒危物种管理计划规定的军事训练政策(Hayden 等,2001);③没有军事训练约束的假设政策。Fort Hood 濒危物种部门提供了由不同的训练约束描绘的受保护栖息地图。这些地图被用做栖息地子模型的输入(见 9.6 节),触发了不同的植被转换矩阵。植被的最终差异影响了栖息地的质量,并间接影响了鸟类的种群统计特征。在三种训练情景的任何一种情景下，FHASM－Ⅴ 的运行结果都显示没有莺或绿鹃种群会灭绝。对于绿鹃，出现这种结果可能是由于有充足的栖息地可以利用，而再生产过程的成功在一定程度上是以栖息地质量为基础的。这种模型结构可以缓冲单独从时间的随机性上对种群的模拟。在每一种训练情景下，模拟时期内每一个物种的种群数量平均值和标准差非常相似（见图 9-3 和图 9-4，它们分别是这两个物种的代表性实例）。然而所有的标准差都比较高，这说明在 FHASM－Ⅴ 以后的应用中需要更多的迭代次数。

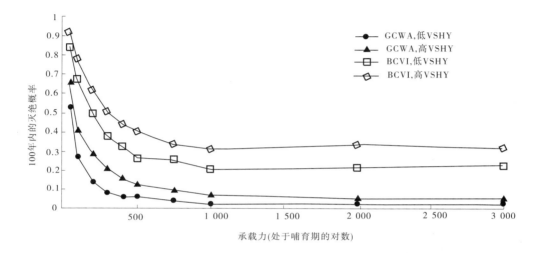

**图 9-2　承载力（$K$）对灭绝概率的影响（Melton 等，2001）**

GCWA＝金颊莺，BCVI＝黑顶绿鹃，VSHY＝幸存的一岁个体的方差

**表 9-1　Melton 等（2001）的 PVA 和初步的 FHASM－Ⅴ PVA 使用的参数对比（仅针对莺）**

| 参数 | Melton 等（2001） | FHASM－Ⅴ |
|---|---|---|
| 开始的种群数量 | 1 600 | 1 600 |
| 一岁个体（SHY）的存活率 | 0.5 | 0.5 |
| 一岁个体（SHY）的方差 | 0.011 9（时间上的） | 0.011 9（空间上的） |
| 两岁和两岁以上个体（SAHY）的存活率 | 0.57 | 0.57 |
| 两岁和两岁以上个体（SAHY）的方差 | 0.011 9（时间上的） | 0.011 9（空间上的） |
| 两岁个体（SY）的生育力 | 0.753 5 个雄鸟/处于哺育期的每只雄鸟[*] | 每个领地有 1、2、3 或 4 个雌性后代的概率[**] |
| 两岁个体（SY）的生育力在时间上的方差 | 0.024 | N/A |
| 两岁以上个体（ASY）的生育力 | 1.075 个雄鸟/处于哺育期的每只雄鸟[*] | 每个领地有 1、2、3 或 4 个雌性后代的概率[**] |
| 两岁以上个体（ASY）的生育力在时间上的方差 | 0.0056 | N/A |

注：[*] 基于 1992～1994 年的野外数据；

[**] 基于 1993 年和 1994 年的野外数据（没有得到 1992 年的数据）。

表 9-2　Melton 等(2001)的 PVA 和 FHASM－V 的初步运行结果得到的金频莺灭绝概率

| 承载力 | FHASM－V | Melton 等(2001) |
| --- | --- | --- |
| 50 | 0.13 | 0.521 |
| 500 | 0.01 | 0.041 |
| 2 000 | 0.00 | 0.005 |

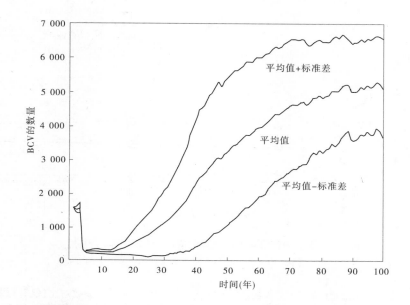

**图 9-3　利用 FHASM－V 运行 137 次模拟得到的黑顶绿鹃个体数目(平均值＋/－标准差)**
这些数据是使用 1998 年的濒危物种管理计划情景得到的,可以作为所有三种情景的
代表(A. M. Trame Shapiro,未发表的数据,1996)

　　初步结果显示,生存能力模型结构上的差异可以导致种群生存能力或脆弱性估计值的显著差异。管理者和执行代理人可以在 PVA 运用期间从竞争模型之间的对比中受益,随后深入检验任何显著差异的根本机制。对于这里报告的初步运用,Melton 等(2001)的 PVA 和 FHASM－V 对于莺的模拟结果之间的差异还有必要作进一步的检验。如果 FHASM－V 这类景观模拟方法被证明是有用的,这些模型就可以被扩展从而包括更多类型的问题。例如,FHASM－V 可以扩展到把燕八哥的控制努力和栖息地的增加努力包括进来。FHASM－V 和类似的动态景观模型将来潜在地会提供新一代的 PVA 工具,这一工具和传统方法相结合,不仅可以评价小种群统计特征的长期效应,还可以评价栖息地数量和质量动态景观变化的长期效应。

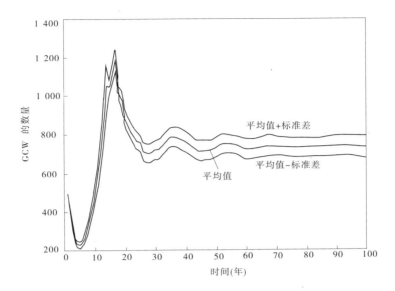

**图 9-4　利用 FHASM－Ⅴ 运行 137 次模拟得到的金颊莺个体数目(平均值＋/－标准差)**
这些数据是使用 1998 年的濒危物种管理计划情景得到的,可以作为所有三种情景
的代表(A. M. Trame Shapiro,未发表的数据,1996)

# 参 考 文 献

[1] Bolsinger J S,Hayden T J. 1992. Project status report: 1992 field studies of two endangered species (the black－capped vireo and the golden－cheeked warbler) and the cowbird control program on Fort Hood, Texas. Submitted to HQ III Corps and Fort Hood, Texas

[2] Bolsinger J S,Hayden T J. 1994. Project status report: 1993 field studies of two endangered species (the black－capped vireo and the golden－cheeked warbler) and the cowbird control program on Fort Hood, Texas, Submitted to HQ III Corps and Fort Hood, Texas

[3] Dyksterhuis E J. 1948. The vegetation of the western cross timbers. Ecological Monographs 18(3): 325~376

[4] Hayden T J,Tazik D J. 1992. Project status report: 1991 field studies of two endangered species (the black－capped vireo and the golden－cheeked warbler) and the cowbird control program on Fort Hood, Texas, Submitted to HQ III Corps and Fort Hood, Texas

[5] Hayden T J,Tazik D J,Melton R H,et al. 2000. Cowbird control program at Fort Hood, Texas: Lessons for mitigation of cowbird parasitism on a landscape scale. in Ecology and Management of Cowbirds and Their Hosts (Smith, J. N. M., T. L. Cook, S. I. Rothstein, S. K. Robinson, and S. G. Sealy, eds.). University of Texas Press, Austin, TX

[6] Hayden T J,Cornelius J D,Weinberg H J,et al. 2001. Endangered species management plan for Fort Hood, Texas; FY01－05. USACERL technical Report ERDC/CERL TR－01－26, USACERL, Champaign, IL

[7] High Performance Systems. 1994. STELLA II, technical documentation. High Performance Systems, Inc. , Hanover, NH

[8] Jette L A, Hayden T J, Cornelius J D. 1998. Demographics of the golden – cheeked warbler (Dendroica chrysoparia) on Fort Hood, Texas. USACERL technical report 98/52. USACERL, Champaign, IL

[9] Maxwell T. 1998. Spatial modeling environment, Available from http://giee. uvm. edu/SME3

[10] Maxwell T, Costanza R. 1993. Spatial ecosystem modeling in a distributed computational environment, in Concepts, methods, and policy for sustainable development (van den Berg, J. and J. van der Straaten, eds.) Island Press, Washington, D.C

[11] Melton R. H, Jetté L A, Hayden T J, et al. 2001. Population viability of avian endangered species: the PVAvES program. USACERL technical report ERDC/CERL TR – 01 – 7, USACERL, Champaign, IL

[12] Pease C M, Grzybowski J A. 1995. Assessing the consequences of brood parasitism and nest predation on seasonal fecundity in passerine birds. The Auk 112(2): 343~363

[13] Tazik D J, Cornelius J D. 1993. Status of the black – capped vireo at Fort Hood, Texas, Volume III: population and nesting ecology. USACERL technical report EN – 94/01, Vol III. USACERL, Champaign, IL

[14] Tazik D J, Grzybowski J A, Cornelius J D. 1993. Status of the Black – capped Vireo at Fort Hood, Texas, Volume II: Habitat. USACERL technical report EN – 94/01/ADA275677, Vol II. USACERL, Champaign, IL

[15] Trame A. 1997. Known and potential impacts of maneuver training, especially physical disturbance, on threatened and endangered species, USACERL technical report 97/70. USACERL, Champaign, IL

[16] Trame A, Harper S J, Aycrigg J, et al. 1997. The Fort Hood Avian Simulation Model: A dynamic model of ecological influences on two endangered species. USACERL technical report 97/88, USACERL, Champaign, IL

[17] USDA. 1985. Soil Survey of Coryell County, Texas. USDA Soil Conservation Service, Temple, TX

[18] USFWS. 1996. Black – Capped Vireo Population and Habitat Viability Assessment Report, Compiled and edited by C. Beardmore, J. Hatfield and J. Lewis in conjunction with workshop participants. Report of September 18 – 21, 1995. Workshop arranged by the United States Fish and Wildlife Service, Austin, TX

[19] Weinberg H J, Bolsinger J S, Hayden T J. 1995. Project status report: 1994 field studies of two endangered species (the black – capped vireo and the golden – cheeked warbler) and the cowbird control program on Fort Hood, Texas, Submitted to HQ III Corps and Fort Hood, Texas

[20] Weinberg H J, Jette L A, Cornelius J D. 1996. Project status report: 1995 field studies of two endangered species (the black – capped vireo and the golden – cheeked warbler) and the cowbird control program on Fort Hood, Texas, Submitted to HQ III Corps and Fort Hood, Texas

[21] Weinberg H J, Hayden T J, Cornelius J D. 1998. Local and installation – wide Black – capped Vireo dynamics on the Fort Hood, Texas military reservation, USACERL technical report 98/54, USACERL, Champaign, IL

[22] West N E. 1988 Intermountain deserts, shrub steppes and woodlands, in North American terrestrial vegetation, (Barbour, M. G. and W. D. Billings, eds. ). Cambridge University Press, New York

# 第 10 章　土地利用变化及其对加利福尼亚州 Mojave 沙漠龟种群影响的模拟 *

## 10.1　引言

　　基于计算机的模拟模型在生态学研究和管理领域已成为一种越来越重要的工具。它可以洞察物种栖息地之间的相互作用关系、栖息地的空间和时间模式以及各种各样的活动对动物种群及其栖息环境造成的影响(Turner 等,1995)。最近,人们开始把精力放在空间显式模型的开发上面(Pulliam 等,1992;Turner 等,1995),因为土地的空间分布和复杂性特征使得从整体上分析和模拟景观变得非常困难。把景观分割成相互关联的小块,可以把这些小块土地看做均质的单元来开发模型(比如栅格景观模型)。这种方法对于开发濒危物种的空间显式模型尤其有用。

　　本模型是伊利诺斯州 Champaign 市美国陆军建筑工程研究实验室 (USACERL)开发的系列模型之一,目的是研究动态景观模拟(DLS)模型的建立过程。在这个 DLS 模型中,建立了一个空间的动态栖息地模型来评价军事训练在时间和空间上对沙漠龟种群(Gopherus agassizii)及其栖息地的影响。沙漠龟在 1990 年被指定为 Mojave 沙漠中联邦级的受威胁物种(见图 10-1)。沙漠龟在大的区域上分布不均匀,从而很难估计其种群密度。此外,沙漠龟是一种繁殖率很低而寿命很长的动物,这使得它们对于环境的扰乱具有很强的敏感性。

**图 10-1　沙漠龟**(Gopherus agassizii)
加利福尼亚州 Mojave 沙漠中联邦级的受威胁物种

　　这里介绍的沙漠龟空间显式模型是以计算机为基础的在模拟时间范围内运行的模拟模型。模型由数学、逻辑和随机的算法组成。初始条件的建立基础是在某个真实的或人为的初始时间上选取的系统瞬态图。用于初始化模型的输入数据包括光栅图像、矢量

　*　作者:Jocelyn L. Aycrigg,Steven J. Harper,James D. Westervelt。

数据、点信息、目标状态及位置。模型的输出揭示了不同的土地管理选择所引起的景观的潜在变化。

本研究的目的是检验开发的模型对于模拟变化的敏感性。并不期望模型和模拟结果为土地管理者提供特定影响的详细预测，而是期望它能够证明使用该建模方法建立景观水平模拟模型的可行性。最多，模型的结论可以揭示由训练强度在时间和空间上的变化引起的预期变化趋势。本研究的目标是建立和评估一个空间 DLS 模型，以及该模型预测沙漠龟种群密度和栖息地对于军事训练密度、地点和季节变化响应的能力。模型结论可以通过土地管理者和野外受控实验的观测结果证实。与当地土地管理者合作进一步开发模型，可以为管理该沙漠生态系统提供一个强有力的工具。

# 10.2　研究区域

Fort Irwin 位于洛杉矶、加利福尼亚和内华达的拉斯维加斯之间，地处 Mojave 沙漠中心（见图 10-2）。占地约 260 000 hm², 海拔 390～1 865 m。夏季温度在 35～46 ℃ 之间，冬季温度在 -7～5 ℃ 之间。降雨量较低（年均 60～80 mm）。从 1979 年开始，Fort Irwin 成为国家军事训练基地，为部队对抗军事训练提供大面积的训练区域。沙漠龟是联邦级的受威胁物种，出现在 Fort Irwin 并遍及整个 Mojave 沙漠生态系统。Krzysik(1994,1997) 认为长达 50 多年的高强度军事训练及其对景观（如道路设施和交通）的干扰，对于沙漠龟栖息地具有重要的影响。这些影响导致了 Fort Irwin 地区 1950～1990 年间沙漠龟数量的下降(Krzysik,1994,1997)。

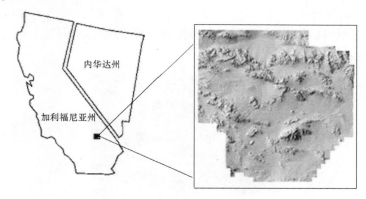

**图 10-2　加利福尼亚州 Fort Irwin 的位置图和高程图**

Fort Irwin 面积大约 260 000 hm²，高程 390～1 865 m，从 1979 年开始作为国家军事训练中心
开展了大范围的部队对抗军事训练

## 10.3　方法

### 10.3.1　建模环境

模型的空间分辨率是固定面积为 1 km² 的单元。这大约是一个沙漠龟的活动范围(Krzysik,1994)。在这一分辨率下,Fort Irwin 景观被分割成 3 249 个单元。每个单元中都运行一个单元模型,单元之间的初始值不同。选择的时间步长固定为 1 个月,这个时间与该地区景观的季节性变化相适应,如天气模式、龟的筑巢和产卵季节以及植被的生长周期等。所有的模拟都从 1 月(第 0 个时间步长)开始。每个给定单元的状态是该单元前一时间步长的状态、毗邻单元前一时间步长的状态以及外在天气因素的函数。

使用基于图形的模拟建模语言 STELLA Ⅱ(High Performance Systems, Inc.,Hanover,NH)建立了基本的土地模拟模型。STELLA 利用图标和示意图,并结合方程式作为建立模型的机制。使用 STELLA 建立在单个单元里运行的基本程序。利用空间建模环境(SME,第二版)(Maxwell 和 Costanza,1994,1995)把 STELLA 方程转换成 C++程序,从而把单元模型应用到多个单元中。SME 模仿的是 STELLA 单元模型的同等功能,但是它可以在每个 1km² 的单元中同时运行单元模型,而且允许在邻近单元之间传递数据并产生空间显式的输出。

利用 Unix 系统下运行的地理信息系统(GIS)软件地理资源分析支持系统(GRASS)(USACERL,1993)绘制初始地图。SME 的输出数据被写入 GRASS 数据层。

### 10.3.2　数据资源

采用包括光栅图、卫星图像、矢量图和点数据在内的复合数据校准模型的初始条件。通过土地条件趋势分析(LCTA)程序的横断面数据获得植被图(Tazik 等,1992)。利用反向传播神经网络分析把 Fort Irwin 栖息地转变成 GIS 栅格图(Wu 和 Westervelt,1994)。类似地,沙漠龟种群密度分布图也可以利用反向传播神经网络分析(Westervelt,1997;Wu和 Westervelt,1994)从 Krzysik(1991,1994,1997)收集的横断面数据中获得。地形数据从数字高程模型(DEM)中获得,利用 DEM 还可以生成坡度和坡向图。

## 10.4　模型描述

单元模型包括 5 个主要的子模型:气候(包括土壤湿度和温度)、植被、龟的种群动态、龟的分散迁移和军事训练活动(Aycrigg 等,1998;Westervelt 等,1997)。模型模拟了 250年内沙漠龟的种群动态,并通过改变模型参数模拟了各种军事训练情景的影响。

### 10.4.1　气候子模型

该子模型确定了降雨量、温度(月均地表温度)、土壤水分平衡和土壤湿度(比如有效水分含量)。其他气候模型可以更精确地模拟气候和水文过程,但是这些模型的时间步长通常都小于 1 个月,而且具有详细的野外数据进行校准。由于缺乏适当的数据并且受时间步长的约束,所以本研究没有采用这类模型。然而,在给定景观气候和水文设置的情况下,本研究采用的气候子模型也是合适的。

在模型中,利用 Fort Irwin 一个雨量站 20 年的降水记录计算模型需要的降雨量。降雨量通过调整从一系列产生降雨量月均值和最大值的 50 年的模拟中得到的标准差来确定。利用调整后的标准差可以提供有充分变异性的输出值,但是不能显著地改变输出分布的平均值。调整数据的平均值始终在 20 年的观测值的 5% 以内,但是产生的最大值却比那些观测值小得多。假定模型关注的中心问题是长期的效应,那么结果就是可以接受的。

模型采用的是位于加里福尼亚州 Barstow 市、距离 Fort Irwin 东约 10 英里的国家海洋和大气管理局(NOAA)提供的 1973~1992 年的温度数据。历史上的平均温度和平均温度最大值服从正态分布;因此采用这些值作为模型的参数。依据正态分布,每个月的平均温度在适当的历史值范围之内变化。依据同样的评价方法,最高温度在比平均温度高的历史值范围之内变化。此外,整个地区的地表温度是依据地貌和海拔的变化加以修正的。

土壤水分平衡有 5 个组成部分:降雨量(前面已经讨论过)、渗透、蒸发蒸腾、径流和土壤湿度。沙漠土壤的渗透能力很强,因此假设冬季的降雨全部下渗,而夏季 40% 的降雨下渗,60% 的降雨形成径流离开系统(Evans 等,1981)。蒸发蒸腾量是指所有以气态形式自然地离开地表和植被的水量的总和。本研究采用了 Thornthwaite 的蒸发蒸腾模型(Thornthwaite,1948),该模型根据经验方法获得月平均温度和土壤湿度之间的关系。此外,假设 Fort Irwin 的蒸发蒸腾不依赖于每个点的植被覆盖状况(Evans 等,1981)。径流受到以降雨的形式落下的水量和下渗到土壤中的水量之差的限制,因为假设是模型中多余的水将离开接收降水的单元。如果降雨量大于能够蒸发的水量,那么土壤将吸收水,直到土壤吸收的水达到饱和后多余的水才产生径流。

土壤湿度以月均土壤有效含水量(AWC)来衡量。它是通过气候子模型的确定性(没有使用温度和降雨量的随机值)运行产生的。每个月的土壤湿度以空间显式的地图形式输出。然后,把这些地图作为每个单元每月的土壤湿度值输入,比较这些湿度值与当前的土壤湿度值就可以得到土壤湿度指数。土壤湿度在最小值 0 和土壤有效含水量的最大值之间变化。

### 10.4.2　植被子模型

植被子模型对 Fort Irwin 当前植物群落的分布和生长情况提供了一个粗略的描述。

沙漠龟的生长率、身体状况、生存状况、迁移运动和繁殖都直接或间接地受到植物群落变化的影响。

最初,绘制了一张 Fort Irwin 地区的总植被覆盖图,它是以随机选择的 200 个样点的覆盖估计为基础的,这 200 个样点是土地条件趋势分析(LCTA)程序(Tazik 等,1992)用到的一部分。每个点代表一个 100 m 见方的横断面。植被的航摄覆盖度(aerial cover)通过沿横断面与植被接触的样点百分比估算。为了绘制植被覆盖图,利用的是反向传播神经网络分析(Wu 和 Westervelt,1994)。神经网络确定了 LCTA 数据和现有地图(如卫星图像、海拔、坡度、分水岭和道路缓冲区)之间的最佳相关关系。利用这些相关关系,把从 LCAT 数据中获取的植被覆盖估计值外推到整个 Fort Irwin 地区。植被数量用航摄覆盖度作为单位来进行量化。利用逻辑斯蒂方程 $dN/dt = rN(1 - N/K)$ 描述植被的季节性变化(Ricklefs,1990)。

此外,利用反向传播神经网络分析(Wu 和 Westervelt,1994)生成植被承载力图,并用它确定单元与从 Fort Irwin 北部随机选择的 500 个数据点的自然特征(如坡度、坡向、土壤类型、海拔)之间的最佳相关关系。假设北部轰炸区并没有受到重型车量的影响,接近于它的"原始"承载力。假定每个单元中的植被承载能力和军事训练强度之间存在负线性关系,这一点用土壤的压实度来表示。同时假设每个单元的植被承载力受土壤湿度年度变化的影响。因此,模型的每个单元中,当前月份的土壤湿度大于平均值时植被承载力会升高,反之则降低(Beatley,1974;Lane 等,1984;Inouye,1991;Schlesinger 和 Jones,1984)。忽略了超过(军事训练)基地现有条件的人类行为带来的其他影响,因此植被承载力会随着土壤再生和植物演替的发生而提高。

根据主要的植物类型(灌木和一年生植物)和生长状态(绿色和褐色)描述每个单元的植被群落。这种方法允许模型描述由于干扰造成的群落成分的变化和继发的演替变化,而在对单个的植物物种进行模拟时不需要更详细的细节。顶级状态下灌木覆盖率的确定方法类似于计算每个单元中植被承载力的方法,即通过在最近没有进行军事训练的区域随机选择 500 个点来确定。由自然因素决定的灌木承载力也会根据土壤压实度以固定比率降低。这种方法反映了年复一年的干扰造成的灌木覆盖率的降低,以及随之而来的迅速入侵现象(Goran 等,1983;Prose 等,1987)。预计植被群落在受到扰动后会以稳定的速率恢复到顶级状态;然而,沙漠植被群落要恢复到没受干扰前的原始组成状态需要几十年(Prose 等,1987;Wallace 等,1998)。关于群落能否恢复到没受干扰前的状态甚至都存在争议(Knapp,1992)。本研究假设植物群落可以恢复到没受干扰前的状态;并且任何单元都需要经过 70 年才能恢复到顶级状态。

假设所有绿色植物的固有生长率为 0.85。这个值允许灌木和一年生绿色植物在 12 月~次年 5 月的生长季节都非常接近每个单元的承载力(Beatley,1974)。生长季节之后,大多数绿色植物变得衰老,并且在模型中被归类为褐色植被。在生长季节初期,假设所有群落的绿色覆盖率都是前一个生长季节最大绿色覆盖率的 25%。

尽管褐色植物不是沙漠龟的首选草料,但是它也被包含在模型中,因为沙漠龟也消耗褐色植物。褐色植物在系统中通过分解而流失。在模型中,以土壤湿度和地表温度的函数来估计分解速率,因为这些非生物因素严重影响了土壤微生物群体的结构和密度(Zak

和 Freckman,1991)。然而,分解速率与这些自然因素之间的定量关系在以前并没有针对自然系统描述过。

## 10.4.3　龟的种群动态子模型

这个子模型是整个模型的核心部分,其他子模型的结果将输入到该子模型中。它被用于测定栖息地质量的变化和军事训练对 Fort Irwin 地区沙漠龟种群的潜在影响。由于沙漠龟是一个濒危物种并且对沙漠生态系统状况有指示作用,因此该子模型产生的信息对于开发有效的管理策略是有价值的。

5 个群体(卵、新孵化的小龟、幼龟、成年龟和老年龟)形成了该子模型的基本结构(Hohman 等,1980)。出生、死亡、迁入和疏散等因素可以改变每个群体中龟的数量。由于迁徙的结果,沙漠龟的长期性别比例接近均等(Berry,1976),并且只有雌性龟才能产卵,所以只有雌性龟才被引入模型。此外,Luke(1990)和 Doak 等(1994)发现沙漠龟数量的增长率在很大程度上依赖于成年雌性龟的存活率。雌性龟有能力贮存精子以确保在偶然接触雄性龟的情况下排出新生的卵。因此,沙漠龟的总量是雌性龟数量的 2 倍。

在模型中,把卵群体看成是成年和老年龟所产的卵。假设老年龟的排卵率比成年龟小 70%(Krzysik,个人交流,1997)。在模型中,龟怀孕 3 个月后产卵,即在 5~7 月份产卵(Luckenbach,1982;Woodbury 和 Hardy,1948)。以自然条件下的研究和观察资料为基础,假设每个成年雌龟平均每季产卵 1.84 窝(Ernst 和 Barbour,1972;Hohman 等,1980;Luckenbach,1982)。把成年龟的产卵率再次分为 5 月 100%、6 月 80%、7 月 4%(Turner 等,1984)。卵的孵化期是 8~10 月(Hohman 等,1980;Luckenbach,1982)。产卵的实际数量与雌龟的身体条件相关。模型中把龟的身体条件建立在植被覆盖和水的可利用性基础上。假设如果植被覆盖率和水的利用率低,产卵量就少,反之良好的栖息地条件可以导致每窝更多的产卵量,最多可达 14 个(Hohman 等,1980)。Luckenbach(1982)通过观察捕获的沙漠龟发现每窝中有 50% 不能生育,野生龟也有类似的损失。进而,Turner 等(1984)发现捕食作用可以解释沙漠龟种群大约 23% 的孵化期死亡率。把这些数据与模型中卵的存活率联系在一起,并且假设当植被覆盖率良好时因为捕食所导致的死亡率会降低。

在模型中,一旦卵被孵化,它们即被转入新孵化的小龟群体。新孵化的小龟的存活率依赖于龟冬眠和夏眠的时间以及捕食作用和自然因素,包括饥饿和缺水。除了卵之外,其余所有的龟都要冬眠和夏眠(Medica 等,1980)。冬眠发生在 11 月~次年 2 月,假设冬眠期间新孵化的小龟只有 5% 死亡。夏眠发生在 6~7 月份温度接近 39.5 ℃ 的时候,那时龟将承受严重的温度压力(Luckenbach,1982;Nagy 和 Medica,1986)。在模型中夏眠对龟的行为影响不显著,因为时间步长为一个月,所采用的月平均温度达不到 39.5 ℃。假设新孵出的小龟由于捕食作用导致的死亡率为 32%,由于其他自然因素(如饥饿和缺水)导致的死亡率为 10%。在最佳条件下新孵出的小龟的存活率为 85%,在次佳条件下为58%(Luke,1990)。小龟在壳硬化之前大约 5 年的时间内一直处于新孵化的小龟群体中(Luckenbach,1982)。把新孵化的小龟和幼龟分离开是因为新孵化的小龟的软壳使得它们比幼龟更易于被捕食(Luckenbach,1982)。

幼龟的壳已经硬化但还没有达到性成熟时期。没有冬眠时,假设幼龟每年由于捕食作用引起的死亡率为 22%,由于饥饿引起的死亡率为 4.4%,由于缺水引起的死亡率为 13.2%,以每个月而不是每个季度为基础由疾病引起的死亡率为 1.7%。在最佳条件下幼龟的年存活率为 87.1%,在次佳条件下幼龟的年存活率为 38.9%(Luke,1990)。幼龟经过 15~20 年后达到成熟阶段(Woodbury 和 Hardy,1948)。假设幼年群体的成熟平均需要 17.5 年,即进入成年群体的年龄为 22.5 岁。

估计成年龟每年的总死亡率为 1%~2%(Luckenbach,1982;Turner 等,1984)。假设除了捕食作用造成的死亡率比幼龟低之外,成年龟与幼龟的存活率相似。存活的成年龟到 62.5 岁时进入老年群体。

建立老年群体是为了区别高繁殖率的成熟个体和低繁殖率的老年个体。对于存活的老年龟采用了与成年龟相同的导致死亡的变量(捕食作用、疾病、饥饿和缺水)。在模型中,老年龟可以存活 10 年以上,最大达到 75 岁(Turner 等,1984)。

## 10.4.4　龟的分散迁移子模型

该子模型被用来模拟龟在相邻单元之间的运动,并计算由于迁移引起的幼龟、成年龟和老年龟密度的变化。在此模型中产生的数值用于调整沙漠龟子模型中每个单元内的沙漠龟密度。

冬眠、沙漠龟的密度和栖息地条件(植被覆盖率和绿色植物的可利用率)是阻碍龟迁移运动的 3 个最基本因素。在模型中,龟每个时间步长只能移动单位距离(即 1 km/月),运动的方向被限制为 4 个基本方向(即没有斜方向)。4 个相邻单元的条件并不会引起龟从接受单元中移出,但是每个相邻单元相对于其他 3 个相邻单元的条件可以决定龟移入到该单元的比例。移入到某个单元的龟的总数等于从相邻的 4 个单元移入其中的数量之和。

沙漠龟的行为和栖息环境,包括巢穴位置的选择、季节性的迁移、恶劣的栖息环境和雄性龟的迁移等都对沙漠龟的迁移有影响,这已被其他类型的龟所证实(Gibbons,1986)。模型的空间分辨率为 1 km², 这限制了对潜在的巢穴位置的详细描述。季节性的迁移和恶劣的栖息环境被合并到分散子模型中,并假设这两个条件对雄性和雌性龟的影响是均等的。由于模型中只包括雌性龟,因此没有模拟雄性龟的分散迁移模式。

在模型中,假设龟从植被覆盖率较低、可利用的绿色草料较少和龟密度较高的单元迁出。幼年龟的迁移率比较高并且在高密度的情况下更有可能迁移。假设龟的承载力为 100 只雌龟/km²。迁移受栖息环境的适宜性和龟密度的影响,而且与海拔和季节有关。龟不适合栖息在海拔 1 067 m 以上的地方,主要是生理限制阻碍了它们对高海拔地区的利用,而与食物和筑巢地点的可利用性无关。冬眠时期不会发生迁移现象。

### 10.4.5　军事训练影响子模型

这个子模型确定了军事训练对龟种群数量的间接影响。根据可得到的文献资料（Krzysik,1994），假设军事训练的间接影响（如植被的破坏和土壤的压实）比直接影响（如被车辆轧死）更显著；因此只模拟间接影响。越野车辆造成的间接影响会破坏沙漠环境（Adams 等,1982；Boarman 等,1997；Bury 等,1997；Jennings,1997；Webb 等,1986）。由于没有数据可以指示军事训练对龟栖息地的影响，因此假设军事训练产生的影响与越野车辆产生的影响相似。

作为军事训练位置详细地图的替代者，在假设多数严重的土壤压实发生在低海拔地区的前提下，以高程数据为依据绘制了土壤压实度图（Krzysik,1994）。军事训练对龟的间接影响在地图中以训练水平强度来体现。生成的土壤压实度图的取值范围是 4～17 kg/cm²（见图 10-3(a)）。把这些值分为三类，分别代表不同的训练水平强度（4.0～9.0 kg/cm² 为低强度；10.0～14.0 kg/cm² 为中等强度；15.0～17.0 kg/cm² 为高强度）。把训练水平强度和每月履带车辆行驶的天数（TVD/月）联系在一起。这些值是以 Krzysik（1994）的军事训练数据（1～475 TVD/月为低强度；476～1 189 TVD/月为中等强度；1 190～1 666 TVD/月为高强度）为基础而设定的。以这些值为基础，把土壤压实度图再次分类后绘制了军事训练强度图（见图 10-3(b)）。模拟过程中在时间和空间上都可以改变训练强度。

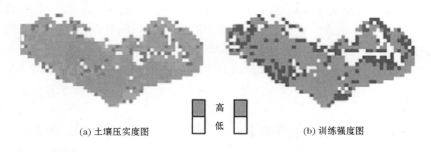

　　　　(a) 土壤压实度图　　　　高　低　　　　(b) 训练强度图

**图 10-3　利用 Fort Irwin 的土壤压实度图创建的训练强度图**
在指定的高强度和低强度区域之外没有土壤压实和训练活动发生

## 10.5　结果和讨论

为了检验模型对于不同的土地管理情景作出反应的能力，对于 6 个不同的训练情景分别模拟了 100 次，每次模拟都得到了跨越 250 年的变化。通过计算这一组 100 次模拟的平均值，可以得到最终的种群密度图和栖息地图。通过改变输入图和模型参数来改变模型情景。模型各种情景之间的算法、时间步长、空间范围和分辨率是不变的。

本研究的目的是想证明，通过模拟环境对军事训练强度的反应来预测龟种群数量的变化趋势的建模方法是可行的。应当对比各种情景之间相对的而不是绝对的差异。

## 10.5.1　情景 1:神经网络基准

在情景 1 中第 0 个时间步长之后再没有军事训练发生,模拟的是植被和龟种群密度 250 年的变化情况。实质上,这模拟了景观从前期影响中恢复的情况。利用情景 1 作为模型的最终调试基准,以确保所有的子模型都在预期情况下运行。

对于情景 1,龟种群密度和植被的初始图分别利用反向传播神经网络分析(Westervelt 等,1997;Wu 和 Westervelt,1994)从沙漠龟的横断面数据(Krzysik,1994)和 LCTA 的横断面数据(Tazik 等,1992)中获得(见图 10-4)。在整个景观上沙漠龟的分布最初为中等密度,同时沿着南分界线的分布密度更高,而 Fort Irwin 西北部的植被覆盖率较高(见图 10-4)。用于初始化模型的这些地图充分代表了 Fort Irwin 的龟种群密度和植被覆盖情况(Krzysik,个人交流,1997)。

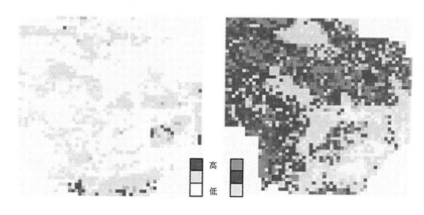

（a）沙漠龟种密度初始图　　　　　（b）植被覆盖初始图

**图 10-4　情景 1 中采用的 Fort Irwin 沙漠龟种群密度初始图和植被覆盖初始图**

应用反向传播神经网络分析根据地面真实数据和卫星图像的相关性绘制的这些地图(正文内容有详细介绍)

模型运行 100 次之后,计算了所有运行结果的雌性龟的平均数量。龟以高密度的斑块形式分布于整个 Fort Irwin 地区(见图 10-5(a))。Woodman 等(1986)发现"核心"地区龟的分布密度比周围地区要高。此外,Woodman 等(1986)和 Krzysik(1994)发现靠近 Fort Irwin 的南部边界存在一个很大的沙漠龟集中分布区,这与本模型 0 时刻和 250 年时刻沙漠龟种群密度图的情况相类似(见图 10-4(a)和图 10-5(a))。Nicholson 等(1980)在加利福尼亚州 San Bernardino 县的 China 湖海军兵器中心发现了类似的龟密度模式,这里的密度高但总量小。在整个景观上沙漠龟种群自然地聚集在一起(Krzysik,1994)。

尽管龟呈斑块状分布,但是在模拟中其密度是渐进增长的(见图 10-5(b))。在第 0 个时间步长之后再没有军事训练发生的情况下,这种结果是在预料之中的,这时景观能够从以前的影响中恢复过来。模拟结果表明龟在植被覆盖良好的地区集中分布。龟可能已经从不适合栖息的地区迁出而向适合栖息的地区迁入(Gibbons,1986)。

250 年后模拟的植被覆盖图与承载力图在视觉上的差别甚微(见图 10-5(c)和图 10-5(d))。模型中的植被不能超过承载力,因此植被密度只在承载力以下波动。

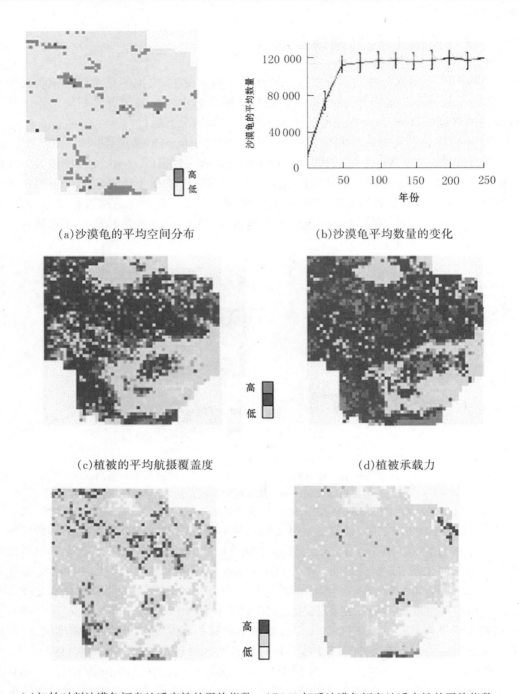

(a)沙漠龟的平均空间分布　　　　　　　(b)沙漠龟平均数量的变化

(c)植被的平均航摄覆盖度　　　　　　　(d)植被承载力

(e)初始时刻沙漠龟栖息地适宜性的平均指数　　(f)250年后沙漠龟栖息地适宜性的平均指数

**图10-5　在情景1下模拟的250年后的结果**

平均值来自于情景1的100次模拟结果。情景1利用反向传播神经网络分析获得沙漠龟种群
密度和植被覆盖率的初始化值(见图10-4)。模型中0时刻以后不再有新的训练活动发生

　　模型中建立的沙漠龟栖息地适宜性指数随时间递减(见图 10-5(e)和图 10-5(f))。栖息地适宜性是可供龟消耗的绿色植物百分比与植被总覆盖率的函数。随着时间的流逝,龟密度的增加导致更多的绿色植物被消耗,并导致栖息地适宜性指数下降。根据模拟结果,由于 250 年后保存的高适宜性栖息地很少,因此龟将利用适宜性较低的栖息地(见图 10-5(f))。

　　Pulliam(1988,1996)在其源－汇种群动态分析中发现适宜的栖息地(如源)通常没有被占用,而不适宜的栖息地(如汇)却容纳了多数种群个体。因此,种群密度对于栖息地质量的衡量作用具有一定的欺骗性(van Horne,1981,1983)。尽管这只是个模拟,但是在给定的模拟环境条件下,这些种群动态仍然适用并可推测沙漠龟的种群结构。

## 10.5.2　情景 2:新基准

　　运行该模拟为情景 3～6 建立新基准,这些情景都包括军事训练的影响。把情景 1 最终的龟密度分布图和植被覆盖图(见图 10-5(a)和图 10-5(c))作为情景 2 的初始图。情景 2 的目的是模拟受军事训练影响的景观在恢复 250 年之后的情况。利用情景 1 的结果,有效地消除了过去军事训练的混杂影响,从而可以公平地评估未来军事训练的影响。假定这是在模拟龟种群的最佳情景。如果沙漠龟在恢复了 250 年的景观上会受到军事训练的影响,那么,对于受影响的景观,沙漠龟受到的影响很可能更严重。

　　在情景 1 中,龟种群是稳定的(见图 10-5(b)),在情景 2 的整个模拟过程中这一种群水平得到了保持(见图 10-6(b))。此外,Fort Irwin 沙漠龟的空间分布保持了相对稳定的状态。单元中的龟密度只是随环境的随机扰动发生变化(见图 10-6(a))。

　　在情景 2 中,植被的初始图(见图 10-5(c))非常接近承载力图,并且植被在随后 250 年间的变化很微小(见图 10-6(c))。此外,栖息地的适宜性在情景 1 和情景 2 之间保持相对稳定(见图 10-5(f)和图 10-6(d))。这个情景的模拟结果表明景观达到了一个稳定点,并且已经从军事训练的影响中完全恢复。值得一提的是,尽管 250 年没受军事训练的影响,还有很大面积的栖息地适宜性仍然很低(见图 10-5(f)和图 10-6(d))。

## 10.5.3　情景 3:随时间变化的军事训练

　　在此情景中,检验了龟和植被对季节性军事训练活动的反应。从 11 月～次年 2 月是龟的冬眠期,3～10 月是龟的繁殖和产卵期(Luckenbach,1982)。把这些季节性模式和军事训练活动相结合。尽管季节性的训练活动是以龟的活动为基础,但是模型中没有包括军事训练对龟的直接影响(如被压坏在巢穴中)。然而,期望季节性训练活动的间接影响能够允许植被恢复并可以提高龟栖息地的适宜性。产卵和筑巢期对于沙漠龟非常重要,这时充足的植被覆盖率显得尤其重要(Krzysik,1994)。

　　情景 3 采用了与情景 2 相同的龟密度和植被初始图(见图 10-5(a)和图 10-5(c))。每个时间步长内都有训练发生,但是从 11 月～次年 2 月的训练水平是中等强度(832.5 TVD/月),而 3～10 月的训练水平是低强度(237.5 TVD/月)。

　　模拟结果显示龟的数量逐渐减少(见图10-7(b)),而且在整个景观上斑块状分布变得非常稀少(见图10-7(a))。植被的航摄覆盖度和栖息地的适宜性也降低了(见图10-7(c)和图10-7(d))。3～10月之间低强度的军事训练活动为植被恢复提供了充足的时间,这间接地使龟的种群数量变得稳定。季节性的军事训练活动导致龟的数量在起初阶段出现下降,但是50年以后会稳定下来。

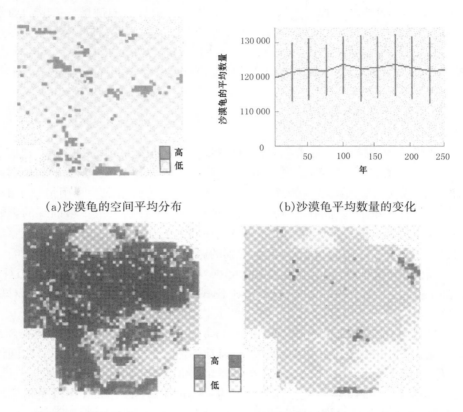

　　　　(a)沙漠龟的空间平均分布　　　　　　　　　(b)沙漠龟平均数量的变化

　　　　(c)植被的平均航摄覆盖度　　　　　　　(d)沙漠龟栖息地适宜性的平均指数

**图10-6　在情景2下模拟的250年后的结果**

平均值来自于情景2的100次模拟结果。情景2分别把图10-5(a)和图10-5(c)作为
龟种群密度和植被覆盖度的初始图。模型中0时刻以后再没有新的训练活动发生

　　由于栖息地的适宜性降低,龟被限制在适宜性更低的栖息地中。然而,即使在适宜性更低的栖息地中,随着时间的推移龟种群潜在的持续汇作用也是明显的。根据模拟结果,这表明迁移活动对于龟种群的长期生存可能起着很重要的作用(Pulliam,1988,1996)。

## 10.5.4　情景4:随空间变化的军事训练

　　在以前的情景中,军事训练发生在整个Fort Irwin地区。然而,基地中大约只有64%的地区适合于军事训练,而且训练很可能在基地内以不同的强度发生(Goran等,1993)。

情景 4 试图捕获军事训练强度的空间差异。三种军事训练强度仅仅被允许发生在接近模拟景观中心的低海拔地区(见图 10-3(b)),其他地区都没有军事训练活动。这三种水平的军事训练强度分别为低强度(237.5 TVD/月)、中等强度(832.5 TVD/月)和高强度(1 428 TVD/月)。情景 4 采用了与情景 2 相同的龟种群密度和植被覆盖初始图(见图 10-5(a)和图 10-5(c))。每个时间步长内都有军事训练活动发生,而且其空间的变化是以军事训练图为基础(见图 10-3(b))。在此情景中没有包括军事训练随时间的变化。

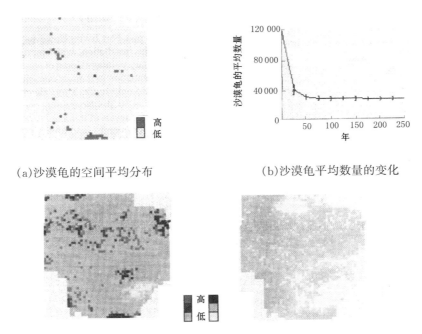

(a)沙漠龟的空间平均分布　　　　　　　(b)沙漠龟平均数量的变化

(c)植被的平均航摄覆盖度　　　　　(d)沙漠龟栖息地适宜性的平均指数

**图 10-7　在情景 3 下模拟的 250 年后的结果**

平均值来自于情景 3 的 100 次模拟结果。情景 3 分别把图 10-5(a)和图 10-5(c)作为
龟种群密度和植被覆盖度的初始图。在情景 3 中军事训练在时间上发生了变化

模拟结果显示龟的数量逐渐减少,但是减少的程度比前一情景的季节性军事训练活动要小很多(见图 10-8(b))。在空间上,军事训练区没有龟的分布(见图 10-8(a))。植被和栖息地的适宜性也降低了(见图 10-8(c)和图 10-8(d)),但是和前一情景的降低程度不同。在军事训练区,植被和栖息地适宜性都受到了影响,但在这些区域之外情况要好一些。具有适宜的栖息地并且被限制进行军事训练活动的区域,在很长时期内支撑了龟的生存。迁移可能是保持这些龟种群持续存活的关键原因。这些模拟表明,龟优先选择不受军事训练影响的区域,并且如果有充足的栖息地和植被,它们就有能力存活很长时间。

## 10.5.5　情景 5:随时间和空间都变化的军事训练

事实上,Fort Irwin 的军事训练强度很可能随时间和空间都发生变化。为了模拟这些变化,对情景 4 做了修改,使其对于情景 3 所设定的每个季节(见图 10-9)仅仅包括两种强度（低强度和中等强度）。情景 5 采用了与情景 2 相同的龟种群密度和植被覆盖初始图（见图 10-5(a)和图 10-5(c)）。这样，每个时间步长内都有军事训练发生，而且训练在空间上是变化的。

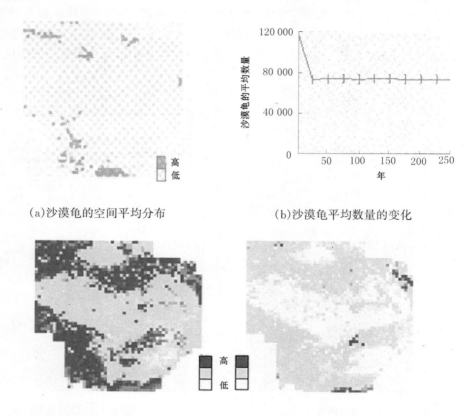

　　　(a)沙漠龟的空间平均分布　　　　　　　(b)沙漠龟平均数量的变化

　　　(c)植被的平均航摄覆盖度　　　　　　(d)沙漠龟栖息地适宜性的平均指数

**图 10-8　在情景 4 下模拟的 250 年后的结果**

平均值来自于情景 4 的 100 次模拟结果。情景 4 分别把图 10-5(a)和图 10-5(c)
作为龟种群密度和植被覆盖度的初始图。在情景 4 中军事训练在空间上发生了变化

　　模拟结果显示，龟的数量首先减少，但随后会达到稳定状态（见图 10-10(b)）。在空间上，军事训练区没有龟的分布（见图 10-10(a)）。Woodman 等(1986)在靠近军事训练的高强度地区发现了高密度的龟种群，但是它们互相排斥。与前面的情景相似，情景 5 中植被的航摄覆盖度和栖息地适宜性也减小了（见图 10-10(c)和图 10-10(d)）。情景 5 与情景 4 的模拟结果非常相似，说明军事训练强度的空间变化比时间变化对龟种群数量影响更大。因此，军事训练强度的时空变化对龟种群的动态影响不能简单相加。

　　如果空间的变化对龟种群的影响确实比时间的变化带来的影响大，那么景观上适宜栖息地斑块的布局将成为影响沙漠龟分布的一个重要因素（Wiens,1996）。少量相互分离的小斑块将限制龟的迁移，并且增加每个小斑块内沙漠龟灭绝的危险；相反，大量紧密连接在一起的大斑块将提高 Fort Irwin 整个龟种群的延续时间。此外，适宜的栖息地斑块所处的背景，即斑块周围的景观结构和组成，可能会促进迁移，也可能会限制迁移（Wiens,

**图 10-9 情景 5 的军事训练强度图**
在指定的高强度和低强度区域之外没有军事训练活动发生

1996)。包含不适宜或者高危险区域的景观将阻止迁移或者改变迁移方向。相反,那些包含适宜栖息地或者廊道的景观,可以为龟个体的生存甚至繁衍提供场所。模拟结果显示,景观的组成与布局将潜在地改变龟种群的结构和延续时间。

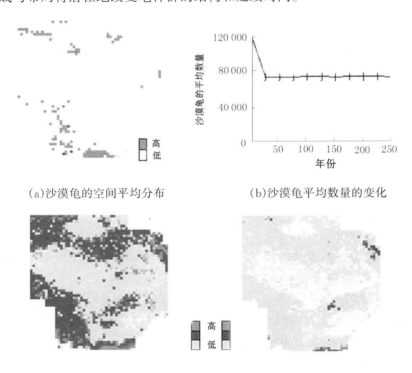

(a)沙漠龟的空间平均分布　　　　　　　(b)沙漠龟平均数量的变化

(c)植被的平均航摄覆盖度　　　　　　(d)沙漠龟栖息地适宜性的平均指数

**图 10-10 在情景 5 下模拟的 250 年后的结果**
平均值来自于情景 5 的 100 次模拟结果。情景 5 分别把图 10-5(a)和图 10-5(c)作为龟种群密度和植被覆盖度的初始图。在情景 5 中军事训练在空间和时间上都发生了变化

### 10.5.6　情景 1~5 的对比

　　为了对比所有情景的结果,计算了不同情景对之间第 250 年沙漠龟平均数量的百分比差异(见表 10-1)。结果显示,情景 1 和情景 2 之间最终的龟数量只有 2% 的差异,表明龟的数量在情景 1 的模拟后期达到了稳定状态,情景 2 的整个模拟过程都处于稳定状态。这意味着景观已经从过去的影响中恢复。最终情景 2(不受军事训练的影响)和情景 3~5(受军事训练的影响)龟数量的对比结果显示,模拟的军事训练影响了龟的动态。然而,某些训练情景对龟的影响比其他情景的要小。

表 10-1　Fort Irwin 地区不同情景对之间第 250 年沙漠龟平均数量的百分比差异(只包括雌性龟)

| 情景 | 2 | 3 | 4 | 5 |
|---|---|---|---|---|
| 1 | +2 | −78 | −39 | −38 |
| 2 | | −78 | −40 | −40 |
| 3 | | | +63 | +64 |
| 4 | | | | +1 |

　　注:情景分别为:①神经网络基准;②新基准;③随时间变化的军事训练;④随空间变化的军事训练;⑤随时间和空间都变化的军事训练。

　　模拟表明,如果把训练的直接影响合并到模型中,军事训练强度随时间变化的影响将更大(Jennings,1997;von Seckendorff Hoff 和 Marlow,1997)。在 3~10 月之间龟的活动性较强,如果把直接影响叠加到间接影响之上,那么龟受到的整体影响将变大。

　　军事训练随空间的变化对龟种群的影响小于其他多数情景。情景 5 代表了最接近现实的训练情景,因为它同时考虑了军事训练随时间和地点的变化。这一情景的模拟结果显示,可以通过调整训练时间、地点和强度把对龟的影响降低到最小。在以后的建模工作中,需要把关于军事训练模式和时间的其他数据考虑进去。

### 10.5.7　情景 6:龟的潜在再引入

　　在此情景中,利用模型来确定 Fort Irwin 是否存在适合于潜在再引入沙漠龟的地点。在前面所有的情景中,龟只在 Fort Irwin 的一些特定区域出现(见图 10-5(a)、图 10-6(a)、图 10-7(a)、图 10-8(a)和图 10-10(a))。这种模式贯穿于整个模拟过程,大概是因为龟从初始位置向适宜栖息地或者次适宜栖息地的有限迁移运动能够使龟种群数量延续很多年。通过情景 6 的模拟期望能够确定在所模拟的景观上是否存在适合龟栖息的其他区域,而这些区域在前面的情景中还没有被龟所占据。

　　情景 6 采用了情景 1 中第 250 年的植被初始图(见图 10-5(c))。Fort Irwin 景观上的每个单元都用情景 1 中第 250 年的龟数量最大值初始化(415 只雌龟/km²)。这是对 Fort

Irwin 人为赋予的高数量,但是模拟的目的是想知道在该情景运行 250 年之后,景观中的哪些地方会有龟的分布。从第 0 个时间步长之后再没有新的军事训练发生,这允许龟在不受任何训练影响的条件下四处移动。

　　模拟结果(见图 10-11(b))显示在最初的 25 年里龟的数量会显著下降。由于在此情景中没有军事训练的影响,因此下降是由于模型参数的调整引起的,因为龟的初始数量超过了承载力。经过最初的下降后,龟的数量将会稳定在一个比以前所有情景都高的水平上。把这些结果(见图 10-11(a))与情景 2 的结果(见图 10-6(a))进行对比,发现有一些区域可以支持龟的生存,而在其他情景中这些区域并没有龟的分布。因此,用于初始化其他情景的龟种群密度初始图的误差可能会影响模拟结果。此外,这些结果暗示了迁移对于保持龟种群数量所起的重要作用。龟种群之间缺乏联系和相互孤立可能导致了其他模拟中龟的空间分布状态。植被和栖息地适宜性指数的结果(见图 10-11(c)和图 10-11(d))与情景 2 的结果(见图 10-6(c)和 10-6(d))非常相似。由于在第 0 个时间步长之后再没有新的训练活动发生,因此这正是所期望的结果。

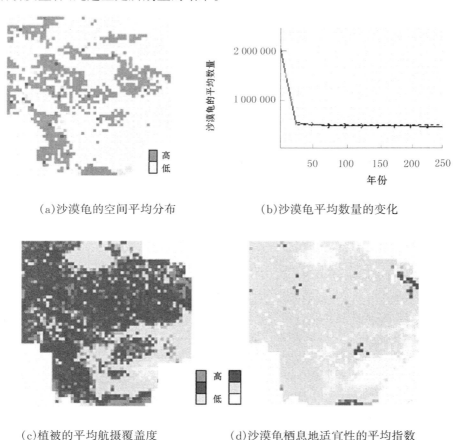

(a)沙漠龟的空间平均分布　　　　　　　(b)沙漠龟平均数量的变化

(c)植被的平均航摄覆盖度　　　　　　(d)沙漠龟栖息地适宜性的平均指数

**图 10-11　在情景 6 下模拟的 250 年后的结果**

平均值来自于情景 6 的 100 次模拟结果。情景 6 分别把图 10-5(a)和图 10-5(c)作为龟种群
密度和植被覆盖度的初始图。景观中的每个单元利用情景 1 第 250 年的龟数量
最大值(415 只雌龟/km²)进行初始化。模型中 0 时刻以后再没有新的军事训练活动发生。

尽管模型显示 Fort Irwin 存在龟的潜在再引入场所,但是在寻求龟的再引入之前应该优先考虑其他的标准。Berry(1986)建议龟的再引入场所的直径应该不小于14 km,从而允许龟的散布,而且再引入的场所应该是在龟最近才灭绝的区域内,以确保适宜栖息地的存在。还需要更进一步的研究来确定模型所识别的区域是否满足这些标准。

## 10.6　结论

开发了一个 DLS 模型来评价军事训练对加利福尼亚州 Fort Irwin 地区沙漠龟及其栖息地的潜在影响。由于龟易受环境的影响,因此建立一个能对龟种群密度和栖息地的影响效应进行评估的模型是有价值的。本研究的主要目的是证实利用空间显式的模拟模型来帮助军事基地的土地管理者对不同的管理决策进行试验的可行性。

模拟结果表明 DLS 模型能够适用于管理受威胁和濒危的物种。一个物种的衰落通常是与其栖息地的损失和整个活动范围的分裂联系在一起的。在景观水平上开发的 DLS 模型可以为保护受威胁和濒危的物种提供新的管理技术。通过开发单个的单元模型,利用 GIS 地图初始化该单元模型,然后运行模型来模拟整个景观的变化,这种建模方法对于 Fort Irwin 的沙漠龟而言是成功的。可以使用这种方法针对其他的物种和景观开发未来的现实模型。

尽管模型可以帮助人们把许多部分合成一个整体,但是建模并不能代替野外试验(Conroy 等,1995;Salwasser,1986)。未来的模型开发工作应该包括获得更准确的龟迁移和军事训练数据。敏感性分析能够表明模型对所有参数的敏感性,尤其是对于龟的迁移、军事训练和遭受影响后植被的恢复速率的敏感性。把该模型应用于土地管理之前,完成敏感性分析是至关重要的。

模拟结果显示军事训练在时间和空间上的变化肯定会影响龟的种群数量。然而,通过理解龟种群数量和军事训练活动之间的动态,能够促进龟种群的长期延续。应该提出另外的模拟情景来确定对于不同水平的军事训练是否存在最佳的空间和时间模式,从而最小化对龟和植被产生的影响。

土地管理者不应当期望模型可以为他们作出决策或者就现实系统为他们提供一个完美的方案(Chalk,1986)。为了使建模技术在保护受威胁和濒危的物种方面发挥最大潜力,研究者和管理者必须共同合作。这有助于研究者了解管理者的需求,并且使管理者对于所使用的模型有当主人翁的感觉(Chalk,1986)。

**致谢:**感谢所有一开始就参与这项工作的人,包括 Bruce Hannon 和 Shawn Levi。特别感谢 Tony Krzysik 和 William Seybold。Tony Krzysik 为我们提供了数据并对龟的习性提出了真知灼见,William Seybold 为我们提供了很多有帮助的建议,这对于改善这篇文稿的价值是不可估量的。

这项工作是由美国陆军建筑工程研究实验室(USACERL)下属的土地管理实验室(LL)的自然资源评价和管理部(LL-N)执行的。受到了美国陆军建筑工程研究实验室和伊利诺斯大学地理建模系统实验室的大力支持。本研究的部分工作由美国陆军建筑工程研究实验室的合作研究项目支持,由橡树岭(Oak Ridge)科学与教育研究所通过美国能源部与美国陆军建筑工程研究实验室之间的协议管理,由美国能源部授予乔治亚州大学研究基金会的财政支持,基金号是 DE-FC09-96SR18546。

# 参 考 文 献

[1] Adams J A, Endo A S, Stolzy, L H, et al. 1982. Controlled experiments on soil compaction produced by off-road vehicles in the Mojave Desert, California. Journal of Applied Ecology 19: 167~175

[2] Aycrigg J L, Harper S J, Westervelt J D. 1998. Simulating land use alternatives and their impacts on desert tortoises at Fort Irwin, California. Technical Report 98/76. U.S. Army Corps of Engineers, Construction Engineering Research Laboratories, hampaign, IL

[3] Beatley J C. 1974. Phenological events and their environmental triggers in Mojave Desert ecosystems. Ecology 55: 856~863

[4] Berry K H. 1976. A comparison of size classes and sex ratios in four populations of the Desert tortoise. Proceedings of the Desert Tortoise Council, pp. 38~50

[5] Berry K H. 1986. Desert tortoise (Gopherus agassizii) relocation implications of social behavior and movements. Herpetologica 42:113~125

[6] Boarman W I, Sazaki M, Jennings W B. 1997. The effect of roads, barrier fences, and culverts on desert tortoise populations in California, USA. in Proceedings: Conservation, restoration, and management of tortoises and turtles, Van Abbema J. (ed.), New York Turtle and Tortoise Society, New York. pp. 54~58

[7] Bury R B, Luckenbach R A, Busack S D. 1977. Effects of off~road vehicles on vertebrates in the California Desert, Report 8. U.S. Fish and Wildlife Service, Wildlife Research, Washington DC

[8] Chalk D E. 1986. Summary: Development, testing, and application of wildlife-habitat models-the researcher's viewpoint. in J. Verner, M. L. Morrison, and C. J. Ralph (eds.), Wildlife 2000 modeling habitat relationships of terrestrial vertebrates. University of Wisconsin Press, Madison, WI. pp. 155~156

[9] Conroy M J, Cohen Y, James F C, et al. 1995. Parameter estimation, reliability, and model improvement for spatially explicit models of animal populations. Ecological Applications 5: 17~19

[10] Doak D, Kareiva P, Klepetka B. 1994. Modeling population viability for the desert tortoise in the western Mojave Desert. Ecological Applications 4:446~460

[11] Ernst C H, Barbour R W. 1972. Turtles of the United States. University Press of Kentucky, Lexington, KY

[12] Evans D D, Sammis, T W, Cable D R. 1981. Actual evapotranspiration under desert conditions. in Water in desert ecosystems (D. D. Evans and J. L. Thames eds.), Dowden, Hutchinson, and Ross. Stroudsburg, PA, pp. 195~218

[13] Gibbons J W. 1986. Movement patterns among turtle populations: applicability to management of the desert tortoise. Herpetologica 42: 104~113

[14] Goran W D, Radke L L, Severinghaus W D. 1983. An overview of the ecological effects of tracked vehicles on major U. S. army installations. Technical Report N~142, U. S. Army Corps of Engineers, Construction Engineering Research Laboratories, Champaign, IL

[15] Hohman J P, Ohmart R D, Schwartzmann J (eds). 1980. An annotated bibliography of the Desert tortoise (Gopherus agassizii). Tempe, AZ: The Desert Tortoise Council

[16] Inouye R S. 1991. Population biology of desert annual plants. in The ecology of desert communities (Polis, G.A. ed.)., University of Arizona Press, Tucson, AZ, pp. 27～54

[17] Jennings W B. 1997. Habitat use and food preferences of the Desert tortoise, Gopherus agassizii in the Western Mojave Desert and impacts of off～road vehicles. in Proceedings: Conservation, restoration, and management of tortoises and turtles (Van Abbema, J., ed.), New York Turtle and Tortoise Society, New York, pp. 42～45

[18] Knapp P A. 1992. Secondary plant succession and vegetation recovery in two western Great Basin Desert ghost towns. Biological Conservation 60: 81～89

[19] Krzysik A J. 1991. Ecological assessment of military training effects on threatened, endangered, and sensitive animals and plants at Fort Irwin, California. Report to Fort Irwin (NTC) and U. S. Army FORSCOM

[20] Krzysik A J. 1994. The Desert tortoise at Fort Irwin, California. Technical Report EN～94/10. U.S. Army Corps of Engineers, Construction Engineering Research Laboratories, Champaign, IL

[21] Krzysik A J. 1997. Desert tortoise populations in the Mojave Desert and a half～century of military training activities. in Proceedings: Conservation, restoration, and management of tortoises and turtles (J. Van Abbema ed.). New York Turtle and Tortoise Society, New York, pp. 61～73

[22] Lane L J, Romney E M, Hakonson T E. 1984. Water balance calculations and net production of perennial vegetation in the northern Mojave Desert. Journal of Range Management 37: 12～18

[23] Luckenbach R A. 1982. Ecology and management of the Desert tortoise (Gopherus agassizii) in California. in North American Tortoises: Conservation and ecology (R.B. Bury ed.). Wildlife Research Report 12. U. S. Fish and Wildlife Service, Washington, D. C

[24] Luke C. 1990. A population model for the Desert tortoise (Gopherus agassizii). Proceedings of the Desert Tortoise Council 1987～1991, The Desert Tortoise Council Symposium, pp. 250～262

[25] Maxwell T, Costanza R. 1994. Spatial ecosystem modeling in a distributed computational environment. in Toward sustainable development: Concepts, methods, and policy (J. van den Berg and J. van der Straaten eds.). Island Press, Washington, D. C, pp. 111～138

[26] Maxwell T, Costanza R. 1995. Distributed modular spatial ecosystem modeling. International Journal of Computer Simulation 5: 247～262; Special Issue on Advanced Simulation Methodologies

[27] Medica P A, Bury R B, Luckenbach R A. 1980. Drinking and construction of water catchments by the Desert tortoise. Herpetologica 36: 301～304

[28] Nagy K A, Medica P A. 1986. Physiological ecology of Desert tortoises in southern Nevada. Herpetologica 42: 73～92

[29] Nicholson L, O'Farrell M J, Westermeier J F. 1980. Impact of military activities on the desert tortoise at the Mojave "B" ranges. in Proceedings of the Desert Tortoise Council Symposium, pp. 109～116

[30] Prose D V, Metzger S K, Wilshire H G. 1987. Effects of substrate disturbance on secondary plant succession, Mojave Desert, California. Journal of Applied Ecology 24: 305～313

[31] Pulliam H R. 1988. Sources, sinks, and population regulation. The American Naturalist 132: 652～661

[32] Pulliam H R, Dunning Jr.J B, Liu, J. 1992. Population dynamics in complex landscapes: a case study. Ecological Applications 2: 165～177

[33] Pulliam H R. 1996. Sources and sinks: Empirical evidence and population consequences. in Population dynamics in ecological space and time (O.E. Rhodes, Jr., R. K. Chesser, and M. H. Smith (eds.), The University of Chicago Press, Chicago, IL, pp. 45~69

[34] Ricklefs R E. 1990. Ecology. 3rd edition. W.H. Freeman, New York

[35] Salwasser H. 1986. Modeling habitat relationships of terrestrial vertebrates~the manager's viewpoint. in Wildlife 2000 modeling habitat relationships of terrestrial vertebrates (J. Verner, M. L. Morrison, and C. J. Ralph eds.), University of Wisconsin Press, Madison, Wisconsin, pp. 419~424

[36] Schlesinger W H, Jones C S. 1984. The comparative importance of overland runoff and mean annual rainfall to shrub communities of the Mojave Desert. Botanical Gazette 145: 116~124

[37] Tazik D J, Warren S D, Diersing V E, et al. 1992. U. S. Army Land Condition~Trend Analysis (LC-TA) plot inventory field methods. Technical Report N~92/03. U. S. Army Construction Engineering Research Laboratories, Champaign, IL

[38] Thornthwaite C W. 1948. An approach toward a rational classification of climate. Geographical Review. 38: 55~94

[39] Turner F B, Berry K H, Burge B L, et al. 1984. Population ecology of the Desert tortoise at Goffs, San Bernardino County, California, in Proceedings of the Desert Tortoise Council Symposium 9, pp. 68~82

[40] Turner M G, Arthaud G J, Engstrom R T, et al. 1995. Usefulness of spatially explicit population models in land management. Ecological Applications 5: 12~16

[41] USACERL. 1993. GRASS version 4.1 User's Reference Manual. USACERL, Champaign, IL

[42] van Horne B. 1981. Demography of Peromyscus maniculatus populations in seral stages of coastal coniferous forest in southeast Alaska. Canadian Journal of Zoology 59: 1045~1061

[43] van Horne B. 1983. Density as a misleading indicator of habitat quality. Journal of Wildlife Management 47: 893~901

[44] von Seckendorff Hoff K, Marlow R W. 1997. Highways and roads are population sinks for Desert tortoises. in Proceedings: Conservation, restoration, and management of tortoises and turtles (Van Abbema, J. ed.). New York Turtle and Tortoise Society, New York

[45] Wallace A, Romney E M, Hunter R B. 1980. The challenge of a desert: revegetation of disturbed desert lands. Great Basin Naturalist Memoirs 4: 216~225

[46] Webb R H, Steiger J W, Wilshire H G. 1986. Recovery of compacted soils in Mojave Desert ghost towns. Soil Science Society of America Journal 50: 1341~1344

[47] Westervelt J, Hannon B, Levi S, et al. 1997. A dynamic simulation model of the desert tortoise (Gopherus agassizii) habitat in the central Mojave Desert. Technical Report 97/102. U.S. Army Corps of Engineers, Construction Engineering Research Laboratories, Champaign, IL

[48] Wiens J A. 1996. Wildlife in patchy environments: Metapopulations, mosaics, and management. in Metapopulations and wildlife conservation (McCullough, D.R. ed.). Island Press, Washington DC, pp. 53~84

[49] Woodbury A M, Hardy R. 1948. Studies of the Desert tortoise, Gopherus agassizii, in the Mojave Desert. Ecological Monographs 18:145~200

[50] Woodman A P, Juarez S M, Humphreys E D, et al. 1986. Estimated density and distribution of the desert tortoise at Fort Irwin, National Training Center and Goldstone Space Communications complex in Proceedings of the Desert Tortoise Council Symposium, pp. 81~99

[51] Wu X, Westervelt J. 1994. Using neural networks to correlate satellite imagery and ground truth data.

U.S. Army Corps of Engineers, Construction Engineering Research Laboratories, Technical Report EC~94/28, Champaign, Illinois, 53

[52] Zak J C, Freckman D W. 1991. Soil communities in deserts: microarthropods and nematodes. In G.A. Polis (editor). The ecology of desert communities, pp. 55~88. University of Arizona Press, Tucson, Arizona

# 第 11 章　传染病空间传播的动态模型：以伊利诺斯州的狐狸狂犬病为例 *

## 11.1　引言

　　复杂环境问题的空间显式建模对于理解以往的行为和替代管理政策的可能影响是至关重要的(Costanza 等,1990;Risser 和 Karr,1984;Sklar 和 Costanza,1991)。以前生态系统尺度模型的开发受限于叙述、构建和校准复杂模型的概念复杂性。这导致人们普遍认识到了协作建模的必要性(Acock 和 Reynolds,1990;Goodall,1974)。为了解决时空生态系统模型开发存在的概念复杂性和协作障碍,马里兰大学开发了一个基于图形的空间建模环境(SME,1999)。该建模环境连接了基于图标的图形建模环境(如 STELLA)与并行超级计算机和通用对象数据库(Costanza 和 Maxwell,1991;Maxwell 和 Costanza,1994,1995;SME,1999)。它允许用户创建和共享模块化、可重复利用的模型组件,并且用户无需花费不必要的时间学习计算机程序或新操作系统就可以使用先进的并行计算体系结构(SME,1999)。

　　这个协作性空间建模系统最早在 20 世纪 90 年代初被用于路易斯安那州的 Atchafalya 河口。建模过程从将河口水景分割成 1 km² 大小的单元开始,然后在每一个单元内建立水路动态模型。最后利用空间建模环境(SME)将二维模型编译并集成在一起。模型需要的空间数据随地点发生变化,并由来自于标准地理信息系统(GIS)的数字地图提供。完整的模型被用于预测由现存的植物物种分布数量和密度决定的河口水深。利用航片校准和验证了模型的精度(南佛罗里达水管区使用了类似的模型)。

　　最近,伊利诺斯大学地理建模系统实验室对该技术进行了发展应用。他们致力于研究军事训练基地大面积相对未受到干扰的景观❶,以此来判定民间和军事活动对本土濒危物种影响的焦点。这里提到的三个研究值得一看(www.blizzard.gis.uiuc.edu)。

　　第一个问题是讨论华盛顿 Yakima 训练中心半荒漠景观中濒危艾草榛鸡的处境。模拟了车辆化训练对艾草榛鸡长期种群水平的影响。模型采用的是 10 m² 的单元,每个单元都包含一个由交叉学科的研究人员组成的研究小组开发的详细的艾草榛鸡行为模式模型。模型的运行周期是几年,模型中的季节性差异值得注意。模型得出的结论是车辆化训练会压坏艾草榛鸡储存的植物食物并惊吓到巢中的鸟,另外,轻微调整训练时间表可以使得车辆化训练对艾草榛鸡的种群数量几乎不产生影响(Westervelt 等,1995)。

---

　　*　　作者:Brian Deal,Cheryl Farello,Mary Lancaster,Thomas Kompare,Bruce Hannon。
　　❶　军事训练景观的管理与周围邻近地区的土地管理方式不同。邻近的土地通常是被用做农业和人类居住用地,而训练基地通常是保持一种更加自然的状态。

　　第二个模型是为了响应沙漠龟(Gopherus agassizii)——栖息于加利福尼亚州 Mojave 沙漠 Fort Irwin 训练基地的一种食草型爬行动物——种群数量的显著下降而开发的。该模型的开发采用了协作性空间建模技术。3 000 多个1 km² 大小的都带有相互作用动态模型(以月为时间步长)的单元格,20 幅数字栅格图被用来描述了景观中沙漠龟的行为。模拟结果显示,沙漠龟的自然种群水平大大高于目前发现的水平。居民在该地的活动和静态建筑物如电线杆、电话线杆也对沙漠龟有惊人的影响,因为线杆为食肉鸟类提供了非自然的栖木(Wstervelt 等,1997)。

　　第三个是被最广泛应用的模型,设计它是为了评价土地管理对从墨西哥迁徙到德克萨斯州 Fort Hood 训练基地的两种濒危鸣禽的影响。植被类型和演替阶段、打猎以及寄生鸟类都对这两个物种的种群动态起着重要作用。这个模型可以在 Fort Hood 景观管理官方网站上获得,他们对植被的保护计划和可能的打猎控制策略都是通过模型辅助制定的(Trame 等,1997)。

　　协作性空间建模方法目前正被用于开发空间流域模型和城市增长模型。开发这些模型是为了使土地利用规划者能够预计和理解生态与社会尺度的生态系统之间复杂的相互作用。这两个模型通过纳入人类活动拓展了空间建模的领域。期望这类模型能够提供一个更现实和更可视化的决策基础,以此决定技术、生态或社会响应在什么时候是最适当的。

　　在本章,协作性空间建模方法被用于传染病的传播问题。为了判定疾病传播的空间模式并评价可能的疾病控制策略,模拟了狐狸狂犬病在伊利诺斯州的动态传播。实践中关心的问题是这些疾病可能会通过宠物种群从狐狸传播给人类❶。在详细描述协作性空间建模技术之后,将介绍狐狸狂犬病案例研究模型。介绍以前的狐狸狂犬病传播模型之后引入了狂犬病的发病机理和狐狸的生物学特性。模型设计部分描述了动态行为模型。随后是关于模型假设、空间特征和地理参考方法的内容。最后总结了狐狸狂犬病模型的运行结果和含义。

# 11.2　空间建模环境

　　将大尺度模型分解成截然不同的小模块是公认的减少建模复杂性的好方法(Acock 和 Reynolds,1990)。具有模块化等级结构的生态系统模型应该比程序化的模型更接近自然生态系统结构(Goodall,1974;Silvert,1993),因为生态系统的种群组成本身就是具有自身内部动态的复杂等级系统(SME,1999)。空间建模环境(SME)是一个基于等级的模块化建模环境,它便于协作性模型的构建,因为专家小组可以针对大尺度模型的不同模块在最小的相互干扰风险下独立地工作。开发的模块可以归档成模块库,作为将来加快模型开发的模板(SME,1999)。

　　SME 被设计为支持一系列平台,包括前端的模型开发模块和后端的并行计算模块;这有助于最大程度上的访问和协作。SME 的主要组件在第 2 章已经描述,它们是视图

---

　　❶　尽管这种传播概率很小[在美国从 1980～1995 年只有 24 人死于此病(Beneson,1995)],但是即使是一个案例带来的关注水平也会触发昂贵的和持续的控制程序。

（View）、模型库（ModelBase）和驱动器（Driver）（见图 2-1）。

　　SME 的视图组件被用于图形化地构建动态的前端模块。尽管 SME 可以使用许多图形建模工具，比如 STELLA、EXTEND、SimuLab 或 Vensim，但是本章将集中讨论被选作狐狸狂犬病案例研究的建模环境 STELLA。

　　STELLA 是一个基于图形的以 Forrester 的系统动力学语言（Forrester，1961）为基础的动态模拟软件。它是不断扩展的许多动态计算机建模语言中使用图标和符号交流模型结构的一种。STELLA 是其中的第一个，它可以非常简明地操作模型成分，并且具有强大的模型表达能力。图标包括代表资源存量的库、代表库之间的流动和控制的"管道"及"阀门"，每一个图标都与用户定义的方程相联系（Hannon 和 Ruth，1997）。STELLA 模型的定义完成之后，就可以运行子模型。可以通过各种形式对用户感兴趣的变量进行衡量和绘制图表，从而便于模型行为的可视化。使用图示建模技术极大地增加了修改和校正模型的容易性。修改模型内容的效应可以立即被用户观察到，这使得用户可以将精力集中于建模工作而不是计算细节，因而极大地减少了模型构建时间（Ruth 和 Hannon，1997；SME，1999）。

　　图示方法简明性的重要程度怎么强调也不过分。让单个建模人员完成大的复杂生态系统模型将会非常困难。让单个建模人员完全理解复杂生态系统模型所需要的每个动态相互作用尤其困难。另外，如果一组专家被迫与单个建模人员合作，他们趋向于不相信其可行技能可以被程序完全捕获，并以为模型结果可能会打折扣。STELLA 的图示建模系统允许模块化建模方法的应用，在这个系统中一组专家可以同时对一个单一的问题进行研究。这种"知识捕获"依赖于易于理解的建模图示。使用 STELLA 作为"视图"建模组件的基础，面向小组的工作是可行的，在这个视图中每个参与的专家都可以看到其知识被模型恰当地捕获，并被嵌入到最终的空间显式模型中。事实上，参与这些过程的专家有时会在他们自己感兴趣的领域获得更深的领悟，而且专家之间很容易就一些问题达成共识。

　　STELLA 模块完成后，模块构造器将把它们转化成基于文本的模块化建模语言（MML）。然后 MML 模块可以在模型库中完成存档并可被其他研究者获取，或者立即用于构建一个空间模拟模型（SME，1999）。

　　驱动器是一个面向对象的分布式环境，它合并了一组执行空间模拟的代码模块。代码生成器产生一组将被转移到目标平台、经过编译之后与本地驱动器模块连接产生空间模拟工作的代码模块。代码生成器还产生一组用于在模拟运行时配置模型参数、输入、输出和其他模拟参数的模拟源文件。然后，驱动器将处理参数、数据库和 GIS 文件的输入–输出并执行模拟（SME，1999）。

# 11.3　协作性空间建模的应用

　　结合协作性建模方法和 SME 开发了一个伊利诺斯州狐狸狂犬病传播的空间显式模拟。一组跨学科的研究者参与处理了这个问题。涉及的相关单位包括伊利诺斯大学地理系、兽医生物科学系和自然资源系，伊利诺斯自然历史调查局，以及美国陆军建筑工程研究实验室。在伊利诺斯大学，主要建模过程花了 6 个月的时间，建模成果将在下面描述。

## 11.3.1　伊利诺斯的狐狸狂犬病

狐狸狂犬病的流行与狐狸行为密切相关。狐狸在春天生子,幼年狐狸在每年秋天和初冬迁移;成年狐狸在种群密度达到足够高时也会迁出它们的活动范围。迁移行为是狐狸狂犬病传播的媒介,因为患病狐狸的行为变得反常而好斗,它们与正常狐狸接触时通过咬伤正常狐狸而使疾病传播。狐狸狂犬病的潜伏期为 14～90 天,最终表现为临床疾病。患病狐狸在症状发作前一周就有传染性,直到死亡为止(Benenson,1995)。模型参数如有效咬伤率、感染时间、传染时期在野外很难确定。模型使用了可以得到的最佳资料,并通过试错法比较从文献中获得的狐狸密度确定了有效咬伤系数。

完整的狐狸和狐狸行为模型应包括不同性别的年龄分组。然而,作者发现疾病和狐狸行为的历史可以通过 4 个简单的存量模型来充分表达,即健康的或患病的幼年狐狸或成年狐狸。模型同时包括了确定的和随机的因素,只要简单调整输入参数即可适用于所有拥有空间动态的疾病。本流行病模型的模拟结果显示,通过干预策略如打猎等可以降低狐狸的发病率。然而,结果还显示,从长远看目前的打猎压力加上狂犬病的传入将导致伊利诺斯州的狐狸灭绝。尽管偶尔会有疾病从周边地区传入,但是降低打猎压力可以使狐狸种群维持在一个可持续的水平上。也可以通过大面积地空投带疫苗的诱饵来控制疾病。模型显示了患病狐狸的空间动态,因此可以部署最明智、最廉价的疫苗空投分布。

## 11.3.2　以前的模型

其他人也曾建议过开发野生动物种群的狂犬病动态模型(Bacon,1985a,1985b;David 等,1982;Gardner 等,1990;Murray 等,1986;White 等,1995)。这些模型关注的焦点是疾病的空间传播和多种控制措施的潜在影响。然而,在作者看来,额外的疾病动态空间模块是一个关键成分。空间模块可以更容易地解释疾病在种群中传播速度的差异(Bacon 和 MacDonald,1980b),也为动物、疾病和景观的动态相互作用提供一个更全盘的审视。由于野生动物种群并不懒散,而是典型地处于长期的流动状态,因此患病动物与健康动物的接触率在一定程度上取决于获得的空间信息。David 等(1982)提出了一个简单的狐狸狂犬病模型。这个模型的多数生物因素和本模型相同,如繁殖、迁移和空间分布。然而,David 等的模型中空间模块没有连接栖息地资源,而且本模型采用的 SME 的展示机制为可能的情景提供了更显式的描述。

现有的多数狐狸狂犬病模型都描述了种群样本。狐狸狂犬病在欧洲造成了严重的问题,因为不断增加的狐狸种群和传染潜力增加了高密度居民区内人类与其接触的概率(Steck 和 Wandeler,1980)。例如,在英国的 Bristol,$0.45km^2$ 的活动范围内狐狸密度的变化范围是 $1.82～3.64$ 只/$km^2$(Trewhella 等,1988),远远大于美国 $9.6km^2$ 的活动范围内 $0.15$ 只/$km^2$ 的密度(Storm 等,1976)。在美国,阿拉斯加西部和纽约北部的红狐狸(Vulpes vulpes)狂犬病已经达到了流行病的程度。

以前使用的欧洲狐狸种群数据的线性模型表明,当狂犬病引入健康种群之后,狐狸数量将会急剧下降。这种下降将狐狸种群减少到一个明显的疾病临界值之下（Bacon 和 MacDonald，1980b；Gardner 等，1990；Murray，1987；Murray 等，1986；White 等，1995），然后疾病近乎绝迹。这些模型典型地证实了狂犬病首次引入狐狸种群时患病狐狸和健康狐狸呈现的反比关系。当疾病确立之后，患病狐狸数量增加，易感染狐狸数量减少（Gardner 等，1990；Murray，1987；Murray 等，1986）。Murray（1987）把这种密度的下降描述为"断点"，在该点狐狸数量变得如此之低，以至于疾病无法在这种情况下存在。Gardner 等（1990）推断当狐狸数量减少到一个低于承载力的临界水平，这种疾病将从狐狸种群中消失。无论如何，多数流行传染病不会导致狐狸种群绝迹。

几个模型都证实健康狐狸和患病狐狸种群在 20～30 年的周期内保持稳定（Anderson 等，1981；Garnerin 等，1986）。这时，健康狐狸数量达到总承载力水平的一半，而患病狐狸数量减少到种群总数量的 10% 以内（Anderson 等，1981；Murray，1987）。其他模型得出的结论是，在经过一段静止期之后，3.9～5 年内又会出现狂犬病周期病毒（Gardner 等，1990；Murray 等，1986）。

作者得出的结论是，狐狸狂犬病可以看做是一个周期性的非线性疾病。当易感染种群被感染，健康种群将减少但不会绝迹。当狐狸种群重新达到一个临界点，疾病自身又会出现，循环周期又会开始。从这个意义上讲，狐狸狂犬病是一种流行病。这个概念对于开发描绘疾病传播的空间模型和评价可能的控制措施非常重要。

## 11.3.3　狂犬病病毒

尽管犬科狂犬病仍然是全世界 75 000 个病例的诱因，也仍然被认为是一个人类健康问题，但是在美国传播给人类的这种疾病已经减少了（Fenner 等，1993；Rupprecht 等，1995）。这种疾病像其他传染病一样，具有一个周期波。通过全面研究狂犬病的哺乳动物寄主行为和发病机制，可以很好地理解它的传播（Kaplan 等，1986）。典型的寄主种群在本质上是异类的，因此野外研究非常困难。易感染狂犬病的动物是分等级的，狐狸、狼、丛林狼最容易受感染（Field 等，1990；MacDonald，1980）。狐狸的畏缩和逃避行为使狂犬病的传播更加复杂（MacDonald，1980）。尽管狐狸不像其他中型哺乳动物那样与人类接触那么频繁，但是它们确实与野猫和野狗接触密切。这些接触增加了那些野猫和野狗感染狂犬病的风险，这些风险又将人类以及家养宠物也置于患病的风险之中。

狂犬病传播的主要方式是通过患病动物对于正常动物的咬伤。在很小的程度上，撕抓和舔也会传播疾病。病毒在伤痕入口处繁殖，一旦达到足够的数量，就通过神经中枢传到大脑（Scherba，1998）。病毒效价被定义为单位体积能产生传染的最小病毒数量（Fields 等，1990；Scherba，1998；West，1973）。然后病毒从中枢神经系统经末梢神经传到唾腺，并在那里继续繁殖。临床症状出现之前，病毒可能会在唾腺中衰落（West，1973）。从感染到发病的这一段时间称为潜伏期，其长短取决于伤口位置、靠近中枢神经系统的距离以及伤口处进入的病毒数量（Fields，1990）。早期的临床症状可能不十分明显，这取决于病毒主要集在中枢神经系统的什么位置。有两种临床形式的狂犬病。狂暴的临床形式影响脑边缘系统，进而影响动物行为（West，1973）；哑的或麻木的临床形式导致消沉和行动不协调(MacDonald,1980)。一旦临床症状出现,7~10 天内就会出现死亡(Bacon 和 MacDonald,1980a)。

　　临床疾病发作后,狐狸将出现明显的行为变化,如躁动不安、走来走去、无食欲等,随后出现好斗性或迷乱,这取决于病毒的临床表现形式。狂暴形式的狂犬病导致好斗的行为,使疾病更易传播。麻痹形式的狂犬病导致狐狸变得昏睡糊涂,只有在被其他动物侵犯或接近时才咬。两种疾病形式的最终阶段是被捕获或昏迷,随后死亡。正常狐狸可能会避开患有狂犬病的狐狸,因而降低了它们被感染的风险(Baer,1975)。

## 11.3.4　狐狸的生物学特性

　　红狐狸(Vulpes vulpes)在北美大部分地区都有分布。在美国,红狐狸已将它们的领域延伸到狼或丛林狼已减少或绝迹的林地,以及被砍伐的林区(Scott,1955;Storm 等,1976)。

　　狐狸种群密度的差异与它们的社会组织紧密相关,而其社会组织又与它们的食物供应类型和受到的天敌威胁相关(MacDonald,1980)。根据伊利诺斯州自然历史调查局和美国北部中心的研究(包括伊利诺斯州的部分狐狸数据)(Storm 等,1976),20 世纪 70 年代以来伊利诺斯州的狐狸数量已经急剧下降(Hubert,1998)。这种下降可能与捕食动物(如丛林狼)数量增加、可用栖息地减少、物种之间的相互竞争以及打猎压力有关(Hubert,1998)。对于捕鹿者的调查显示,狐狸数量在 1991~1996 年间持续下降。猎人在 1991 年平均每 1 000 小时的打猎时间内能见到 10~12 只狐狸,到 1996 年只能见到 5 只(Hubert,1998)。

　　通常红狐狸的基本社会单元由 3~4 只成年狐狸及其子女构成(Doncaster 和 MacDonald,1997)。在包括几只成年狐狸的领域内,通常是有一只雄狐狸和与之关系亲近的几只雌狐狸(MacDonald,1980)。每只雌狐狸每胎平均生 6 个小崽,到迁移时一般仅有 4 只存活下来(Storm 等,1976)。

　　狐狸一般在夜间单独出来在自己的势力范围内觅食。群体成员趋向于一个跟着一个从一个资源点向另一个资源点移动,最后在天明之前回到起初的出发点附近结束夜间行动(Doncaster 和 MacDonald,1997)。雌狐狸都有各自的活动范围,它们之间相互重叠并被雄狐狸的活动范围所覆盖,这基本上界定了群体的领域。幼年狐狸将在洞穴附近、在它们父母的活动范围内开发有限的资源点,随后逐渐扩大它们的领域并在夏末相互分离,直到被驱散的时候为止(Storm 等,1976)。群体之间的领域在一定程度上会不可避免地出现重叠,因为狐狸个体每晚的活动区域通常小于其占领区域的一半(Doncaster 和 MacDonald,1997)。如果不同社会群体的狐狸在重叠区内的资源点相遇,不可避免地会导致边界冲突。

　　狐狸从其居住区迁移出来时,一般沿直线移动,直到发现另一个可以占领的地域为止。如果在迁移季节不能找到另一个领域,它们会变得漂泊不定,被迫不停地迁移。打猎是狐狸最主要的死亡原因,大约占死亡率的 80%(Storm,1976)。打猎压力是迁移期可利用领域产生的主要机制,大部分年轻狐狸可以在这时建立自己的活动范围。伊利诺斯州的打猎期从 11 月 10 日一直可以持续到次年 1 月底。

狐狸非常容易感染狂犬病病毒(MacDonald,1980)。在研究中,不足 10 个单位的 MI-CLD50(mouse intracerebral lethal dose−50)可以杀死 40% 的狐狸,80～100 个单位时可以杀死其中所有的狐狸(Parker 和 Wilsnack,1966)。被其他动物(如臭鼬)咬伤的狐狸一般不会传染疾病,因为在病毒到达唾腺之前狐狸就已经死亡。狐狸在它们的唾液里也产生一种水平足够低的病毒,这些病毒被限制在狐狸物种内引起传染病。Sikes 发现在研究的 24 只动物中,只有 2 只的唾液病毒水平超过了 1 000 MICLD50(Sike,1962)。病毒在唾腺中繁殖,通常唾腺中的病毒水平比大脑中的水平高(Parker 和 Wilsnack,1966)。

患狂犬病的狐狸一般都在自己的领域内活动,但是它们确实花费一定的时间在边界停留,而在那里更有可能遇到邻近群体的狐狸。然而,狐狸的接触行为在狐狸狂犬病传播中仍然是一个重要的未知参数(White 和 Harris,1994)。狐狸展示了可能取决于密度的不同社会行为。在低密度区,狐狸可能独居或成对居住。在高密度区,将出现松散的家庭群体,通常由一只雄狐狸、数只雌狐狸以及它们的子女构成。Sheldon(1950)的数据表明雌狐狸决定着一个家族的势力范围,雄狐狸在一年内只有部分时间居住于势力范围内。公共洞穴证据的出现表明在穴居季节狐狸是群居的(Sheldon,1950)。

## 11.3.5　模型设计

利用 SME 中的视图、模型库和驱动器(见第 2 章图 2-1)开发了伊利诺斯州狐狸狂犬病传播的空间显式模型。模型包括的变量有种群密度、活动范围、接触率、潜伏期、繁殖、迁移、空间分布、自然和非自然死亡率等,每一个变量都对疾病的传播有很大影响。

正如前面所表述的,SME 中使用的视图是由高性能系统公司(High Performance Systems Inc.)开发的 STELLA。像前面描述的那样,模型库可以从 SME 中获得。使用的驱动器是地理资源分析支持系统(GRASS),它是由美国陆军建筑工程研究实验室开发的 GIS 环境(GRASS,1993)。开发狐狸狂犬病模型的空间建模简易流程见图 11-1。

在这种基于栅格的方法中,由 GIS 地图定义的 6 平方英里的单元被认为是一个典型的狐狸活动范围。每个栅格单元包含一个高度非线性的 STELLA 模型,以月为时间步长模拟狐狸的动态相互作用和移动行为。单元模型包括了可以描述狐狸在相邻单元之间的迁入和迁出倾向(以狐狸的种群密度为基础)的变量。每个单元模型利用 GIS 地图自动获得相关区域的参数。本研究使用的 GIS 地图参考了伊利诺斯的土地利用状况,在代表该州的 1 610 个单元里分别建立了狐狸承载力。开始在伊利诺斯东部边界引入 3 只患病狐狸时(疾病是从美国东部向西部传播的),也使用了地理参考图。然后,整个模型在计算机工作站上模拟运行了 25 年的期限。

## 11.3.6　单元模型

图 11-2 展示的是 STELLA 图示环境中建立的狐狸种群动态模型。4 个主要的衡量变量(成年狐狸、幼年狐狸、成年病狐狸和幼年病狐狸)被描述为 4 个存量。流量变量控制

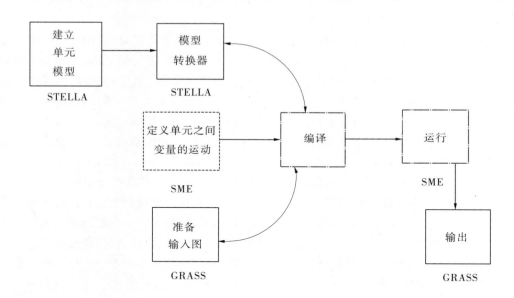

**图 11-1　伊利诺斯州狐狸狂犬病协作空间建模过程**

每个时间步长内(在该模型中为 1 个月)存量的增加与减少,比率变量有助于确定流量的量及流量的变化。对于该种群动态模型,流量和比率包括幼年狐狸的出生、每个存量的死亡率、从邻近单元向每个存量的迁出和迁入以及幼年狐狸的成熟。下面将详细解释该模型。

### 11.3.6.1　出生率

分别建立了成年雄狐狸、成年雌狐狸和幼年狐狸存量。这能够包括幼年狐狸在秋季的迁移行为。幼崽出生在春天(3 月)。狐狸产崽的多少随机产生,并且服从平均值为 6、标准差为 0.5 的正态分布(Storm 等,1976)。并不是所有的雌狐狸都能生育,原因可能是狐狸本身就不能生育或者其他雌狐狸具有等级支配优势。根据 Storm 模型的分析(Storm 等,1976),本研究采用的是 95%的生育率(见图 11-2)。

### 11.3.6.2　成熟率

幼年狐狸在来年 1 月份进入成年期(见图 11-2)。所有在第一年存活下来的幼年狐狸都将成为成年狐狸,不管它的实际年龄是多大。幼年狐狸在秋季(9、10 月和 11 月)迁移。在这些狐狸寻找没有被占据的地域时,它们很可能会经历车辆以及与其他狐狸争夺领土带来的死亡。模型从 $t = 1$(1 月)时开始,这时幼年狐狸的初始数量为 0。

模型允许存量考虑零星分布的狐狸。利用这个特征可以描述健康狐狸和患病狐狸的随机流动,还可以描述健康狐狸从印地安那州向伊利诺斯州的随机进入。伊利诺斯州的东部边界是一条河流,这阻止了狐狸的跨越。健康狐狸和患病狐狸的这些随机流动可以轻微影响流行病的传播过程,从而允许狐狸种群能够从疾病导致的大批死亡中恢复过来。

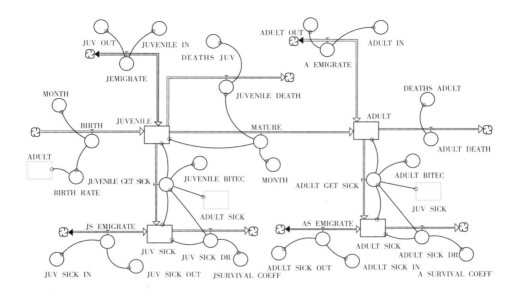

图 11-2　狐狸种群数量动态的单元 STELLA 模型示意图

存量($\stackrel{ADULT}{\square}$)或者状态变量代表系统目前的状态，是可以测量的(在本例中)和守恒的变量。

流量($\stackrel{BIRTH}{\longmapsto}$)或控制变量代表状态变量的行为或变化。比率($\underset{BIRTH\ RATE}{\bigcirc}$)或转换变量通过改变或者高速流量来协助控制进入状态变量的信息流

### 11.3.6.3　感染率

　　成年和幼年狐狸种群的感染是由于与其他患病动物的接触造成的(见图 11-2)。Bacon 和 MacDonald 提出接触率会极大地影响狂犬病的传播。他们经过推断认为，接触率为 2.9 时将会使狐狸种群灭绝。接触率大于 1 是该疾病在环境中持续存在的必要条件(Bacon 和 MacDonald，1980a)。在本模型中，三只患病狐狸从东部边界三个不同的地方迁入该州，作为该州健康狐狸种群的传染源。这些患病狐狸被引入到模型的成年病狐狸存量中(ADULT SICK)，它们的入口位置在一个地图中确定(MAP INFECTED)。在缺乏狐狸狂犬病接触率的具体数据的情况下，根据狐狸的生物学特性和病毒行为作出了推断。重复运行模型可以发现一个适当的咬伤系数范围，这里咬伤系数是指假定的健康狐狸向患病狐狸转换的一个常数。感染狂犬病的狐狸只在短期内具有传染性，通常为 10～15 天。传染率取决于健康狐狸与其他患病狐狸的遭遇率。确定成年狐狸感染率的方程是以质量作用定律为基础的，方程形式如下：

$$\mathrm{ADULT\ GET\ SICK} = (\mathrm{ADULT} * \mathrm{ADULT\_SICK} * \mathrm{ADULT\_BITE\_C}) +$$
$$(\mathrm{JUV\_SICK} * \mathrm{ADULT} * \mathrm{ADULT\_BITE\_C})$$

　　质量作用定律可以描述一个系统的平均行为，该系统由许多相互作用的部分构成。首先提出这个概念是为了把它用于复杂的化学系统，后来发现在流行病模型和生态模型

方面它是捕获疾病传播信息的一种可靠方法(Hannon 和 Ruth,1997)。本模型采用的咬伤系数非常低(0.015)。这表明了一个事实:并不是患病狐狸和健康狐狸之间所有的遭遇都会导致咬伤。对于遭遇,幼年狐狸和成年狐狸采用了相同的咬伤比例。

### 11.3.6.4　死亡率

狐狸的死亡率(见图 11-3)包括自然死亡率、打猎造成的死亡率和种群压力造成的死亡率[取决于密度的死亡率(DDDs)]。死亡率来自于 Storm 等(1976)的工作。Storm 等以月为基础使用标签和电子跟踪仪器监测了伊利诺斯州的狐狸活动。

根据这些数据的整编和带标签的狐狸死因的描述,确定了自然和打猎压力造成的死亡率。在模型中使用了 Storm 等提出的整体 81% 的年度死亡率("全猎")。自然死亡占年度死亡率的 51%,是指路边轧死、疾病和饥饿造成的死亡(Storm 等,1976)。模型中的自然死亡率可以减少狐狸数量,然后将打猎造成的死亡率运用到剩余的种群数量上。使用一个"开关",可以使打猎造成的死亡打开或关闭,从而可以检验打猎对于种群水平和狂犬病传播率的影响。

还建立了一个取决于密度的死亡率以阻止任一单元内出现不合实际的高种群数量。迁移承载力乘以一个乘数(230%)作为最大密度或最终的单元承载力(MAX DENSITY CC)。随着一个单元的狐狸种群向最大密度发展,DDDs 将被应用到迁移种群上(单元种群数量超过了迁移承载力)。该函数模拟了由于种群过度拥挤造成的死亡率,并反映了其他传染病和不断增加的食物资源稀缺造成的压力。

只有当缺口数量(单元种群数量减去迁移承载力)为正时,模型才使用 DDD。成年狐狸的 DDD(DR DD ADULT)方程包括了自然死亡率和打猎造成的死亡率:

DR DD Adult $=$ IF CELL POP$>$0 THEN DDD $*$ (ADULT/CELL POP) $+$
　　　　　　(DRNAT$+$DRHUNT) $*$ (CELLPOP $*$ DDD $*$ DT) $*$
　　　　　　(ADULT/CELLPOP) ELSE 0

这将产生一个取决于单元密度的死亡率,如果单元密度达到极限值,则死亡率将逼近于 1。

### 11.3.6.5　迁移率

每个单元内成年狐狸的初始存量被设置为迁移承载力(MIGRATORY CC)的 80%。迁移承载力来自于每个单元的土地利用特征并从准备好的 GIS 地图中读取。它描述了狐狸的健康承载力并决定了迁移趋向。当狐狸数量超过 MIGRATORY CC 时,多出的狐狸不得不迁出。伊利诺斯州每个单元的平均承载力大约为 32 只狐狸(这些计算的基础将在下面解释)。

## 11.3.7　模型假设

(1)对于家族单元之外的相互作用和迁移活动,雄狐狸和雌狐狸没有显著的差异。当狐狸外出与其他狐狸遭遇时,其行为无显著差异。

（2）大的河流不是狐狸迁移的障碍：假设狐狸可以利用桥梁、游泳或者从冬季冻结的河面上通过。

（3）狂犬病总是致命的：每一个感染狂犬病的狐狸都将死去（Bacon,1987b）。

（4）所有患狂犬病的狐狸都起着同等的传染源作用,在患病期间狐狸的行为都相似。

（5）狂犬病的潜伏期和传染期时间相等;潜伏期和传染期无显著差别。

（6）所有存活下来的幼年狐狸需要 11 个月才能成熟。

（7）不管年龄如何,每只狐狸消耗的资源量没有显著差异。

（8）狐狸种群具有一个人为定义的最大值,本模型采用的是在英国发现的最大密度（Anderson 等,1981）。

（9）模型从伊利诺斯州/印地安那州边界上的 3 只患病狐狸开始。

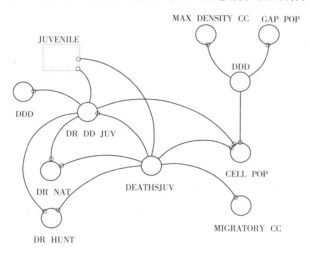

图 11-3 取决于密度死亡率的单个模型图示

## 11.3.8 地理参考

红狐狸（Vulpes vulpes）居住在多种不同的栖息地（Storm 等,1976）。根据伊利诺斯州自然历史调查局的研究,狐狸避开林地和城市内部区域栖息（Gosselink,1998）,它们利用林地迁移但不在那里栖息,主要是为了避开丛林狼的竞争。通常,红狐狸多在开阔的农田、草原或牧场里出没,在坡地上筑穴。城市边缘和农庄也是狐狸的重要栖息地,因为那里有丰富的猎物和家禽。Gosselink（1998）估计伊利诺斯州东部中心的红狐狸平均密度是每 10 平方英里有 3 只成年狐狸：一对狐狸夫妇和一个还不具有生育能力的（幼年）狐狸。估计平均每胎生 6 只小狐狸,因此每 10 平方英里大约有 9 只狐狸。

对于平均健康承载力的这种估计,有助于创建伊利诺斯州根据栖息地加权的狐狸承载力图。使用伊利诺斯州自然历史调查局基于 GIS 地图的伊利诺斯土地覆被项目数据完成了这个工作（Luman 等,1996）。城市边缘单元的狐狸栖息值为 5（城市边缘是指城市和非城市交界的 0.5km 的区域）,所有市内单元的赋值为 0。林地的赋值为 1,其他单元包括湿地、农田和草原/牧场的赋值均在 2~3 之间，这依据坡度而定。

伊利诺斯州土地覆被图的数据被聚合成 6×6(英里)的栅格。每个 6×6 单元格的栖息地适宜性由聚合的较小单元的平均值决定。伊利诺斯中心的平均栖息地适宜性为 1.977。该州栖息地适宜性的最小值为 1.312 (芝加哥商业中心)，最大值为 4.33(芝加哥郊区)。通过结合栖息地适宜性地图的数据和平均承载力的计算，产生了健康承载力图：

$$HCC_{图} = 9_{(只狐狸/10平方英里)}(3.6_{(平方英里)})1.977^{栖息地适宜性}_{(平均的栖息地适宜性)}$$

在这个新的承载力图中，每个单元的最小承载力为 21.50，最大为 70.84。以基于栅格的 GRASS 格式输出该图，然后将其输入到 SME 中以便被 STELLA 狐狸模型利用。

## 11.3.9　空间特征

在幼年狐狸迁移期间，成年狐狸并不经常留在它们的领地内。像幼年狐狸那样，成年狐狸也只在秋季和冬季迁移，因此迁移而来的幼年狐狸有可能占据某些成年狐狸的地盘。为了模拟这些特征并简化单元之间的移动，空间模型将随机指定迁移方向，并且限制为 4 个基本方向。一个狐狸迁入承载力(从图中获得)已经饱和的栖息单元，就会在同样的承载力驱动下迫使另一只狐狸迁出该单元。

狐狸的迁移主要是两个参数的函数：狐狸迁出(一个单元)和狐狸迁入(一个单元)。这些参数通过模型的空间机制控制狐狸的迁移。图 11-4 描述的是每个单元模型中每个存量的迁出函数。当把单元承载力应用于空间模块时，这些函数将在 SME 环境中实现空间化。

### 11.3.9.1　迁出

迁出是每个单元内空间资源约束的函数。在这个模型里，每个单元的承载力是由土地利用覆被特征决定的固定值。每个单元的狐狸相对数量随着出生、死亡和迁入/迁出而波动。单元内计算的狐狸数量超过承载力时，一些狐狸就迁出。这模拟了狐狸数量和可利用资源之间的关系。当区域内的狐狸相对数量超过可利用资源时，就会有部分狐狸迫于压力而迁出。模型中迁出的狐狸数量由 $t_1$ 时刻占据该单元的总数量决定。每个单元的总数量是 4 个存量变量的总和：ADULTS(成年狐狸)、JUVENILES(幼年狐狸)、ADULTS SICK(成年病狐狸)和 JUVENILES SICK(幼年病狐狸)。每个存量相对于单元中狐狸总数量(CELL POP)的比例，决定了每个存量变量的迁出数量。例如，如果一个单元内有 10 只成年狐狸、15 只幼年狐狸、2 只幼年病狐狸和 3 只成年病狐狸，那么单元中的总数量就是 30 只。把它与单元的迁移承载力(本例中为 20 只)进行比较。这意味着该单元内多出了 10 只狐狸，在下一个时间步长内将有 10 只狐狸被迫迁出。迁出的这 10 只中，将有 10/30 是成年狐狸、15/30 是幼年狐狸、2/30 是幼年病狐狸、3/30 是成年病狐狸。分别把它们记做：EM ADULT(迁出的成年狐狸)、EM JUV(迁出的幼年狐狸)、EM ADULT SICK(迁出的成年病狐狸)和 EM JUV SICK(迁出的幼年病狐狸)。

一旦确定了每个存量的迁出数量和类型，就必须计算迁出的方向偏好。狐狸有时为

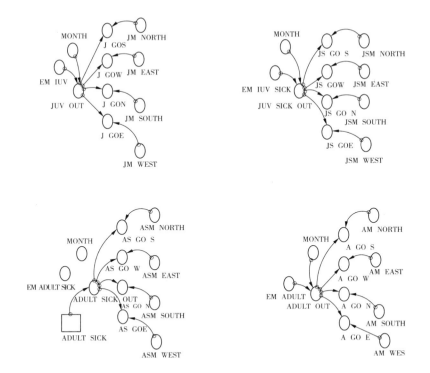

**图 11-4　每个存量的狐狸迁出量单元模型图示**

该单元模型决定了迁向四个邻近单元的狐狸数量,可以在 SME 中实现该 STELLA 模型的空间功能

了找到适宜的和可占据的栖息地需要迁移很远。然而,多数情况下狐狸将根据可占据性而不是吸引力来选择活动范围。基于这个原因,为每个迁出群体随机指定了方向偏好。只有当特定的景观和时间都符合要求时,才会随机指定迁移偏好。需要有一个接收迁移狐狸的景观(从 EM 计算中获得),还必须是在 9～12 月份迁移,因为狐狸典型地是在每年的第四季度迁移。如果这些条件都能够得到满足,就会随机指定方向分配:确切地说就是,每只迁出的狐狸(4 个存量变量都是如此)都被指定北、东、南、西这 4 个地理坐标中的一个作为迁移方向(见图 11-4)。(注意,成年病狐狸的迁出不受月份的限制。这是为了模拟患病狐狸的反常行为。)

　　然后,分配到每个方向的狐狸总量开始迁移,并成为邻近单元的迁入种群部分。例如,从基本单元向北移动的狐狸总量将成为北部相邻单元的迁入狐狸(FOXES IN),或者说是从南部单元进入北部单元的狐狸。结果,迁出函数造成了狐狸在景观上的动态移动,并且成为各单元迁入函数的主要驱动力。

### 11.3.9.2　迁入

　　迁入(见图 11-5)主要由迁出函数驱动,是指在每个时间步长内添加到某个单元中的 4 个主要存量的狐狸数量。如果迁入的狐狸加上该单元原有的狐狸超过了单元承载力,那么迁出函数就会被重新激活,从而开始新的迁移活动。如果低于单元承载力,那么就不会有压力迫使任何狐狸迁出基本单元,也就不会发生迁出。

### 11.3.9.3　模型局限

(1)没有与模型的外部自然特征发生相互作用;狐狸不能进入或离开模型定义的边界范围。

(2)狐狸只能在 4 个基本方向上迁移到另一个邻近单元。

(3)狂犬病只能通过迁移的狐狸传播到另一个单元。这意味着狐狸的活动范围只能完整地存在于一个单元内部,不能与单元边界重叠。单元内没有零星的活动范围。

(4)除了迁移之外单元之间不存在其他的相互作用。与单元之间的相邻活动范围不同,恰巧在两个不同单元内部的相邻活动范围之间没有相互作用,除非发生迁移。

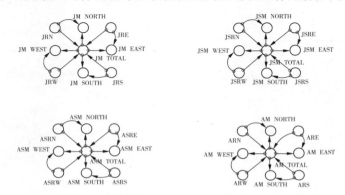

**图 11-5　每个存量的迁移方向分配单元模型图示**
该单元模型从邻近的四个单元中读取迁入的狐狸数,可以在 SME 中实现该 STELLA 模型的空间功能

## 11.4　结果

狐狸狂犬病传播的空间动态提供了有趣的图画。图 11-6 中的 4 幅图来自于 25 年期限的模拟运行,它们展示了疾病在起初健康的、没有打猎时的狐狸种群中的传播情况。

按从左到右的顺序,第一幅图描绘了目前的系统状态(即伊利诺斯州健康狐狸的初始数量);黑色区域代表的是狐狸数量较少的单元。该图还给读者暗示了典型的狐狸活动范围尺度(图中的一个像素代表模型中 6 平方英里的单元大小)和涉及的计算问题的复杂性。

第二幅图显示了在模型运行的第 1 个月仅仅引入 3 只患病狐狸所造成的初始波形状态(这 3 只患病狐狸只被引入模型一次)。容易发现,在该州的东部边界,黑色区域是狐狸成活率最小的地区,该图还展示了狂犬病对于健康狐狸种群可以造成的显著影响。

经过 2.6 年以后,可以清晰地发现第一波疾病的推进,第三幅图中疾病的传播覆盖了半个州,计算所得的推进速度是 24 英里/a。同时,还可以发现疾病在起始点的再引入。在其他的动态传染病模型中也发现了这种波状现象(Hannon 和 Ruth,1997)。

第四幅图(第 7 年)描述了一个成熟的疾病以及该疾病在流行阶段的波形。波的传播

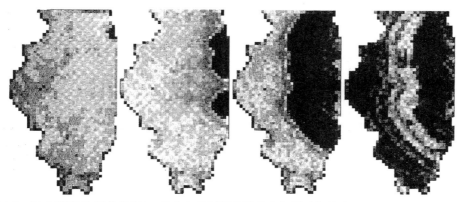

图 11-6　25 年期限的模拟运行中,疾病在伊利诺斯州没有打猎时的健康狐狸种群中的不同传播阶段

不断地重复,每一个后继波峰在从东向西的前进方向上更加分散。传播的这种流行病波可以看做图 11-8 中下面的那个年周期循环。后继波得以发展是因为疾病并没有完全消灭整个狐狸种群,而且该疾病在幸存的狐狸中仍然具有传播能力。然而,疾病在这时还不能传播,因为这些狐狸数量还没有多到足够产生迁移。然而,狐狸数量一旦达到临界点(狐狸数量的增加可能是由狐狸从印地安那州的偶然迁入引起的),迁移行为又会重新开始,疾病也再次开始传播;它们重新生长为一个潜在的健康种群,但是会再次被前面漂泊的患病狐狸感染。流行病的确立在接下来的每次循环中都越来越慢,因为每次循环开始时健康狐狸数都比上次小。最后,尽管很难以静态的格式把它展示出来,但是疾病确实变成了地方病而不能流行。在这个阶段,伊利诺斯的患病狐狸数量几乎是个常数(5 586)。

　　模拟生成的图像对于演示狐狸狂犬病的空间相互作用和动态移动具有非常强大的功能。尽管使用静态格式来表达这些动态非常困难,但是这些图片动画为空间模拟建模的众多应用提供了有力的例子。这些图像在将来关于疾病的最佳控制策略工作中也会非常有用。接下来将讨论展示模型校准运行结果更加定量的方法。

## 11.4.1　狂犬病压力

　　尽管打猎压力对于明显下降的伊利诺斯州狐狸种群存在影响,但是作者认为如果使用 1970 年估计的狐狸平均数量(88 000 只)或其近似值作为模型的初始值,模拟结果将会更加清楚。作者没有降低初始值,但是这种初始值的变化不会影响接下来的长期运行结果。作为模型运行的第一部分,模型中没有考虑打猎的效应,从而可以衡量单纯的疾病影响。

　　设定健康狐狸种群的初始值为单元承载力的 80%。模拟结果表明,健康的、没有打猎时的狐狸数量在 40 000 ~ 118 000 只之间合理地波动,平均水平为 79 000 只(见图 11-7),图 11-7 中展示的狐狸总数量的循环是由每年 3 月出生的大量幼崽和次年 1 月存活下来的幼崽自动转化为成年狐狸造成的。

　　下一步是将疾病引入到健康的、没有打猎的、具有周期稳定性的狐狸种群中。狂犬病是从宾夕法尼亚向西传播的,在 25 年模拟期限中的第 1 个月,模型选择引入了 3 只患狂

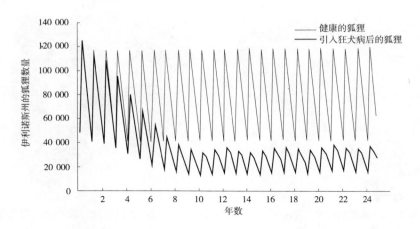

**图 11-7　伊利诺斯州健康狐狸种群数量和在 25 年模拟期限的**
**第一个月引入三只患病狐狸后该种群数量的模拟结果**
该模拟结果生成的条件是完全没有考虑打猎的效应

犬病的成年狐狸。区分了打猎和疾病造成的影响。模拟结果见图 11-7。从图中可以发现,狐狸数量将下降到一个均值为 22 000 只狐狸的平均稳定周期,这比初始数量减少了 72%。通过模拟运行,作者对狂犬病效应的估计是,狐狸种群将经历一个严重的倒退(减少到健康状态时平均水平的 1/4);狐狸并不会从景观中消失。对于生态学家而言,这是一个好消息:狐狸没有被疾病消灭。对于公共卫生官员而言,这并不是多好的消息:尽管患狂犬病的狐狸数量已经降到了很低的水平,但是它们仍然在州内存在,因此狂犬病传播给宠物种群的威胁也仍然存在。

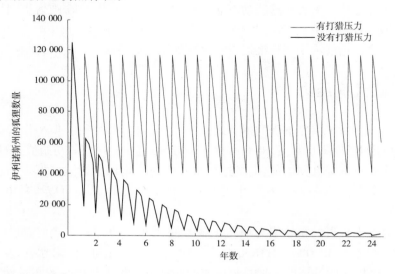

**图 11-8　伊利诺斯州没有打猎压力和有打猎压力时健康狐狸种群(没有狂犬病)的模拟结果**

## 11.4.2　打猎压力

　　然后,引入了估计的当前打猎水平的全面效应。模拟结果表明,以目前的速度经过 25 年后健康狐狸种群将消失。每年的猎杀率是个常数,然而这个假设不一定完全准确。一些打猎行为是为了获得狐狸的毛皮,这部分(未知的)打猎压力将随狐狸毛皮的价格和狐狸的可获得性而波动。

　　图 11-8 展示了在全面的打猎压力下狐狸的动态。伊利诺斯州的狐狸数量,迫于目前的打猎压力,在接下来的 25 年内基本上降为零。

　　使用目前打猎压力的一半水平和 1/4 水平多次运行了模型。只要减轻打猎压力,狐狸数量就会接近前面提到的没有打猎时的周期结果,而且打猎压力减半时,大部分狐狸数量将得到恢复(见 11.4.3 节)。

## 11.4.3　联合效应

　　正如前面提到的那样,不管有没有疾病的引入,目前的打猎压力足以在 25 年内基本消灭伊利诺斯州的狐狸种群。目前的打猎压力是如此严重,以至于疾病的引入可能不会产生实质的影响。这是可以预测的,因为打猎使狐狸密度降低到了迁入/迁出行为从事实上已经停止的地步,疾病得不到传播的机会。然而,模拟结果显示,如果猎杀死亡率降低到目前水平的 1/2 至 1/4 之间,在疾病传播期间狐狸数量受到的影响很小。

　　如果猎杀死亡率降低到目前水平的一半,稳定状态的狐狸平均数量水平将从 79 000 只降到 56 000 只,降低了大约 30%。引入狂犬病 25 年后,在这种打猎水平下,狐狸的长期平均数量处于没有打猎时平均数量的 15% 以内(见图 11-7)。这样,在目前的打猎水平减半的情况下,打猎对患病狐狸数量的影响不大。种群密度下降(由打猎造成)导致的患病死亡率的减少,几乎被打猎造成的死亡率的上升抵消。在任何打猎压力下,狐狸都没有选择性。因此,打猎对于疾病传播的唯一效应就是减少健康狐狸和患病狐狸的接触率。疾病造成的狐狸死亡被打猎造成的死亡所取代。

　　在疾病传播的早期阶段,发病模式是不一样的。假定打猎造成的死亡在整个州内的分布是基于局部的狐狸数量。疾病造成的死亡是从起始点向外以不断加宽的波状形式发散的。最后(大约 15 年后),狐狸狂犬病变成地方病,两种死亡率的时间和空间模式趋于一致(见图 11-9)。

## 11.4.4　疾病控制

　　野生动物疾病的控制通常是昂贵的。利用动态的建模方法评价控制措施便于决策者作出决策,并且有助于决策者深入理解控制措施的效应。在野生动物疾病研究中利用动态模型还可以辨明哪些区域缺乏信息。

　　对于所研究的种群或疾病,如果没有清晰地了解它们的空间性质,那么控制措施的尝

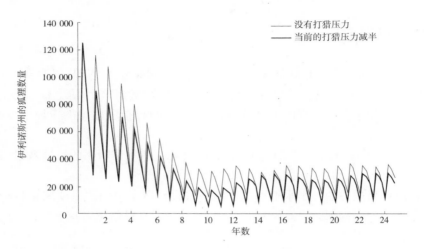

图 11-9　从印地安那和伊利诺斯边界引入三只患病狐狸后,在没有打猎和打猎水平减半的情况下,
伊利诺斯州狐狸总数量的模拟结果

试就很难产生最佳效果(Cowan,1949)。Bogel 认为一旦狂犬病开始流行,控制疾病传播的方法将是无效的(Bogel 等,1981)。Bogel 等在另一项工作中提供了评价野生动物种群和狂犬病控制的建议方法(Bogel,1981)。

　　Anderson 等(1981)评价了控制狐狸狂犬病的以下方法:杀死患病狐狸、接种疫苗、杀死患病狐狸和接种疫苗相结合。他们的模拟结果表明,种群动态尤其显著的是繁殖,限制了单纯杀死患病狐狸的有效性。接种疫苗是一种被普遍采用的方法,然而只能取得有限的成功,尤其是在那些动物密度较高和栖息条件较好的区域内(Baer 等,1971;Black 和 Lawson,1973)。估计在栖息条件较好和狐狸密度大于 15 只／km² 的区域内需要 100% 地接种疫苗(Anderson 等,1981)。

　　因此,接种程序(目前偏好采用的控制措施)是昂贵的,并且不能保证完全有效。通过更准确地了解患病狐狸的位置和疾病传播的速率,空投疫苗诱饵的方法可以显著提高成本效益。假如能够正确地监测当前的疾病状态,诸如本模型之类的建模过程对于这种方法将非常有用。利用模拟结果可以合理地估计疾病的位置和疾病锋面的传播速率。模型可能还需要包括一些其他的时间变化:报告狐狸狂犬病出现时必然的时间滞后,开始投放疫苗时的可能时间滞后,诱饵的有效期,疫苗投放与被狐狸发现之间的时间滞后。如果能够得到合适的资料,本模型可以把这些因素都考虑进来。

# 11.5　模型结论

　　人们认为伊利诺斯州目前的狐狸种群中还没有狂犬病,但是疾病正在从美国东部地区向西传播。公共卫生部门关注的是狂犬病可能从狐狸传播给宠物再传播给人类。作者针对伊利诺斯州的狐狸种群开发了一个狂犬病空间传播模型。通过修改模型参数,如死亡率(与历史上的数量估计相匹配)和咬伤系数(调节患病狐狸和健康狐狸之间疾病传播速率的参数),把模型校准到了最佳程度。历史记录和模拟结果表明,接种疫苗和打猎对于疾病的存在有一定的影响。因此,政府部门需要理解疾病的空间动态和控制措施情景的效应。

本模型是开发这类公共政策工具的一个开端。模拟结果表明疾病在该州的健康狐狸之间自东向西传播,速度大约为 24 英里/a❶。疾病将从引入点以放射波的形式振荡传播,以不断变宽变低的波状形式,叠加到以年为周期波动的健康狐狸数量上。狐狸狂犬病在整个州内经过大约 15 年以后变成地方性疾病。还发现,尽管目前的打猎压力可以消灭该州的狐狸,但是在打猎水平减半的情况下,将难以区分打猎的影响和疾病本身的影响。目前的打猎死亡率减半造成狐狸数量增加,而疾病本身造成狐狸数量减少,两者相互抵消。目前的打猎水平减半将把该州的狐狸数量降低到健康的、没有打猎时狐狸数量的 70%。没有打猎时,疾病将把稳定状态的狐狸平均数量降低 72%。使用目前无法得到的资料可以扩展本模型,从而使其能够指导狐狸狂犬病的疫苗接种计划。

## 11.6 建模环境讨论

必需的简化和聚合过程是协作性空间建模方法的主要缺点。对于建模的定义就是简化——将复杂问题分解成核心组分,然后寻找它们之间的因果关系。SME 是一个能够捕获大量变量和有效合成输出的工具。然而,正是这种合成或聚合一个时间步长的过程过分简化了输出,尽管变化的时间步长可能会更有助于精确地反映数据信息。在本模型中,模拟的是狐狸密度而不是狐狸个体,因此个体之间复杂的相互作用具有聚合的统计概率性。

相信 SME 方法的缺点不会比其他任何计算机建模方法的缺点多。建模的关键问题在于模型结构是如何组织的,这就把责任推给了建模人员和建模小组。SME 方法允许有效地融合一组专家(这应该归功于其简单易懂的图示前端和空间显式的输出)。这种协作性建模环境不止弥补了计算上的低效率。与单个专家的建模成果相比,更多专家的参与使得最终的模型更加可靠、更受支持。

**致谢**:感谢 Nebraska 大学的 Laura Hungerford,伊利诺斯大学自然资源和环境科学系的 Ron Larkin,伊利诺斯大学兽医病理学系的 Gail Scherba,伊利诺斯自然历史调查局的 Tim Vandeelan,地理建模系统实验室和迈阿密大学的 Steve Harper,以及野生动物资源部门的 George Hubert。感谢伊利诺斯自然资源部对于协作性建模过程的参与。

## 参 考 文 献

[1] Acock B, Reynolds J F. 1990. Model Structure and Data Base Development. in Process Modeling of Forest Growth Responses to Environmental Stress. (R. K. Dixon, R. S. Meldahl, G. A. Ruark and W. G. Warren eds.). Timber Press, Portland, OR

❶ 这里需要强调的是,模型校准利用的是前 30 年内伊利诺斯州狐狸总量的估计值,通过拟合模拟的种群数量与前 30 年内的数量曲线实现校准。这有助于验证模拟的疾病传播速率。

［2］ Anderson, Roy M, Jackson H C, et al. 1981. Population Dynamics of Fox Rabies in Europe. Nature. V289: 765~771

［3］ Bacon P, MacDonald D. 1980a. To Control Rabies: Vaccinate Foxes. New Scientist. 28. pp.356

［4］ Bacon P J, MacDonald D. 1980b. Habitat And The Spread Of Rabies. Nature. 289: 634~635

［5］ Bacon P J. 1985. Population Dynamics of Rabies in Wildlife. Academic Press. New York, NY. Vol.4: 90~93

［6］ Baer, George M, Abelseth M K, et al. 1971. Oral Vaccination of Foxes Against Rabies. American Journal of Epidemiology. 93(6): 487~490

［7］ Baer G M. (ed.) 1975. The Natural History of Rabies: Volume I. Academic Press. New York

［8］ Benenson, Abraham S. 1995. Control of Communicable Diseases Manual. American Public Health Association. Washington, D C. pp. 382~390

［9］ Black J G, Lawson K F. 1973. Further Studies of Sylvatic Rabies in The Fox ( Vulpes vulpes): Vaccination by Oral Route. Canadian Veterinary Journal 14 (9): 206~211

［10］ Bögel K, Moegle H, Krocza W, et al. 1981. Assessment Of Fox Control In Areas Of Wildlife Rabies. Bulletin of the World Health Organization. 59(20: 269~279

［11］ Costanza R, Sklar F H, White M L. 1990. Modeling Coastal Landscape Dynamics. BioScience 40: 91~107

［12］ Costanza R, Maxwell T. 1991. Spatial Ecosystem Modeling Using Parallel Processors. Ecological Modeling. 58: 159~183

［13］ Cowan I M. 1949. Rabies As A Possible Population Control Of Arctic Canidae. Journal of Mammalogy 30(4): 396~398

［14］ David J M, Andral L, Artois M. 1982. Computer Simulation Model of the Epi-enzootic Disease of Vulpine Rabies. Ecological Modeling 15: 107~125

［15］ Doncaster C P, MacDonald D W. 1997. Activity patterns and interactions of red foxes (Vulpes vulpes) in Oxford city. Journal of Zoology. London 241: 73~87

［16］ Fenner F J, Paul J. Gibbs E, Murphy F A, et al. 1993. Veterinary Virology, 2nd ed. Academic Press. New York

［17］ Fields B N, Knipe D M, Chanock R M, et al. 1990. Virology. 2nd ed. Raven Press. New York. pp. 867~930

［18］ Forrester, Jay W. 1961. Industrial Dynamics. M.I.T. Press, Cambridge, MA

［19］ Gardner, Gwen A, Leslie R T, et al. 1990. Simulations of a Fox-Rabies Epidemic on an Island Using Space~Time Finite Elements. V Zeitschrift fur Naturforschung 45c: 1230~1240

［20］ Garnerin P, Hazout S, Valleron A J. 1986. Estimation of Two Epidemiological Parameters of Fox Rabies: the Length of Incubation Period and the Dispersion Distance of Cubs. Ecological Modeling 33: 123~135

［21］ Goodall D W. 1974. The Hierarchical Approach to Model Building. In Proceeding of the First International Congress of Ecology. Center for Agricultural Publishing and Documentation. Wageningen, Netherlands

［22］ Gosselink T. 1998. Personal Communication. Illinois Natural History Survey. Champaign, IL

［23］ GRASS. 1993. The Geographic Resources Analysis Support System User's Reference Manual. U.S. Army Corps of Engineers. Champaign, IL. Vol.4.1

［24］ Hannon B, Ruth M. 1997. Modeling Dynamic Biological Systems. Springer-Verlag. New York

[25] Hubert, George Jr. 1998. Division of Wildlife Resources, Illinois Department of Natural Resources. Telephone interview May 12, 1998

[26] Kaplan, Colin, Turner G S, et al. 1986. Rabies: The Facts. Oxford, England. Oxford University Press. Oxford, Vol.2: 8~20

[27] Luman D, Joselyn M, Suloway L. 1996. Illinois Scientific Survey Joint Report ♯3. Illinois Natural History Survey. Champaign, IL

[28] MacDonald D W. 1980. Rabies and Wildlife: A Biologist's Perspective. Oxford Univversity Press, Oxford

[29] Maxwell T, Costanza R. 1994. Spatial Ecosystem Modeling in a Distributed Computational Environment. in Toward Sustainable Development: Concepts, Methods, and Policy. (J. van den Bergh and J. van der Straaten eds.). Island Press, Washington, DC, pp. 111~138

[30] Maxwell T. Costanza R. 1995. Distributed Modular Spatial Ecosystem Modeling. International Journal of Computer Simulation 5(3):247~262: Special Issue on Advanced Simulation Methodologies

[31] Murray J D, Stanley E A, Brown D L. 1986. On the Spatial Spread of Rabies Among Foxes. Proceedings of the Royal Society of London B229: 111~150

[32] Murray J D. 1987. Modeling the spread of rabies. American Scientist 75: 280~284

[33] Parker R L, Wilsnack R E. 1966. Pathogenesis of Skunk Rabies Virus: Quantification in Skunks and Foxes. American Journal of Veterinary Research 27 (116): 33~38

[34] Risser P G, Karr J R, et al. 1984. Landscape Ecology: Directions and Approaches. Illinois Natural History Survey, Champaign, IL

[35] Rupprecht C E, Smith J S, Fekadu M, et al. 1995. The Ascension of Wildlife Rabies: A cause for Public Health Concern of Intervention. Emerging Infectious Diseases 1(4): 107~114

[36] Ruth M, Hannon B. 1997. Modeling Dynamic Economic Systems. Springer-Verlag. New York

[37] Scherba G, 1998. Presentation to Ecological Modeling Group, April 1998

[38] Scott, Thomas G. 1955. An Evaluation of the Red Fox. Natural History Survey Division, Biological Note No.35. Urbana, IL

[39] Sheldon W G. 1950. Journal of Wildlife Management 14: 33~42. Denning Habits & Home Range of Red Foxes in New York State.

[40] Sikes R K. 1962. Pathogenesis of Rabies in Wildlife: Comparative effect of varying doses of rabies inoculated into foxes and skunks. American Journal of Veterinary Research 23: 1042~1047

[41] Silvert W. 1993. Object-Oriented Ecosystem Modeling. Ecological Modeling 68: 91~118

[42] Sklar F H, Costanza R. 1991. The Development of Dynamic Spatial Models for Landscape Ecology. in Quantitative Methods in Landscape Ecology. (M.G. Turner and R. Gardner eds.). Springer-Verlag, New York, Vol.82: 239~288

[43] SME. 1999. Spatial Modeling Environment. www.uvm.edu/giee/sme3/

[44] Steck F. Wandeler A. 1980. The Epidemiology of Fox Rabies in Europe. Epidemiologic Reviews. 2: 71~96

[45] Storm Gerald L, Andrews R D, Phillips R L, et al. 1976. Morphology, Reproduction, Dispersal, and Mortality of Midwestern Red Fox Populations. Wildlife Monograph 49: 1~81

[46] Trame A, Harper S J, Aycrigg J, et al. 1997. The Fort Hood Avian Simulation Model: A Dynamic Model of Ecological Influences on Two Endangered Species. Report No. 97/88. U.S. Army Corps of Engineers, Champaign, IL

[47] Trewhella W J, Harris S, McAllister F E. 1988. Dispersal Distance, Home-Range Size and Population Density in the Red Fox (Vulpes vulpes): A Quantitative Analysis. Journal of Applied Ecology 25:423~434

[48] West G P. 1973. Rabies in Man and Animals. Arco, New York

[49] Westervelt, James D, Hannon, et al. 1997. A Dynamic Simulation Model of the Desert Tortoise (Gopherus agassizii) Habitat in the Central Mojave Desert. Report No 97/102. U.S. Army Corps of Engineers, Champaign, IL

[50] Westervelt, James D, Hannon, et al. 1995. Dynamic, Spatial, Ecological Modeling: A Demonstrated Simulation of the Sage Grouse Habitat at the Yakima Training Center. Report No TR-95/18. U.S. Army Corps of Engineers, Champaign, IL

[51] White Piran C L, Harris S, Smith G C. 1995. Fox Contact Behavior and Rabies Spread: A Model for the Estimation of Contact Probabilities Between Urban Foxes at Different Population Densities and its Implications for Rabies Control in Britain. Journal of Applied Ecology. 32: 693~706

# 第 12 章　景观最优化:空间生态系统模型的应用 *

## 12.1　引言

　　人口急剧增长、经济迅速发展、土地利用和土地覆被变化已经成为马里兰州南部景观的显著特征。这种增长以及增长的方式与增长发生的位置可以影响点源和非点源污染的增加。结果,景观的空间组织影响了河道和河口中的水质,并且成为制定策略以满足许多地方和区域文件中设计的环境目标时需要考虑的一个重要因素,例如 Chesapeake 湾工程(CBP,2001)和 Calvert 县综合治理工程(Jaklitsch 等,1997)。景观流域模型可以把景观组织与水的质量和数量结合起来。人们提倡将建模方法作为决策支持工具用于促进基于整体系统方法的决策。模型把当前对生态系统过程的理解汇集起来,是区域尺度上可获取的各种数据集的知识库。它们确保数据是内在一致和充分的,并且可以提供一种直接的方法来分析和比较替代的发展情景。此外,模型能够产生更先进的分析技术和方法,分析的结果可能会从建模运用中再次反馈到自然系统,并且可能会用于决策。这种情形下的模型成为自然系统的替代,可以对它进行操作并设定各种条件——有些操作和条件在自然系统中是被完全禁止的。这种模型操作与最优化方法相关,最优化就是自动浏览系统的大量组合特征,从而试图发现可以使系统尽可能接近特定期望状态的系统特征。

　　本研究集中在美国马里兰州 Celvert 县的 Hunting Creek 流域(见图 12-1)。研究的目标如下:

　　(1)利用集成了土地利用、点源和非点源污染、地域和景观特征数据的景观模型估计 Hunting Creek 的水质。

　　(2)查找可利用信息与模型所需要的数据之间存在的差距并调整监测工作。

　　(3)为市民的参与、研究、监督和决策提供一个共同基础。

　　(4)为其他穿越 Celvert 县的子流域和整个 Celvert 县的建模研究提供一个初步研究案例。

　　(5)为县政府提供一个决策工具。

　　Hunting Creek 模型(HCM)模拟了 Celvert 县的三种发展情景(Voinov 等,1999)。流域内营养物荷载的两种最主要来源是大气沉积(大约 40%)和施肥作用(大约 35%)。河口氮浓度的多数变化趋势都可以用这些输入的变化来解释。多种区域规划策略中假定的居民区单元密度的变化仅仅可以解释河口氮浓度变化的 3%～7%。然而,不同于大气沉积作用,由居住区与农业利用所释放的氮荷载在局部更容易管理和控制。

---

　　*　作者:Ralf Seppelt、Alexey Voinov。

**图 12-1　Hunting Creek 流域的地理位置**

Hunting Creek 是 Chesapeake 湾排水区域内 Patuent 流域的一个相对较小的子流域(77.5 km$^2$)

　　因此,本研究给予了农业实践活动更多的关注,利用最优化控制方法来获得对环境危害最小而经济效益不变或更好的管理措施。除了搜索参数空间之外,还试图根据它们的最优性分析其空间模式。对于以 HCM 为代表的非线性动态系统,空间最优化是一个在文献中很少提到的比较枯燥的计算问题。多数情况下,空间最优化的应用都局限于随机搜索算法。作者提出了一个简单的算法,通过在一组预先计算好的层上采用局部最优化来替代全局空间最优化,这些预先计算好的层代表了由不同控制因素组合而成的系统。进行的一些比较显示,使用这种方法得到的结果与全局最优化程序得到的结果非常接近。假定只要系统行为足够平稳并且空间相互作用不太密集,局部方法就可以较好地近似替代全局最优化方法。局部方法的良好性能具有重要意义,因为对于全局方法不能实现最优化的复杂模型,它可以实现。本案例研究开发的最优化方法在 Seppelt 和 Voinov (2002)的文章中有详细的阐述。这里关注的是一些模拟结果及其对决策的意义。

## 12.2 Hunting Creek 模型

　　景观建模方法(LMA)被设计成一个工具,以区域的社会经济行为为条件,系统地分析流域内物理和生物动态之间的相互作用。为了在同样的建模框架下考虑生态和经济过程,需要允许生态和经济成分之间信息的自由传递。这就需要有适当的时间、空间和结构尺度以及分辨率来描述生态和经济成分。尤其是空间描述应该匹配,从而一个成分中土地利用和土地覆被变化能够传递给另一个成分。为此,采用传统方法将非常困难,所谓传统方法是指基于空间聚合生成更大的单元,这些更大的单元被称为单元景观、单元流域、单元污染区或者单元山坡(Band 等,1991;Beven 和 Kirkby,1979;Krysanova 等,1989;Sasowsky 和 Gardner,1991)。这些单元被认为是同质的,并且构成了水文流动网络的基础。空间单元之间的边界是固定的,在模拟过程中不能修改。如果想要考虑经济因素导致的土地利用变化——在设计空间单元时没有考虑这些变化,那么这在一定程度上是有局限性的。

　　采用一种更机械的方法将更合适。正如本书其他章节中所描述的,在 HCM 中把景观分割为相对较小的同质栅格单元,然后针对每个单元运行模拟,并使用相对简单的规则模拟相邻单元之间的物质流(Burke 等,1990;Costanza,1990;Engel,1993;Maxwell 和Costanza,1995;Sklar,1985)。这种相当直观的方法需要广泛的空间数据集以及根据存储和速度衡量的高计算能力。然而,它允许对于景观的准连续修改,即景观上栖息地的边界可以根据社会经济的转换发生变化。这是空间最优化分析的一个必要条件,因为它允许在模拟过程中内生地修改模型的空间排列。

　　HCM 的动态与 Patuxent 景观模型(见第 8 章)的动态相似。通过关注更小的子流域,可以提高空间分辨率,可以通过更多次的运行更好地校准模型,还可以提炼对于生态系统中某些重要生态过程和空间流的理解。较小的研究区域对于需要连续地大量运行模型的最优化程序尤其重要。在 HCM 模型中,景观被分割为 200m×200m 的正方形空间栅格单元。

　　为了校准模型,采用了第 3 章和第 4 章讨论过的逐步校准方法。开始通过一系列的试验来测试水文模块的敏感性。水文模块的校准参照的是美国地质调查局在 Hunting Creek 流域的一个观测站的数据(USGS,1997)。首先,使用 1990 年的数据校准了模型。然后,运行了连续 7 年(1990～1996)的模拟。图 12-2 展示了 1990～1996 年降雨的年度动态,表明该时期给出了流域内可以观测到的各种降雨条件的一个好样本,1994 年和1996 年是最湿润年,1991 年是最干旱年,图 12-3 展示的结果与该数据非常吻合,并且可以认为是对模型的验证,因为在执行 1990 年的初始校准之后再没有修改参数。

　　可以识别的几个误差来源是:

　　(1)模型使用的是每天的总降雨量。因此当 1 天的总降雨量相同时,无法区分究竟是暴雨还是毛毛雨。实际上,与这些降水事件相关的径流差异可能非常大。

　　(2)流域内没有气象站。因此,使用的是两个邻近气象站的内插数据。然而,有些降雨事件的区域性很强,从而无法正确模拟。敏感性分析表明年度径流对于特殊的气象时

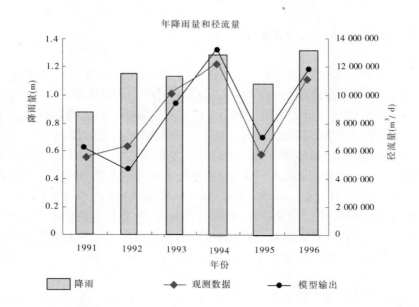

**图 12-2　降雨(m)和径流(m³/d,针对单元格大小进行了标准化)的年度动态**
降雨可以把模型驱动到比实际径流更广的范围上。文中讨论了可能的误差来源

间序列和气象数据的空间模式具有很高的敏感性。

(3)无法排除数据中的偶然性误差。

不过,模型很好地捕获了水文的一般趋势。虽然缺乏校准地下水空间动态的数据,但是观察了模拟的饱和层与不饱和层的总水量,从而确保模型对于地下水的模拟是准稳定的。这些值的动态与流域接受的总降雨量有很好的一致性,在干旱年份地下水位较低,在湿润年份水位上升。

一旦流域水文被足够精确地模拟❶,就可以进行水质模块的校准。目前,氮模块已经开发完毕,并且对比了模拟的 Hunting Creek 的氮浓度与美国地质调查局那个观测站的数据。需要注意的是,观测站太靠近流域上游,以至于事实上它仅仅能够说明流域的部分情况。然而,由于得不到更好的信息,不得不使用该站的数据进行模型校准。

流域内的营养荷载有 4 个主要来源:

(1)大气沉积[从国家大气沉积项目(NADP,2000)网站上下载的数据(单位是 mg/L)]。

(2)污水处理厂的排放[这项输入可以忽略,因为在 Hunting Creek 流域所有的污水都需要经过三级处理(农田适用);然而,这些来源中的间接氮流量值得在将来考虑]。

(3)化粪池的排放(计算公式为:个人排放量乘以居住单元数再乘以 2.9——马里兰州每个居住单元的平均居民数)。

(4)农业和居住区的施肥(基于马里兰州规划办公室的产量和土壤图估计)。

(5)死亡有机物的矿化作用。

---

❶　关于更多的模型输出结果,建议读者参考随书附带的光盘或者浏览下面的网站:http://giee.uvm.edu/PLM/HUNT。

　　每个来源的相对贡献见图 12-4。目前,施肥和大气沉积作用是流域内氮污染的主要来源,占了大约 80%。然而,不同来源的氮的命运可能是不同的,模拟的一个主要目的就是跟踪不同来源的营养物流向河口的路径。

　　模型能够再现 USGS 观测数据的氮浓度趋势(USGS, 1995)(见图 12-5)。需要注意的是,水质数据非常不一致,而且相当多的时期都无法用观测数据解释。另外,在取水样时很容易错过流量峰值,而营养物浓度通常在洪峰出现时最高。因此,水质数据很可能代表的是基流浓度,相应地,它们通常低估了真实的长期营养动态。

　　除了氮的日变化动态,还较好地拟合了氮浓度的年均动态(见图 12-6)。多数情况下,模型过高估计了氮浓度,这可以用较高的浓度通常在洪峰中观测到进行比较好的解释。在许多情况下,水质数据都不能捕获洪峰事件。因此,它们低估了营养物浓度。总之,模型可以较好地预测流域内整体和分布式的营养通量,这样就可以继续进一步地分析并讨论模型的其他应用。

## 12.3　最优化

　　模型校准和验证完成之后,就可以在多个方面应用。尤其重要的一个可能应用是,在决策支持框架内使用模型作为最优化试验的核心。通常的做法是利用模型运行大量的情景然后比较模拟结果(正如第 8 章那样),作为这种方法的替代,作者设计了期望生态系统应该达到的特定目标,然后让计算机遍历大量参数和模式组合来达到那个目标。为了设计一个最优化控制问题,需要确定模拟器、控制参数、约束条件和目标函数。

　　模拟器是系统的代表,能够连接控制参数(输入)和用于估计与目标状态逼近程度的指标(输出)。在本研究中,模型就是模拟器。控制参数是根据模型变量和参数设计的管理策略。为了获得特定的系统性能,这些控制参数是可修改的,并且应该可以修改。通常也有一些针对这些和其他系统成分的特定约束,它们根本不能修改。这被称为约束条件,它们应该在最优化的任何工作之前首先被指定。目标函数(或性能标准)是所期望的系统状态的一个数学形式。通常根据模型变量设计目标函数,并且在最优化试验中使其达到极值。

　　在本研究中,对于最优化控制问题的定义如下。假设在时间范围 $T$ 内考虑的研究区域为 $A = \{(i, j); n_i < i < N_i, m_j < j < M_j\}$,该区域用一幅图表示。假设 $z$ 是栅格上的一个单元,$z \in A$,并且 $c(z)$ 是单元 $z$ 中的土地利用(或栖息地类型)。本研究中,$c \in L = \{$大豆,冬小麦,玉米,休耕地,森林$\}$;$Q = \{c(z), z \in (A)\}$ 是土地利用覆被;$F(c, t)$ 是 $t$ 时刻栖息地类型 $c$ 中的施肥量,可以通过土壤图驱动的预期产量估计进一步修改;$H(c, z)$ 是从单元 $z$ 中收获的作物 $c$ 的产量(如果有的话);$N(z, t)$ 是时刻 $t$ 从单元 $z$ 中流失的氮量。本研究的控制参数是施用营养物的量和时间 $F(c, t)$ 与栖息地模式 $Q$,它们都由土地利用图决定。

　　研究目的是寻找一种土地利用模式 $Q^*$ 和施肥策略 $F^*$,在减少流域内营养物流失的情况下能够增加产量。用数学术语来说,该目标函数需要考虑作物产量、操作成本(这里只考虑施肥成本)和营养物的流失。如果用价格衡量的话,前两个因素很容易比较。整

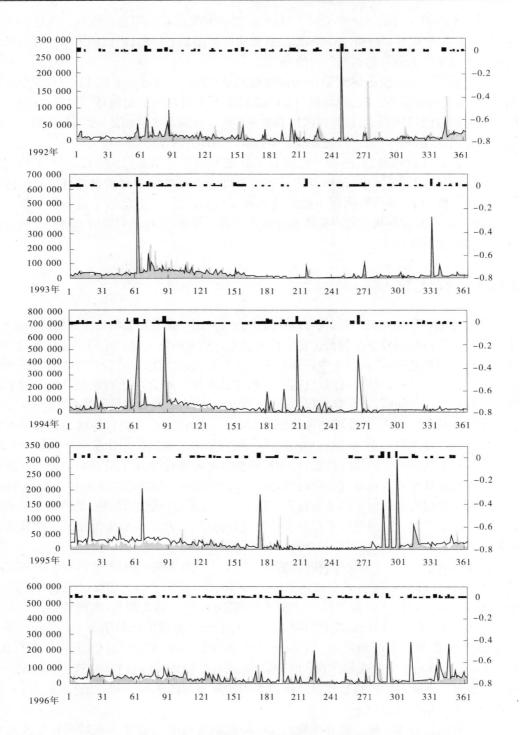

**图 12-3** 1990～1991 年的水文校准和 1992～1996 年的模拟结果

后者的运行可以被认为是验证，因为 1990～1991 年的校准之后再没有修改参数

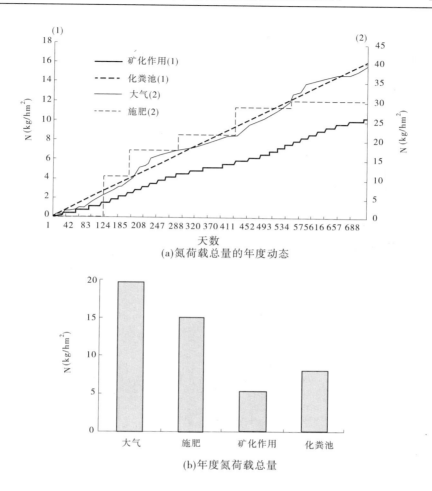

(a)氮荷载总量的年度动态

(b)年度氮荷载总量

**图 12-4 各种来源的氮荷载总量**

个研究区域的产量收入为 $A = \sum\limits_{z \in A} P_H(c) H(c,z)$,这里 $P_H(c)$ 是作物 $c$ 的市场现价。施肥的成本为 $B = P_F \sum\limits_{z \in A} \sum\limits_{1 < t < T} F(c(z),t)$,这里 $P_F$ 是氮肥的单位价格。

目标函数的"经济"部分是用 $A$ 和 $B$ 的值建立起来的。显然,需要最大化 $A$ 并最小化 $B$,也就是需要最大化 $(A - B)$。

"生态"部分较难用公式表达和比较。可以有两种方式考虑营养物的流失。一种方式是考虑研究区域内所有单元产生的营养物质总量 $C = \sum\limits_{z \in A} \sum\limits_{1 < t < T} N(z,t)$。这是分布式的营养流失。另一种更好的方式是考虑流域出口单元 $z_0$ 中的氮物质量。在这种情况下,考虑了氮物质穿越流域时沿途的吸收补偿机制,并估计了河口的实际水质:$C = \sum\limits_{1 < t < T} N(z_0,t)$。显然,在这两种方式中都需要最小化 $C$。主要的挑战是将 $C$ 表达成能够与美元标准相比较的单位,就像 $(A - B)$ 那样。由于缺乏更详细的资料,这里只是简单地假定了一个权重系数 $\lambda$,设计的目标函数为:

$$J = A - B - \lambda C \tag{12-1}$$

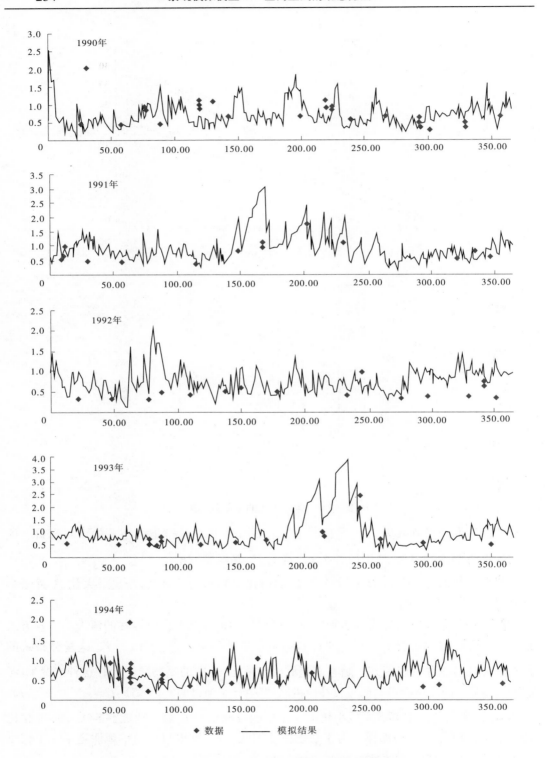

图 12-5　使用 USGS 的观测数据进行氮的校准

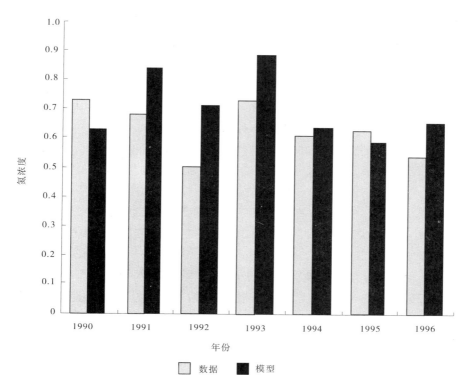

**图 12-6　与 USGS 的数据相比较的氮浓度年均动态**

在最优化程序中需要最大化这个函数：在空间 $S = \{Q \times F\}$ 中使 $J \to \max$，这里 $Q$ 是土地利用图，$F$ 是施肥函数。

## 12.4　空间最优化

　　生态系统管理问题的范畴包括森林管理和木材砍伐问题（Loehle，1999；Tarp 和 Helles，1997）、农业问题（Makowski 等，2000；Nevo 等，1993；Seppelt，2000）、土地利用变化的一般问题（Martinez 等，1998）和栖息地的适宜性问题（Bevers 等，1997）等。模型的应用根据不同的数学结构发生变化。建模方法可以是从基于指数增长微分方程（Bevers 等，1997；Loehle，1999）的聚合动态建模，到基于非线性微分方程组的复杂建模（Randhir 等，2000；Seppelt，2000）。就最优化方法而言，包括的范围也很广：最优化方法明显与模型的数学结构有关。

　　结果，针对不同的环境建模问题最优化技术的差异也很大。这与工程问题正好相反，只要常微分方程组定义的模型结构不变，工程问题的最优化方法就不会改变（Bulirsch 等，1993）。当使用方程表达空间问题以及模拟模型的数学异质性增加的时候更是如此（Seppelt，2000）。

　　最优化问题的复杂性取决于两个因素：生态系统模型的复杂性（状态变量的个数、非线性程度等）和空间的复杂性（研究区域的大小、栅格单元的大小、空间相互作用过程的多少),模拟模型越复杂,考虑的空间关系就越多,最优化的成功机会也就越低。对于这类复杂模型,情景分析通常是唯一可行的方法。图 12-7 中展示了这种关系。

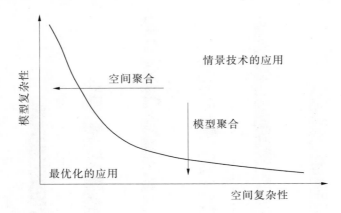

**图 12-7　从最近的文献中获得的区域最优化方法概念**

情景分析是指比较一些给定情景的结果,这些情景通常是根据可能的管理策略设定的。最优化程序是自动系统地搜索整个控制空间。尽管最优化工作在预处理和用公式表达情景选项方面需要付出的努力较少,但是它的计算复杂性却高的令人难以置信。因此,多数情况下最优化都需要特定的简化或聚合(见图 12-7)。可以通过模型聚合、研究区域聚合或者两种方法都采用来达到简化的目的。

可能还有其他的方法可以改进最优化程序。在最优化方面这样的方法还不是很多,然而,本研究采用的一些著名最优化程序的组合可以显著提高它们的整体效率。

## 12.5　方法

### 12.5.1　全局最优化和局部最优化

利用上面选定的性能标准,需要遍历研究区域内不同施肥条件下 6 种土地利用类型的所有可能组合。问题的复杂性直接取决于研究区域的面积。例如,Hunting Creek 流域由 1 944 个单元组成,将会有 $6^{1944}$ 种不同的土地利用模式($\parallel Q \parallel = 6^{1944}$),这是一个大的令人难以置信的数字。对于一个更小的子流域(只覆盖 Hunting Creek 流域面积的 25%),也有 $6^{502}$ 种可能的土地利用模式,这个数字还是太大,以至于不能考虑直接的搜索方法。为了涵盖所有作物的生长期,从种植大豆开始到收割冬小麦结束,需要考虑 551 天的模拟期。在一种作物种植前和收割后,假设单元的土地利用类型为休耕地。整个模型运行一次 551 天的模拟需要 20 分钟(在 Sparc Ultra 10 工作站上)。显然,简单地遍历整个控制空间是不可行的。梯度搜索程序需要的时间要少一些,但是由于模拟模型的复杂性和控制变量的离散性,这种方法将无法实现,因为无法对离散的控制变量进行求导。

这里采用的方法,利用了景观模型处理空间分布式信息的能力。假设邻近效应很小。

例如,假定与冬小麦接壤的森林不会显著改变生长和污染模式。显然,在现实中情况并非如此,邻近关系是很重要的。需要回答的问题是:究竟有多重要。假定答案是"不太重要",那么就可以利用研究区域内所有单个单元的最优化替代整个流域的最优化。这样,整个流域就可以被认为是独立运行的单元模型的集合。这些单元与邻近单元之间仍然可以通过接受流入和产生流出而发生相互作用,但是这种相互作用被假定是局部的,并且没有考虑邻近景观变化的协同作用。通过独立执行每个栅格单元的最优化,极大地降低了问题的复杂性。这需要为每个栅格单元 $z$ 都设计一个目标函数。定义 $A(z)$、$B(z)$ 和 $C(z)$ 如下:

$$A(z) = P_H(c)H(c,z) \qquad 产量的的局部收益$$
$$B(z) = P_F \sum_t F(c(z),t) \qquad 施肥的局部成本$$
$$C(z) = \sum_t N(z,t) \qquad 产生的局部氮流失量$$

$A(z)$、$B(z)$ 和 $C(z)$ 现在是针对某个特定的单元计算的.不需要在整个研究区域上对它们进行加总。以这些定义为基础,每个单元的局部目标函数为:

$$J(z) = A(z) - B(z) - \lambda C(z) \qquad (12\text{-}2)$$

对于每个单元 $z$,需要在空间 $S = \{L(z) \times F(z)\}$ 上最大化 $J(z)$。注意,在这种情况下土地利用组合的数量(在 $c$ 中空间的 $S$ 大小)为 $\|L\| = 6$,这远远少于执行全局最优化时的数量。利用空间显式的模拟模型,可以同时计算所有单元的 $A(z)$、$B(z)$、$C(z)$ 和 $J(z)$,并且以图的形式表示出来。假定每个单元的土地利用都是同质的并且施肥量都相同,可以针对作物和施肥率的不同组合生成一系列地图。这些组合数量可能相当小(10~50 种组合,取决于想要考虑的可能施肥水平)。更为重要的是,组合数量并不取决于研究区域的大小。这样,可以储存这些图并将最优化问题作为组合问题来解决,即根据预先计算好的目标函数[$A(z)$、$B(z)$ 和 $C(z)$]图最大化每个栅格单元中的 $J(z)$。得到的结果是最优化局部性能标准的一对土地利用和施肥图。然后把这一对图输入到空间模拟中计算全局性能标准(见方程(12-1))。

仍然存在的问题是,基于局部性能标准(见方程(12-2))得到的结果能否充分接近基于全局性能标准得到的结果(见方程(12-1))。每个单元 $z$ 的最大值 $J(z)$ 能否产生 $J$ 的最大值。土地利用变化的协同效应对 Hunting Creek 这样的流域究竟有多大作用。

## 12.5.2　蒙特卡罗模拟

为了回答这些问题,需要解决全局最优化问题(见方程(12-1));但是,那将需要相当大的计算量。在此,作为研究整个控制空间的替代,至少可以在空间中随机选择一些点进行蒙特卡罗分析。这样,至少可以发现局部最优化的结果能否充分接近蒙特卡罗分析的结果。

依据以下随机过程可以用数学术语描述该算法。令 $Z_1(z) \in [0,1]$ 为一个随即变量。如果单元 $z$ 的 $Z_1(z) < p_1$,就会为该单元随机生成一种新的土地利用类型。这通过随机变量 $Z_2 \in L = \{玉米,大豆,小麦,休耕地,森林\}$ 来完成,因此 $P(Z_2(z) = c(z) | Z_1(z) < p_1) = f(c)$,这里 $f(c)$ 是为每个被调整的单元生成作物分布密度函数,假定 $f(c)$ 在整个

研究区域内是一个常数。可以在生成随机土地利用图之前通过随机过程产生 $f(c)$，或者从已知的土地利用分布（比如局部最优解）中获得。这导致了蒙特卡罗模拟的不同类型：

（1）从无到有的土地利用模式，对于可能的土地利用模式一无所知；随机生成 $f(c)$。

（2）基于重新分配的土地利用模式→$p_1=1$；从已知的土地利用模式（比如历史数据或局部最优解）中获得 $f(c)$，。

（3）土地利用模式是通过一定的百分比对最优解做出的一个扰动 $x→p_1=0.01x$；从最优解中获得 $f(c)$。

这样，既搜索了整个控制空间，也依据局部最优解搜索了控制空间。在这两种情况下，都不能肯定地宣称已经解决了全局最优化问题，但是至少能够对目标函数的行为有所理解，并且能够通过与控制参数的其他组合进行比较来了解局部最优解的效果。

## 12.5.3　通过遗传算法解决全局问题

正如前面描述的那样，全局最优化问题不能按照组合的最优化问题来解决。应用基于梯度搜索算法的迭代程序也不合适，因为在许多情况下都不能通过解析或数学方法估计导数。这是由于生态系统模型的复杂性以及离散和连续控制变量的联合应用造成的。

遗传算法（GAs）提供了一个基于全局性能标准解决最优化问题的方法。该算法的第一步是定义一个最优化问题的控制变量描述为一个基因组。基于"适者生存"的思想，随机生成的由许多独立个体组成的第一代种群将贯穿整个进化过程。遗传算法决定哪些个体将会成活，哪些将会繁殖后代以及哪些将会死亡。新个体是通过交换、突变、基因移植等行为创造的。

遗传算法在最优化问题中的应用需要三个步骤：①定义一个描述；②定义遗传操纵器；③定义目标函数

方程 12-1 呈现了本研究问题的目标函数。公共程序库可以支持第二步工作。作者利用的是 C++ 版本的遗传算法模块库（GALib）（Wall，1996）。第一步，把土地利用和施肥模式的描述定义为一个基因组，如下所示：

（1）每个可控制的单元 $z∈R_c$ 定义一个单独的基因 $g_k$，其中 $k=1,2,\cdots,|R_c|$。基因组的长度为 $|R_c|$。基因组中没有城市和农村单元的描述，因为这些是不可控制的单元。

（2）基因在一维基因组串中的位置根据栅格图中单元的位置确定，$k→z=(i,j)∈R_e$。

（3）土地利用类型是一个单元或基因的离散属性。施肥量可以近似为一个离散值（见12.4 节）。因此，控制变量由每个基因的等位基因组 $L=(c,F(c))$ 定义。

在应用遗传算法之前，必须生成一个初始种群，通常是通过克隆一个给定的个体来完成这一任务。这里使用的是蒙特卡罗分析中的三步随机过程产生的不同种群。因此，初始种群的建立基础是使用概率 $p_1$ 参数化的局部最适宜土地利用和施肥模式的随机变化。

基于 GALib 库，全局最优化问题得到了解决。对于每一代种群，遗传算法通过从前一代的种群中选择个体并配对产生新种群后代，创造了全新的种群个体。产生每一个新的种群个体都需要运行完整的空间显式模拟模型。"适者生存"策略是通过评价目标函数(见方程(12-1))来执行的。这个过程将持续进行,直到满足停止标准(由终结器决定)为止。

图 12-8 利用一个流程图总结了方法的概念。图中有两个主要分支。分支①以特征函数图的估计为开端,这是局部最优化的基础,分支②展示了如何在缺乏适当的初始推测知识的情况下解决最优化问题。

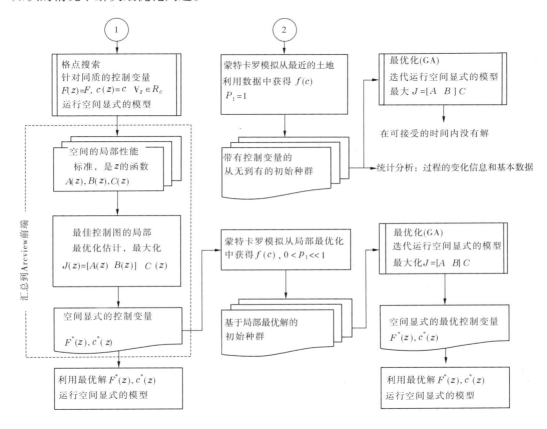

图 12-8　土地利用模式和相关控制变量的空间最优化概念评估框架

# 12.6　结果

## 12.6.1　局部最优化

从图 12-8 中的分支①开始结果分析。为每一种可能的土地利用类型和特定的施肥量都建立了同质的控制变量:对于所有的 $z \in R_c$ 都有 $c(z) = c_0 \in L$, $F(z) = F_0$。通过在格点搜索步骤中利用空间建模环境(SME)运行模拟来遍历所有可能的组合,获得了用于

估计局部最优解的 $A(z)$、$B(z)$ 和 $C(z)$ 图。估计局部最适宜的土地利用图不需要太大的计算量。遍历 $A(z)$、$B(z)$ 和 $C(z)$ 图中的所有可能组合就可以实现。这允许很容易地对权重系数进行参数研究。由于这些步骤的计算量最小,因此把它们嵌入到地理信息系统(GIS)的前端软件 ARCVIEW 中,从而可以得到简单的可视化结果。图 12-9 是 AR-CVIEW 屏幕的一个拷贝,展示的是 Hunting Creek 流域土地利用分布的参数研究。

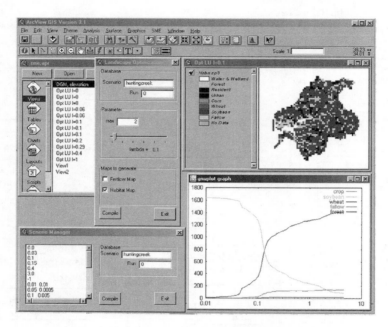

图 12-9　使用 ARCVIEW 显示的局部最优化方案

## 12.6.2　蒙特卡罗模拟

可以通过执行蒙特卡罗模拟来分析这些结果。图 12-8 中间一栏的那两个方框展示了蒙特卡罗模拟:

(1)从无到有的蒙特卡罗模拟,对应于分支②的第一个方框;对应 12.5.2 节的条款(1)。它执行对于整个过程变化性的分析,并且为遗传算法建立初始种群。

(2)局部最优化之后的步骤,对应于重新分配的 $p_1 = 1$ 或者最优解的扰动 $p_1 < 1$,分别对应于 12.5.3 节的条款(2)和条款(3)。

图 12-10 总结了几种不同的蒙特卡罗模拟运行结果。这些分析是使用一个更小的子流域进行的。这样可以获得更多的认识。图 12-10 的第一列展示的是根据方程 12-2 生成的全局目标函数柱状图。利用局部最优化的目标函数值对全局目标函数值进行了标准化。低于 1 的值表示全局目标函数的返回值小于局部最优化的值。大于 1 的值表示局部最优解得到了改善。第二列展示的是研究区域内以可比的美元/m$^2$ 衡量的产量柱状图。

图 12-10 的第一行可以看做是从无到有的蒙特卡罗模拟:土地利用类型的分布 $f(c)$ 以及每个栅格单元中的土地利用类型和施肥量都是随机生成的。第二行中,$f(c)$ 是从局

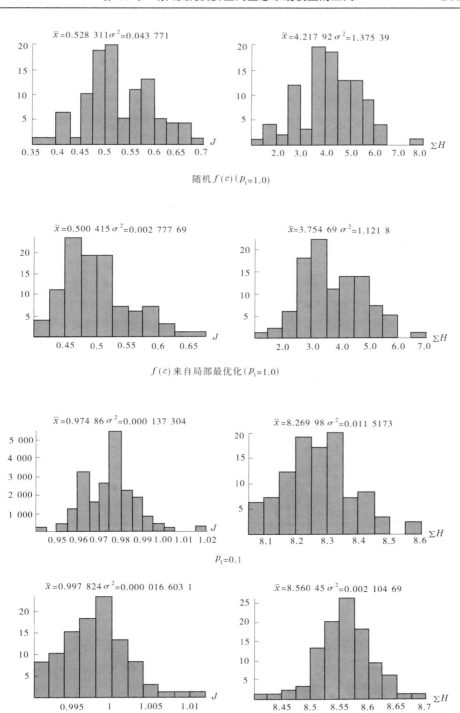

图 12-10　蒙特卡罗模拟中不同随机过程(行)得到的目标函数值分布(左列)和收获的总生物量(右列)

部最优化分布中获得的。第三行和第四行中,分别用概率 $p_1 = 0.1$ 和 $0.01$ 扰动了局部最优的土地利用模式。显然,随机产生的土地利用模式很难确定一个符合最佳性能标准的图。从图 12-10 的最后两行可知,概率 $p_1$ 的增加会立即导致模拟结果进一步偏离局部最优解。局部最优化方法看上去非常接近全局最优化方法。然而,就全局最优化而言,还有"更好的"土地利用模式。问题是,是否正是这些土地利用模式考虑了控制变量的邻近关系。

### 12.6.3　统计分析

最优解的驱动参数是什么? 可以使用模拟得到的土地利用图和施肥图与模型的空间输入数据作简单的双变量相关分析来回答这个问题。表 12-1 总结了最优解的 4 组相关分析结果,其中权重的取值分别为 0、0.1、0.2 和 1.0。由于样本规模较大(1 690),根据 Spearman-Rho(Davis,1984)采用了非参数相关分析,因为最终的参数不能假定为服从正态分布。输入的数据图是土壤和高程图。土壤图的参数是孔隙率、渗透率、田间持水量、浸透率和水平的水文传导力。从高程图中,利用 GIS 功能获得坡向和坡度。

一个普遍的结果是施肥量总是与栖息地类型相关:每一种作物都达到指定的最佳施肥量。

设置 $\lambda = 0$ 忽略农业生产和施肥作用的生态问题。得到的最优解是一幅土地利用图,图中包含了最有价值的作物和较高的施肥量。相关分析表明,土壤中营养物质迁移的重要参数几乎没有为土地利用图负责的。

$\lambda$ 值与土壤图的参数显著相关。$\lambda = 1.0$ 时,$c(z)$ 和 $F(z)$ 与土壤图的所有参数都显著相关,与高程图的参数相关性较弱,尤其是坡向和坡度。这表明,利用空间显式模型得到的局部最优解中可以找到空间关系(与邻近单元之间的关系)的解释。

注意到,由于样本规模较大,小的样本集对于显著相关来说是足够的。一般来说,所有的相关值都是低的。但是,统计分析给出了所获得的结果的验证。

### 12.6.4　遗传算法

关于控制变量图中邻近关系的重要性问题,获得答案的唯一方法是建立一个能够用方程(12-2)评价的最优化程序。正如从蒙特卡罗模拟结果中看到的,基于从无到有的初始种群应用遗传算法将会失败,因为从无到有的种群变化范围太宽泛。遗传算法需要大量的迭代才能涵盖从局部最优化方法中获得的解(见图 12-8 的右上角)。

使用 *Hunting Creek* 的一个较小的子流域来仔细研究这些行为。图 12-11 展示的是从无到有和从局部最优(图 12-11(b))开始的遗传算法收敛过程。值得注意的是,为了达到目标函数值的 80%,需要遗传 300 代(4 500 次模拟运行)。基于这个原因,使用局部最优解产生了初始种群(见图 12-8 中间栏的下部)。

表 12-1　局部优化方案与空间资料的相关分析

| 方案 | 空隙率 | 入渗率 | 田间容量 | 渗漏率 | 水力传导度 | 海拔 | 方位 | 坡度 | C(z) |
|---|---|---|---|---|---|---|---|---|---|
| $\Lambda = 0$ | | | | | | | | | |
| C(z) | | | | | | | | | |
| 相关性 | 0.046 | −0.28 | 0.2 | −0.44 | −0.34 | −0.2 | 0.071* | 0.052 | 1.000 |
| 显著性 | 0.057 | 0.249 | 0.418 | 0.073 | 0.161 | 0.416 | 0.003 | 0.031 | |
| F(z) | | | | | | | | | |
| 相关性 | −0.027 | 0.045 | −0.035 | 0.110** | 0.197** | −0.075** | −0.044 | −0.049* | 0.182** |
| 显著性 | 0.27 | 0.067 | 0.153 | 0 | 0 | 0.002 | 0.069 | 0.044 | 0 |
| $\Lambda = 0.1$ | | | | | | | | | |
| C(z) | | | | | | | | | |
| 相关性 | 0.130** | −0.155** | 0.134** | −0.178** | −0.199** | 0.113** | −0.001 | 0.028 | 1.000 |
| 显著性 | 0 | 0 | 0 | 0 | 0 | 0 | 0.968 | 0.250 | |
| F(z) | | | | | | | | | |
| 相关性 | 0.102** | −0.137 | 0.087** | −0.95** | −0.147** | −0.001 | −0.031 | −0.036 | 0.193** |
| 显著性 | 0 | 0 | 0 | 0 | 0 | 0.976 | 0.209 | 0.146 | 0 |
| $\Lambda = 0.2$ | | | | | | | | | |
| C(z) | | | | | | | | | |
| 相关性 | 0.252** | −0.333** | 0.257** | −0.323** | −0.577** | 0.089** | −0.60** | −0.67** | 1.000 |
| 显著性 | 0 | 0 | 0 | 0 | 0 | 0 | 0.014 | 0.006 | |
| F(z) | | | | | | | | | |
| 相关性 | 0.176** | −0.210** | 0.174** | −0.206** | −0.227** | 0.021 | −0.003 | −0.078** | 0.366** |
| 显著性 | 0 | 0 | 0 | 0 | 0 | 0.387 | 0.887 | 0.001 | 0 |
| $\Lambda = 1.0$ | | | | | | | | | |
| C(z) | | | | | | | | | |
| 相关性 | 0.408** | −0.466** | 0.413** | −0.471** | −0.382** | −0.011 | −0.046 | −0.041 | 1.000 |
| 显著性 | 0 | 0 | 0 | 0 | 0 | 0.665 | 0.061 | 0.089 | |
| F(z) | | | | | | | | | |
| 相关性 | 0.162** | 0.0159** | 0.137** | 0.173** | −0.086** | −0.077** | 0.017 | −0.010 | 0.207** |
| 显著性 | 0 | 0 | 0 | 0 | 0 | 0.001 | 0.487 | 0.688 | 0 |

注：* 根据双侧置信水平 0.05 的显著相关（Spearman − Rho）；

　　** 根据双侧置信水平 0.05 的显著相关（Spearman − Rho）。

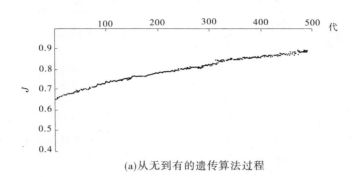

(a)从无到有的遗传算法过程

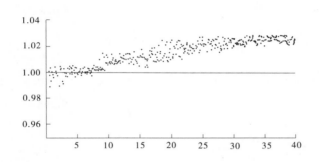

(b)从局部最优解开始的遗传算法过程，伴有随机的突变扰动

**图 12-11　遗传算法过程中全局性能标准值的发展**

设定遗传算法的参数,与其说是科学不如说是艺术(Wall,1996)。从前面的结果中可以得到确定参数的某些规则:变化太宽泛的初始种群将会使模拟远离最优解。取 $p_1 =$ 0.01 来随机产生初始种群。产生新的种群后代时在每个时间步长内必须保证:突变概率应该远小于 $p_1$,并且交换种群应该等于 0。为了允许种群的调整,设置了一个比较高的基因移植概率(0.9)。图 12-11(b)展示了从局部最优解开始运行的遗传算法的结果。GA过程明显地从初始种群中分离出来,并且使最优解改善了 2%。

与局部最优解相比发生的变化是什么? 以 GA 的最优一代(由 15 个个体组成)为基础,编辑了两幅图来对比每个栅格单元的差异(见图 12-12)。图 12-12(a)展示了平均施肥量的差异。图 12-12(b)展示了被修改的土地利用单元。只有很少的单元发生了变化:513 个单元中有 43 个(8%)。土地利用类型的分布保持不变。由 GA 产生的全局最优化执行了栖息地的重新分配。期望存在几个解可以改善局部解。像这样复杂的问题可能有很多解。这将会导致(栖息地和施肥图的)多种实现,与局部最优化的初始解相比这些实现会改变不同的单元。然而,图 12-12(b)显示最优一代的所有个体几乎都修改了相同的栅格单元。修改的大部分单元都属于同一类,在该类的 16 个个体中有 13 个以上在单元中以同样的方式发生了变化。

利用统计方法很难解释为什么关键单元是这些;然而,统计分析有助于进一步改善空间最优化。由于模拟模型中广泛的输入数据/图以及非常复杂的动态网络和空间过程,没

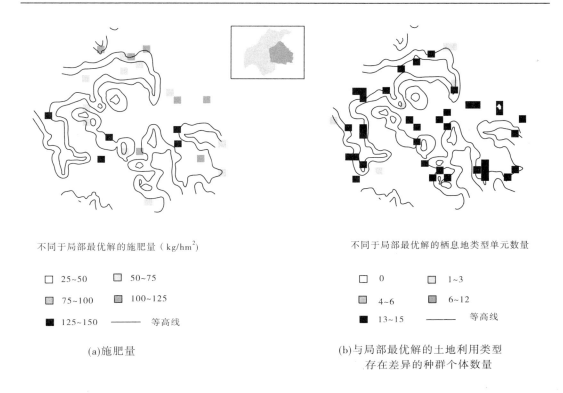

不同于局部最优解的施肥量（kg/hm²）

□ 25~50　　□ 50~75
▨ 75~100　　▦ 100~125
■ 125~150　　——— 等高线

(a)施肥量

不同于局部最优解的栖息地类型单元数量

□ 0　　□ 1~3
▨ 4~6　　▦ 6~12
■ 13~15　　——— 等高线

(b)与局部最优解的土地利用类型
存在差异的种群个体数量

**图 12-12　遗传算法的结果分析**

这些图展示了遗传算法的第一代(15 个个体)与局部最优图的差异:
中间的小图显示的是研究区域在 Hunting Creek 内的位置和范围

有显著的相关性可以辨别。使用主成分分析法,不能减少分析的状态空间。一个可能的方法是对 $c(z_0)$ 和 $F(z_0)$ 与邻近单元[东北、北、……、西南的 $c(z_0)$]做双变量相关分析。有两个问题可能会导致不可靠的相关性。第一,把每个栅格单元(及其邻近单元)作为一个复制品分析整个区域,只能给出由流域的整体坡向和整体坡度驱动的笼统答案;第二,空间水文算法假设利用的是单元之间的联系,而这些单元不是直接相邻的(Voinov 等,1999b)。

## 12.7　讨论

　　前面已将描述为评价营养物从整个流域和单个单元中流失的关键参数。因此,对该参数做了一些敏感性分析。根据不同的 $\lambda$ 值计算得出了几种不同的最佳土地利用和施肥模式。图 12-13 以加总的方式展示了这些结果。$X$ 轴表示 $\lambda$ 的值,图 12-13(a)展示的是不同作物、休耕地和森林分配到的单元数目。图 12-13(b)展示的是农业用地的单元数目。图 12-13(c)综合了一个栅格单元上的总施肥量。

　　如果不考虑环境条件,即 $\lambda = 0$,最佳策略就是在区域内全部种植大豆和玉米。大豆的市场价格相对较高而对施肥的要求相对较低,这使它成为最有价值的作物。增加 $\lambda$ 值

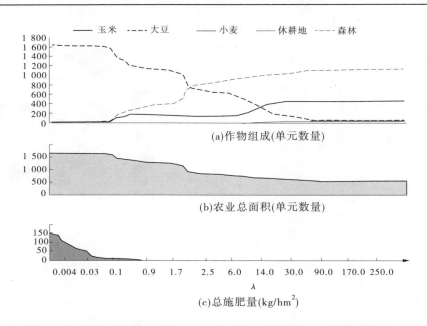

图 12-13　最优解中的土地利用分配和施肥动态,它们是环境权重系数的函数

将导致最优解中的农业单元数量减少。随着 λ 值的增加,森林开始出现并逐渐扩张。由于 λ 值增加,大量营养物质外流,导致总施肥量迅速减少。逐渐地,玉米和小麦取代了大豆。这有待于进一步的探索,因为还没有显而易见的理由可以说明利润更高、对施肥要求更低的作物为什么会被利润更低、污染更大的作物所取代。一种可能的解释是,这与每种作物的生长时期存在的差异有关。通常,假定大豆在 7 月份种植,其生长和施肥期正好处于树木生长不活跃、不能潜在地有效截留营养物流失的时期。而这能给玉米带来一定的优势,因为它们的生长期与森林一致。

　　产生的空间模式见图 12-14。随着 λ 值的增加,最佳土地利用模式中的森林单元开始出现并在小河和湿地周围扩张。λ 值的进一步增加将导致更加异质的土地覆被。土壤湿度和营养成分不是森林或休耕地出现的唯一驱动因子。最优解是模型中不同过程之间所有复杂相互作用共同导致的结果。这就是有时候很难说明和解释最终分配结果的原因。

　　得到的结果肯定有很大的局限性,有两个主要原因。首先,估计土地模式的价值时,考虑的目标函数只包括了农业收益。其他的土地利用收益被忽略了,比如森林或居住地。居住单元的分配是完全固定的,只有在考虑营养物的吸收能力时才体现了森林的价值,即减少流向河口的营养物质量。事实上,森林还有其他的价值,包括市场价值和非市场价值。第二,产生的最佳模式很少有机会在已经开发的景观中执行。通过重新造林和彻底重新分配特定的农业用地来重建整个景观,以此达到最优化模式,这几乎是不可能的。另外,与农业生产有关的运作成本并没有被完全考虑在内,包括种子的价格、劳动力、能源、灌溉等。把它们考虑进来并不是太难,但是总要付出一定的努力才能实现。还有许多其他的不确定因素需要予以研究和评价,例如,气候变化如何影响最佳土地分配,多种作物的时间安排有什么效应等。

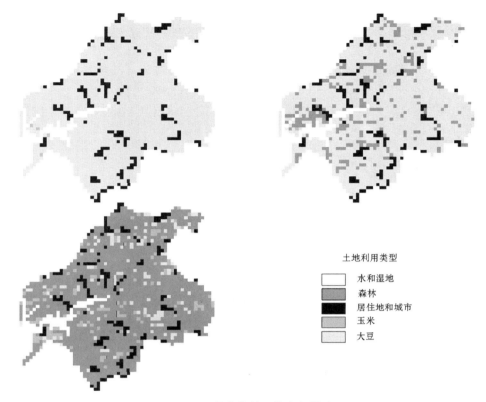

土地利用类型

☐ 水和湿地
▨ 森林
■ 居住地和城市
▨ 玉米
☐ 大豆

**图 12-14　最优化结果的空间描述**
需要注意的是,环境因素(λ>0)的重要性增加时,森林将在河边出现并进一步扩张

　　尽管如此,模拟结果仍有某些定性的、概念上的价值。一旦把环境因素(λ>0)引入到目标函数中,就可以明显地观察到森林的出现模式。这种模式与广泛讨论的滨河缓冲带和营养物质吸收概念有相当完美的一致性。只要清洁环境的价值引起关注,滨河带就会趋向于成为森林。这种关注程度增加(λ 值增加)时,缓冲带的范围也会逐渐扩大。

　　最重要的是,检验基于复杂过程的模拟模型实现空间最优化的可行性。事实上,如果空间模拟模型本身非常复杂,对模拟结果的分析就会受到限制。如果打算完全实现最优化,就很有必要设计一些简化技术。通过产生一系列局部响应图然后最优化这些图,可以极大地减少所需的计算量。局部最优化的结果与全局最优解很可能存在差异。然而,利用蒙特卡罗分析进行的检验表明,可以在一定程度上接近最优解。将遗传算法进一步应用到全局最优化问题上(Seppelt 和 Voinav,2002),仅仅证明了局部最优化方法确实可以很好地估计全局最优解。当然,应该谨慎地给出这个结论,因为对于其他区域或其他模型,可能会得到完全不同的结果。对于 Hunting Creek 流域,可能比较重要的是该地区没有显著的高程梯度,这限制了横向的相互作用,并增加了局部垂直过程的重要性。期望水平流量和单元之间的相互作用可以在陡坡上发挥更加重要的作用,从而使局部最优化更少地代表整个空间动态。

**致谢:**本研究得到了美国环境保护署 Science to Achieve Result (STAR) 项目 (R827169)和德国科学基金(Deutsche Forschungsgemeinschaft, DFG)项目 SE-796/1-1 的支持。Hunting Creek 建模项目还得到了 Calvert 县政府委员会的支持。感谢 Calvert 县规划和区划部门的 Dave Brownlee,他为我们提供了很好的建议并帮助我们获取了一些数据。感谢 Thomas Maxwell 对最优化工具 SME 的几次升级。另外,感谢 Dagmar Sondgerath 帮助我们完成统计分析。本研究使用了 Massachusetts 技术中心的 Matthew Wall 编写的 GALib 遗传算法软件包。

# 参 考 文 献

[1] Band L E, Peterson D L, Running S W, et al 1991. Forest ecosystem processes at the watershed scale: basis for distributed simulation. Ecological. Modelling 56: 171~196

[2] Beven K J, Kirkby M J. 1979. A physically~based, variable contributing area model of basin hydrology. Hydrological Sciences Bulletin 24(1): 43~69

[3] Bevers M, Hof J, Uresk D W. et al. 1997. Spatial optimization of prairie dog colonies for black~footed ferret recovery. Operations Research, 45:495~507

[4] Bulirsch R, Miele A, Stoer J, et al. 1993. Oprimal control—Calculus of variations, optimal control theory and numerical methods. International Series of Numerical Mathematics, 111, Birkh? user; Basel

[5] Burke I C, Schimel D S, Yonker C M, et al. 1990. Regional modeling of grassland biogeochemistry using GIS. Landscape Ecology 4(1): 45~54

[6] CBP. 2001. Chesapeake Bay Program. http://www.chesapeakebay.net/

[7] Costanza R, Voinov A, Boumans R, et al. 2001. Case Study: Patuxent River Watershed, Maryland. in Costanza, R. et al. (Eds.) Institutions, Ecosystems, and Sustainability. Lewis: Boca Raton. pp. 179~230

[8] Costanza R, Sklar F H, White M L. 1990. Modeling coastal landscape dynamics. Bioscience 40(2): 91~107

[9] Davis J C. 1984. Statistical Data Analysis in Geology. John Wiley & Sons: New York

[10] Engel B A, Srinivasan R, Rewerts C. 1993. A Spatial Decision Support Systemor Modeling and Managing Agricultural Non~Point~Source Pollution. in Environmental Modeling with GIS (Goodchild M.F, B.O.P, and L.T. Steyaert, eds.). Oxford University Press, Oxford

[11] Fitz H C, Sklar F H. 1999. Ecosystem Analysis of Phosphorus Impacts in the Everglades: A Landscape Modeling Approach. 565~620 in Reddy, R. (Ed.). Phosphorus Biogeochemistry in Florida Ecosystems. Lewis Publishers: Boca Raton, FL, pp.585~620

[12] Jaklitsch F, et al. 1997. Comprehensive Plan Calvert County, Maryland. Planning Commission. http://www.co.cal.md.us/planning/compplan/compmain.htm

[13] Krysanova V, Meiner A, Roosaare J. et al. 1989. Simulation modelling of the coastal waters pollution from agricultural watershed. Ecological Modelling 49: 7~29

[14] Loehle C. 2000. Optimal control of spatially distributed process models. Ecological Modelling, 131: 73~95

[15] Makowski D, Hendrix E M T. van Ittersum M K, et al. 2000. A framework to study nearly optimal solutions of linear programming models developed for agricultural land use exploration. In Ecological Mod-

elling, 131: 65~77

[16] Martinez-Falero, Trueba E I, Cazorla A, et al. 1998. Optimization of spatial allocation of agricultural activities. Journal of Agricultural Engineering Ressources, 69: 1~13

[17] Maxwell T, Costanza R. 1995. Distributed Modular Spatial Ecosystem Modelling. International Journal of Computer Simulation: Special Issue on Advanced Simulation Methodologies 5(3): 247~262

[18] NADP 2000. NRSP~3/National Trends Network. NADP Program Office, Illinois State Water Survey, Champaign, IL. www.nadp.sws.uiuc.edu/nadpdata/monthlyRequest.asp? site=MD03

[19] Nevo A, Oad R, Podmore T H. 1993. An integrated expert system for optimal crop planning. Agricultural Systems, 45: 73~92

[20] Randhir T O, Lee J G, Engel B. 2000. Multiple criteria dynamic sptial optimization to manage water quality on a watershed scale, Transaction of American Society of Agricultural Engineers, 43(2): 291~299

[21] Sasowsky C K, Gardner T W. 1991. Watershed configuration and geographic information system parameterization for SPUR model hydrologic simulations. Water Resources Bulletin 27(1): 7~18

[22] Seppelt R. 2000. Modelling regionalised optimum control problems for agroecosystem management. Ecological Modelling 131(2~3): 121~132

[23] Seppelt R, Voinov A. 2002. Optimization Methodology for Land use Patterns using Spatially Explicit Landscape Models. Ecological Modelling 151: 125~142

[24] Sklar F H, Costanza R, Day Jr J W. 1985. Dynamic spatial simulation modeling od coastal wetland habitat succession. Ecological Modeling 29: 261~281

[25] USGS. 1995. Maryland NWIS~W Data Retrieval. www.waterdata.usgs.gov/nwis~w/MD/

[26] USGS. 1997. Maryland Surface~Water Data Retrieval. www.h2o.usgs.gov/swr/MD/

[27] Voinov A, Costanza R, Wainger L, et al. 1999. Environmental modeling of Calvert county buildout scenarios using hunting creek as a case study. Report to Calvert County Board of Commissioners, Ref. No. [UMCES] CBL 98~166

[28] Wall M. 1996. GALib: A C++ Library of Generic Algorithm Components, Version 2.4. MIT: Mechanical Engineering Dept. URL: http://lancet.mit.edu/ga/